LOS CRISTIANOS POR EL SOCIALISMO EN CHILE

Tercera edición
aumentada
y complementada
con abundante
material gráfico
y documentación

TERESA DONOSO LOERO

LOS CRISTIANOS POR EL SOCIALISMO EN CHILE

EDITORIAL VAITEA

SANTIAGO DE CHILE

Inscripción Nº 44819
Editorial VAITEA (M.R.)
Teatinos 371, Of. 407
Casilla 6140, Correo 22
Santiago de Chile

Derechos reservados
para todos los países

Primera edición: Noviembre de 1975
Segunda edición: Enero de 1976
Tercera edición: Mayo de 1976

Esta obra ha sido desglosada
de la Colección CIENCIA POLITICA, Nº 5,
de Editorial VAITEA

El material gráfico de este libro
es de propiedad de la *Empresa Periodística
El Mercurio S.A.*, que ha autorizado
su utilización en esta obra.

Portada y diseño gráfico: Diagram

Impreso en los
Talleres Gráficos Domínguez
Alfredo Guillermo Bravo 1279
Santiago
HECHO EN CHILE - PRINTED IN CHILE

DOS PALABRAS

Estas páginas fueron escritas con dolor y —¿por qué negarlo?— con un gran temor.

Dolor al revivir, una tras otra, las flaquezas en que incurre el material humano de la Iglesia Católica. De la propia Iglesia: esta Iglesia en que fuimos bautizados, crecimos en la vida de la fe, recibimos el consuelo, la entereza, la alegría, el perdón, la certeza de la Eternidad... todos los bienes impalpables e inimaginables que, sin merecimiento alguno de su parte, repletan la vida del cristiano mientras lo van adentrando por los caminos de la plenitud de Dios.

Dolor al ver desfigurado, ante quienes no creen, el rostro de la Iglesia.

Dolor al contemplar la caída sucesiva y masiva de laicos, religiosos, religiosas, sacerdotes y hasta obispos en una tentación marxista. Porque algún día tendrá que decirse nuevamente, por desgracia, que »la Iglesia pagó un tiempo su tributo a los errores de la época« (Documento de Trabajo »Evangelio y Paz«, septiembre 1975)[1]. Esta frase ha sido dicha por los Obispos de Chile, para sintetizar actitudes eclesiásticas previas al liberalismo. El material humano de la Iglesia Católica chilena, en los años que abarca el contenido de este libro (1965-1975), reeditó la frase.

Dolor de llevar sobre la conciencia el peso de una culpa: haber sido un miembro mediocre del Cuerpo Místico de Cristo. Y así, con esta vergonzosa mediocridad, haber contribuido a que la Iglesia continuara, por sus hijos infieles, por sus hijos cobardes, por sus hijos errados, continuara en su carne santísima las angustias de la Pasión de Jesús.

Temor a las reacciones que traerá consigo este libro y al pecado de traición que algunos achacarán a quien lo escribió.

Temor de escandalizar. Temor de no haber sabido seguir cubriendo con un púdico velo de silencio los desfices de la propia familia (religiosa). Temor de haber errado.

Temor de perder el afecto de quienes verán aparecer a los suyos como tristes protagonistas de una historia más triste aún.

Temor... hasta que un día, censurando las declaraciones de Monseñor

---

[1] »Evangelio y Paz«. Documento de Trabajo del Comité Permanente del Episcopado de Chile. Santiago, 5 de septiembre de 1975. Ediciones Mundo. 35 pp. (p. 23).

Carlos Camus ante corresponsales de prensa (30 de septiembre de 1975), Monseñor Eladio Vicuña, Arzobispo de Puerto Montt, dijo a los diarios:

»Antes que la amistad está la verdad«[2].

Estas palabras terminaron con el temor. Y comprendí que resultaba necesario decir las terribles verdades que configuran la vía chilena hacia un »cristianismo« marxista o la trayectoria del marxismo infiltrándose en la Iglesia Católica chilena.

Pensé que quizás, al mirarnos en este siniestro espejo, echaríamos por tierra la maldición de Santayana: »Los pueblos que olvidan la Historia están condenados a repetirla«. (El Pueblo de Dios también).

Puesto que en »Evangelio y Paz« los Obispos de Chile afirman: »es pacífico... el que sabe pedir perdón y deshacer el camino andado«[3], parece indispensable ayudar a todos a desandar el camino.

Dicen también los Obispos: »El futuro no será una simple repetición del pasado«[4]. Y dicen más: »El ateísmo sigue siendo elemento esencial del marxismo. Para el marxismo, toda religión es alienación, es creación humana, es ilusión o mistificación, inocente o culpable, y debe desaparecer, por una persecución sangrienta o por una progresiva asfixia, según las circunstancias aconsejen«[5]. Y todavía añaden: »...siempre es delicado el uso del adjetivo »cristiano« para calificar corrientes políticas, económicas o sociales...«[6].

Todo cuanto dicen los Obispos en »Evangelio y Paz« ha sido experiencia nuestra: primero las corrientes políticas con apellido cristiano, que mellaron el prestigio de la Iglesia y, poco a poco la casaron, a través de tantos miembros suyos, con el mismo marxismo intrínsecamente ateo —»intrínsecamente perverso«— que, en Chile, trató de liquidar la religión mediante una »progresiva asfixia« infiltrante.

Por eso, el futuro no puede ser »una simple repetición del pasado«. Por eso hay que decir la verdad y distinguir claramente a la Iglesia santa, »sin mancha ni arruga«, de los hijos suyos que la prostituyen.

El cristiano puede, con honradez y coraje, plantearse y plantear a los demás las crisis suscitadas —por el material humano— en el seno de su Iglesia, porque precisamente una de las mejores pruebas de la divinidad de esta Iglesia es que subsista, desde hace dos mil años, pese a los hombres que la componen.

Prueba irrefutable de que Cristo cumple con su promesa: »Las puertas del infierno no prevalecerán contra ella«[7].

TERESA DONOSO LOERO
Santiago, noviembre de 1975

[2] »El Mercurio«, 17 de octubre de 1975.
[3] »Evangelio y Paz«. Documento de Trabajo del Comité Permanente del Episcopado de Chile. Santiago, 5 de septiembre de 1975. Ediciones Mundo. 35 pp. (p. 35).
[4] Ibid. (p. 12).
[5] Ibid. (p. 19).
[6] Ibid. (p. 17).
[7] Mt. 16, 18.

INDICE TEMATICO

gicamente diciendo: »Es inadmisible que el Estado pretenda gobernar desde arriba, a la manera de un monopolio, la educación de los chilenos«.

CAPITULO XXI.
¿Qué Hacer?
Otra reunión masiva organizada por sacerdotes pro marxistas: la Asamblea Anual de los »Cristianos por el Socialismo«. Fines de 1972. En las disertaciones se va llegando a lo que Hugo Assmann, jesuita brasileño, llamó »enloquecimiento de los lenguajes«. Hasta la Virgen María, según los sacerdotes de nuevo cuño, »se ubica muy bien en la lucha de clases«.

CAPITULO XXII.
»Hay silencios culpables«.
Pasadas las elecciones parlamentarias de 1973, Chile ardía por sus cuatro costados. El caos social fue de tal magnitud que los Obispos chilenos dijeron: »Todos tenemos culpa y tenemos pecado. Pecamos por acción y mucho más por omisión. Hay cobardías. Hay silencios culpables«. Una vez más, sus palabras cayeron en el desierto.

CAPITULO XXIII.
Se acabó la ambigüedad.
El pronunciamiento militar del 11 de septiembre de 1973 terminó con el »enloquecimiento de los lenguajes«. Los »Cristianos por el Socialismo« desaparecieron aparentemente de la escena nacional. En una pastoral publicada en octubre, los Obispos emitieron su primera condenación oficial de dicho movimiento. Después, sobrevino un silencio que muchos cristianos interpretaron como el acatamiento de los sacerdotes rebeldes a las directivas episcopales y al orden impuesto en Chile por la Junta de Gobierno.

CAPITULO XXIV.
El »costo social«.
Muy pronto empezaron las críticas. Valiéndose una vez más de los pobres, que para todo sirven, los revolucionarios esgrimen la bandera del »costo social« (vocablo allendista) que cobra el programa económico de la Junta, mediante el cual se intenta la reconstrucción del país. La revista jesuita »Mensaje« lleva la bandera de una crítica implacable que, siempre, se hace pasar por »constructiva«. En ningún momento dicha revista es censurada por las autoridades.

CAPITULO XXV.
Eclesiásticos y Guerrilleros.
La muerte del jefe máximo del MIR, Miguel Enríquez. La confesión de cuatro miristas que denuncian a dos sacerdotes como miembros de sus filas. Otros signos del contubernio mirista-eclesiástico, mientras un informe episcopal presentado al Sínodo de

Obispos en Roma consigna que la »preocupación dominante (de la Conferencia Episcopal de Chile durante la Unidad Popular) fue el diálogo para no romper con los sacerdotes socialistas...«.

En septiembre de 1975, el Obispo-Secretario de la Conferencia Episcopal de Chile, Monseñor Carlos Camus Larenas, hizo inestimables revelaciones ante un grupo de corresponsales de prensa. Gracias a él se conoció el mar de fondo que agita a vastos sectores eclesiásticos, opuestos en casi todo el actual Gobierno. Se supo también que el Comité de Cooperación para la Paz, organismo eclesial-ecuménico de ayuda a los prisioneros, cesantes, etc., instaurado después del pronunciamiento militar, contaba con gran cantidad de marxistas en su seno.

Descripción del local donde funcionaba el Comité de Cooperación para la Paz, de los folletos que editaba y de ciertas actividades que algunos de sus miembros desplegaban.

Los Obispos emiten un nuevo documento de trabajo (abril de 1975), titulado »Evangelio y Paz«. Entre otras cosas recuerdan los peligros del marxismo, intrínsecamente ateo.

El 4 de noviembre de 1975, el Gobierno se vio en la necesidad de revelar, por infidencia de un sacerdote-periodista, una concatenación inverosímil de acontecimientos en los cuales aparecen coludidos sacerdotes, religiosos y religiosas con miembros del Movimiento extremista de Izquierda Revolucionaria (MIR), prófugos de la justicia y catalogados como »delincuentes comunes«. El Arzobispado de Santiago emitió una declaración abogando por la »indiscriminada misericordia« del cristianismo, de acuerdo a la cual habrían actuado dichos sacerdotes, religiosos y religiosas, encubriendo delincuentes comunes. Unos encubridores son detenidos, otros logran huir, los extranjeros son expulsados del país. Algunos Obispos desaprueban radicalmente la actuación de representantes de la Iglesia en estas lides. El capítulo se cierra con fecha 12 de noviembre de 1975: la avalancha de sucesos extremista-religiosos es tal que, de no hacerlo así, la primera edición de este libro no hubiese podido entrar en prensa.

Capítulo I

COMIENZAN LOS »SIGNOS DE LOS TIEMPOS«

Estudiantes católicos santiaguinos asisten a misa en la Parroquia Universitaria. Mientras despuntan los balbuceos de la nueva liturgia del postconcilio, surge un líder: Miguel Angel Solar.

En el rostro aún imberbe, con visos de querubín, le habían empotrado una nariz de ave de rapiña. Usaba el pelo demasiado largo. Vestía como un colegial y llevaba el mismo chaquetón absolutamente todos los domingos. Se llamaba *Miguel Angel Solar* y estudiaba medicina.

Era él quien, con otros compañeros, preparaba el escenario para la misa universitaria de las diez de la mañana. Colgaban un telón blanco ante el altar mayor de la iglesia de Santa Ana, y ese telón tenía calidad de »signo de los tiempos«; era un límite tajante: de un lado la oscuridad, el barroco, las estatuas, los mármoles, la huella del mil ochocientos; del otro lado la luminosidad, la simplicidad, lo que los estudiantes llamaban »pobreza«, el hoy y el futuro de la juventud católica.

Mientras Miguel Angel Solar y sus compañeros acarreaban tablones de pino sin cepillar, los montaban sobre caballetes y los cubrían de lienzos, de vasos, velas y misales, la concurrencia entraba en trance inexorablemente, curvada sobre sí misma, atónita frente a las tablas de pino, presa de un retorcido amor por la sencillez de las formas.

Porque aquel telón blanco que ocultaba el altar mayor era la Buena Nueva de la era postconciliar: todo lo »viejo« de la Iglesia Católica había muerto.

Mariano Puga, con gestos impecables, apegados a la estética del culto, y espiritualidad digna de un arcángel, completaba la corte celestial allí presente. El celebraba la misa. Sus sermones discurrían domingo a domingo por entre las cosas de Dios. Nada de la nueva manía sociológico-política que comenzaba a ponerse de moda entre cátedras y púlpitos: nada lo había contaminado.

Después de la misa los estudiantes tiritaban en el patio de la casa parroquial. Mientras sorbían café y mordían marraquetas, Miguel Angel Solar, trepado sobre una banca para salvar problemas de estatura, ordenaba los nuevos pasos a dar. Desde su caparazón frágil y aún adolescente estaba saliendo a flote un líder.

Después todos enfilaban por la calle San Martín (ex calle de las Cenizas) y ponían atención como podían en el frío de lo que antaño fueron las caballerizas y cocheras para el coche del Santísimo Sacramento a los enfermos. Ahí se discutía la nueva teología. Era el invierno de 1965.

LAZUELA DE LA IGLESIA DE SANTA ANA

COMIENZAN LOS »SIGNOS DE LOS TIEMPOS«

*Miguel Angel Solar con otros compañeros prepa-
raban el escenario para la Misa Universitaria de las
10 de la mañana. Colgaban un telón blanco ante el
Altar Mayor de la iglesia de Santa Ana. Ese telón tenía calidad de signo de los tiempos; era un límite tajante: de un lado la oscuridad, la huella del 1800,
del otro lado la luminosidad, lo que los estudiantes
llamaban »pobreza«, el hoy y futuro de la juventud
católica.*

*Aquel telón era la buena nueva de la era postconci-
liar: todo lo »viejo« de la Iglesia Católica había
muerto.*

*Los feligreses de la Parroquia Universitaria, en 1965
se vieron obligados a remodelar la iglesia de Santa
Ana para sentirse a sus anchas.*

*En lo que antaño fueron las caballerizas y cocheras
para el coche del Santísimo Sacramento a los enfermos, se discutía la nueva teología. Era el invierno de
1965.*

*Mariano Puga, con gestos impecables, apegados a
la estética del culto, y espiritualidad digna de un arcángel, completaba la corte celestial allí presente.
El celebraba la misa. Sus sermones discurrían domingo a domingo por entre las cosas de Dios. Nada
de la nueva manía sociológico-política que comenzaba a ponerse de moda entre las cátedras y púlpitos:
nada lo había contaminado.*

Capítulo II

LA FIEBRE NEOMODERNISTA (Año 1967)

Jacques Maritain publica en París su libro titulado »Le paysan de la Garonne«. Es una violenta vuelta atrás del inspirador de la Democracia Cristiana y un enjuiciamiento radical a los errores religiosos que van surgiendo después del Concilio Vaticano Segundo.

En 1967 apareció en París el libro de Jacques Maritain titulado: »Le paysan de la Garonne« (El campesino del Garona). Libro-escándalo porque los correligionarios del viejo revolucionario, padre espiritual de la Democracia Cristiana, no pudieron soportar su vuelta atrás. El hombre hacía un crudo examen de conciencia y juzgaba sin compasión los errores que iban surgiendo, en parte, gracias a su contribución de toda una vida.

En la página dieciséis Maritain escribió: »...la fiebre neomodernista fuertemente contagiosa, al menos en los círculos llamados »intelectuales«, y junto a la cual el modernismo de tiempos de Pío X no es más que un modesto romadizo del heno, surge como una especie de apostasía »inmanente« (por ello entiendo decidida a permanecer cristiana a cualquier precio). Esta apostasía estaba en preparación desde hace bastantes años y esperanzas oscuras de las partes bajas del alma, surgidas acá y allá con ocasión del Concilio, aceleraron la manifestación, que algunas veces ha sido mentirosamente imputada al »espíritu del Concilio«, ver al »espíritu de Juan XXIII«. Sabemos bien a quién conviene adjudicar la paternidad de este tipo de mentiras. Pero precisamente ya no se cree más en el Diablo ni en los ángeles malos, ni en los buenos como es natural. Ellos son sólo sobrevivientes etéreos de una imaginería babilónica«[8].

Fue providencial leer estas palabras de Jacques Maritain recién salidas del horno y pertrechar el alma para los acontecimientos que vendrían inmediatamente después, en el propio Chile. Uno sabía a quién achacarle la paternidad de tanto mal porque, para uno al menos, el demonio aún existía.

[8]»Le paysan de la Garonne«. Jacques Maritain. Desclée de Brouwer. Paris, 1967. 406 pp. (pp. 16-17).

Capítulo III

AGOSTO DE 1967

Los estudiantes democratacristianos de la Universidad Católica de Chile, capitaneados por Miguel Angel Solar, emprenden una rebelión universitaria que llaman »reforma«. Abren de par en par las puertas de la Universidad al comunismo. Son respaldados por sectores sacerdotales, especialmente jesuitas, por personeros democratacristianos y por los hombres del gobierno de Eduardo Frei. El Cardenal-Arzobispo de Santiago, Monseñor Raúl Silva Henríquez, nombra Pro-Rector a Fernando Castillo Velasco.

VIERNES ONCE

A las nueve de la mañana comenzaron los pugilatos en la calle Marcoleta. Alumnos democratacristianos, partidarios de la reforma universitaria, habían ocupado la casa Central de la Universidad Católica a las cero horas. Alumnos de Derecho y Agronomía, capitaneados por Jaime Guzmán y Gerardo Arteaga, trataron de escalar la reja del Hospital Clínico siendo repelidos desde el interior. Llueven insultos y proyectiles. Después, en el patio posterior de la sede universitaria, se inicia una batalla campal que durará dos horas.

A las diez de la mañana *Juan Gabriel Valdés,* hijo del Ministro de Relaciones Exteriores, Gabriel Valdés Subercaseaux, montaba guardia detrás del monumento de don Crescente Errázuriz, en la Alameda Bernardo O'Higgins. Sobre su cabeza, un lienzo monumental colocado bajo el Cristo de brazos abiertos que preside la fachada de la UC: »Nuevos Hombres para la Nueva Universidad«.

Juan Gabriel Valdés se replegó al interior de la Casa Central por la puerta izquierda; las otras estaban clausuradas con cadenas y candados. Al parecer, cumplía un papel preponderante en la »toma«; por lo menos todo reportero que pretendiera ordenar ideas en el caos imperante debía dirigirse a él.

De pronto apareció *Miguel Angel Solar,* presidente democratacristiano de la Federación de Estudiantes de la Universidad Católica (FEUC) y artífice de la toma. Era el mismo escolar lampiño de la parroquia de Santa Ana, con rostro de querubín y nariz de ave de rapiña. El mismo, desde cuya caparazón enclenque había nacido el líder, al parecer con muy buenos resultados.

24

Iba con las manos atrás, el ceño dramático, caminando solemnemente entre dos compañeros que oficiaban de guardaespaldas, meditando en alta voz la estrategia inmediata a seguir.

Dieron las doce. Llegaron cuarenta refuerzos de la Universidad de Chile. El pugilato de la calle Marcoleta iba llegando a su fin. Los contrarios a la toma se batieron en retirada. Un sórdido silencio se apoderó de la Casa Central, mientras Miguel Angel Solar revistaba sus huestes triunfadoras.

Se acercó a un grupo de matones barbudos, absolutamente ajenos al ambiente de aquella época en la Casa Central, y por lo bajo les dijo amablemente:

—Creo más prudente que se retiren... Hay algunos momios por ahí y se podría prestar para acusaciones...

Dantón Euquiza, jefe de »Espartaco«, agrupación marxista-pekinista del Instituto Pedagógico de la Universidad de Chile, empuñó sus »Prolegómenos para una Estética Marxista« y desplegó una espléndida sonrisa dedicada al presidente de la FEUC:

—Ya sabes, hombre, para lo que nos necesiten...

—Sí, contestó Miguel Angel, pero por el momento es mejor que se vayan. Muchas gracias.

Dantón Euquiza y sus cuarenta compañeros partieron tan misteriosamente como habían llegado.

Abordado por un periodista radial, Miguel Angel declamó frente al micrófono:

—Aquí las cosas se han tomado con mucha calma. Sólo ciertos elementos fascistas trataron de promover desórdenes en la entrada de la calle Marcoleta, pero felizmente ya se solucionó el asunto.

—¿Es cierto que hay elementos de otras universidades aquí, con ustedes?, indagó el periodista.

—Han venido algunos, pero como vienen siempre en estas ocasiones: solamente a mirar.

Diciendo esto, el presidente de la FEUC, siempre seguido de su escolta, se guardó en una oficina para celebrar el triunfo.

ENTRETELONES DE UN ASALTO

Este triunfo del 11 de agosto no surgió por generación espontánea. Toda una sucesión de acontecimientos y de publicaciones lo habían preparado. El fruto estaba por demás maduro cuando Miguel Angel Solar y sus gentes lograron posesionarse de la Casa Central de la Universidad Católica de Chile.

El primer grito de guerra fue lanzado por el propio presidente de la FEUC, con fecha 7 de abril de 1967. Inmediatamente después de la misa del Espíritu Santo que precede la inauguración del año académico, Miguel Angel Solar leyó el discurso de rigor, espetando a la cara de todos los presentes:

»La superación de la actual crisis de la Universidad solamente comenzará cuando sea relevado el actual Rector Excmo. Monseñor Alfredo Silva de su cargo y, más que eso, cuando su lugar de Rector pase a ser ocupado por un hombre de reconocidas capacidades y vocación universitaria y moderno espíritu organizador«[9].

La mecha de la reforma universitaria prendió ese 7 de abril, con arrogancia. Los estudiantes democratacristianos, dirigentes de la FEUC, comenzaban a solucionarle el problema a »la Iglesia Chilena, presidida por el Episcopado de mayor calidad y más progresista de Latinoamérica, (que) siente a la Universidad Católica como un difícil quiste que, colocado en sus entrañas, entorpece su pastoral, siendo motivo de escándalo para los cristianos«[10].

Estas palabras están tomadas del tercero y último número de »Ariete«, publicación de la Federación de Estudiantes de la Universidad Católica, nacida a comienzos de junio y cuya corta existencia sirvió exclusivamente para promover la caída del Rector y la reforma.

»Ariete« cumplió con exactitud la misión que la definición de su nombre le indicaba: »viga utilizada como arma de guerra para derribar murallas o abrir en ellas brecha para iniciar el asalto«. Una vez consumado el asalto dejó de existir.

Por su parte, Miguel Angel Solar avanzaba en la estrategia presentando al Consejo Superior de la Universidad, con fecha 6 de junio, un documento extenso y sesudo, de su puño y letra, titulado: »Nuevos Hombres para la Nueva Universidad«. Entre dieciséis páginas sobre »crisis de autoridad« y demás, el presidente de la FEUC deslizaba la siguiente advertencia: »*No faltarán quienes malintencionadamente quieran ver en este movimiento un afán de entregar la Universidad al terreno de la política partidista*, mas serán los mismos que acusan a la Iglesia de »entrometerse en política«...[11].

Once días más tarde reventó el conflicto de la Universidad Católica de Valparaíso. La Facultad de Arquitectura hizo circular una declaración increpando »la incapacidad de las autoridades«. El Consejo Superior tomó en serio la rebelión estudiantil y acordó llamar a elecciones de Rector en el plazo de treinta días[12].

Pero pasaron cuarenta y ocho, vertiginosos y violentos. Monseñor Emilio Tagle, Arzobispo de Valparaíso y Gran Canciller de la UCV, desconoció el acuerdo de un Consejo que había atropellado su autoridad. El Secretario General del Consejo, *Fernando Molina,* se enfrentó al Gran Canciller. El Gran Canciller declaró que »mantenía su confianza en el Rector y que no cedería ante presión alguna«[13].

Días después, grupos estudiantiles de la UCV, reforzados por extremistas, asaltaron el Arzobispado causando destrozos de toda índole. La Corporación de Profesores de la Universidad Católica de Valparaíso emitió un acuer-

[9]»Ariete«. Año I, número 3. (1967).

[10]Ibid.

[11]»Nuevos Hombres para la Nueva Universidad«. Federación de Estudiantes de la Universidad Católica. Santiago, junio de 1967. 16 pp.

[2]»El Mercurio«, 18 de junio de 1967.

[13]Ibid., 27 de junio de 1967.

do en el cual se estipulaba que »*el movimiento universitario ha perdido su auténtico sentido, desvirtuándose por finalidades de orden político*«[14].

Por su parte el Comité Permanente del Episcopado se reunía extraordinariamente »para estudiar la situación creada en dos Universidades Católicas de nuestra patria«.

Declararon públicamente los Obispos: »*Una Universidad Católica no puede convertirse en monopolio de ningún partido político*«. Firmaba la declaración Monseñor Raúl Silva Henríquez, Cardenal-Arzobispo de Santiago y presidente de la Conferencia Episcopal de Chile[15].

El 27 y el 28 de junio los estudiantes de la Universidad Católica de Santiago, citados por la FEUC, acudieron a un plebiscito sobre la tesis de »queremos el cambio de la máxima autoridad universitaria«, mientras el Rector declaraba que »aceptar una actitud así sería ir derecho al caos«. Sin embargo, el plebiscito tuvo lugar y Monseñor Silva Santiago fue repudiado por los estudiantes rebeldes[16].

Jaime Guzmán, presidente del Centro de Derecho de la UC, denunció que la votación y el escrutinio se habían llevado a efecto en medio de una falta total de garantías.

Simultáneamente, el Comité Permanente del Episcopado recomendó el nombramiento de un Pro-Rector para reemplazar al presbítero Adamiro Ramírez, a fin de zanjar el conflicto. De ahí que, con fecha 6 de julio, el Cardenal Raúl Silva Henríquez escribiera a Miguel Angel Solar en los siguientes términos:

»Muy estimado señor Presidente:

Después de oír al Comité Permanente del Episcopado, consulté a usted si sería satisfactorio para los alumnos el que la autoridad competente de la Universidad nombrara un Pro-Rector, capaz, y con la autoridad necesaria, que diera garantía a todos los interesados, para llevar adelante cuanto antes las reformas estructurales de la Universidad, que, al parecer, son aceptadas por todos. . .«.

La carta del Cardenal a Miguel Angel Solar terminaba diciendo: »Le agradezco a usted la innegable buena voluntad que siempre me ha manifestado y la alta comprensión de los intereses superiores de la Universidad y de la Iglesia, que, en estas gestiones ante mi persona, lo han distinguido«[17].

Miguel Angel Solar detuvo la rebelión. Dio una tregua a los Obispos.

Refiriéndose a estos acontecimientos, »Ariete« recalca: »El mayor mérito táctico del plebiscito consistió fundamentalmente en la incorporación a la lucha de un elemento favorable al cambio: el Episcopado Nacional«[18].

Publicaciones de todo tipo se sumaron al aplauso de la revolución de los universitarios. En »Mensaje«, órgano oficial de los jesuitas, el democratacristiano *Gastón Cruzat*, rumoreado insistentemente como aspirante a la Pro-Rectoría UC, protestaba en junio: »Roma, se ha mostrado incapaz de corregir los graves defectos que se han ido acumulando a través de los años, carece de informaciones

[14] Ibid., 6 de agosto de 1967.
[15] Ibid., 11 de julio de 1967.
[16] Ibid., 29 de junio de 1967.
[17] »Ariete«. Año I, número 3. (1967).
[18] Ibid.

27

completas y se encuentra muy distante y ajena al medio en que se desarrolla su acción«[19].

Un mes más tarde, envalentonado Cruzat, escribe con mayor soltura: »Por una de esas decisiones incomprensibles de la Santa Sede, en que suelen jugar más los personalismos que las instituciones, se acumuló en la persona del Rector don Alfredo Silva Santiago el cargo de Gran Canciller«[20].

La víspera de conseguirse el derrocamiento de Monseñor Silva Santiago, meta que la Democracia Cristiana persiguió con tanto ahínco, Cruzat declaraba a »El Mercurio« (19 de agosto): »Acusarlos (a los estudiantes rebeldes) de delincuentes, *suponerlos controlados por los marxistas, prestarles intenciones que no se prueban, son pura cortina de humo destinada a ocultar la raíz de la crisis«*[21].

La ingenuidad se posesionaba de los sectores católicos del país. Bien podían, pues, los comunistas lanzar otro anzuelo; nadie se daría cuenta.

MARCHAR CON LOS COMUNISTAS

Cupo a Volodia Teitelboim, senador y miembro del Comité Central del Partido Comunista, anunciar en el Senado (11 de julio): »Saludamos la gran iniciativa de los jóvenes chilenos de realizar una marcha desde Valparaíso a Santiago, para decir su rechazo a la diaria masacre que los invasores yanquis ejecutan a sangre fría contra ese pequeño pueblo de Asia. A estas horas se desarrolla la marcha con participación amplísima de todos los sectores de la juventud chilena, excepto la extrema Derecha. Católicos y no católicos, políticos y no políticos, marxistas y no marxistas, unidos por el sentimiento de condenación a la ley de la selva, al crimen sistematizado y al por mayor«[22].

En efecto, contingentes de la Federación de Estudiantes de la Universidad Católica y de la Asociación de Universitarios Católicos (AUC), marcharon codo a codo con las juventudes comunistas, desde Valparaíso a Santiago. »La juventud chilena marcha por un camino unitario«, editorializaba en julio la publicación estudiantil comunista »Cuadernos Universitarios«, añadiendo: »Ciertos seudo periodistas radiales y los reaccionarios de dentro y de fuera del Partido Demócrata Cristiano trataron de dividir a la juventud, tratando de oponer a católicos contra no católicos, a marxistas contra no marxistas. Pero esta vez de nada valieron sus insidias, porque fue el propio presidente de la AUC quien llamó a la unidad concreta por la paz y contra el imperialismo«[23].

Efectivamente, la Asociación de Universitarios Católicos (AUC), con sede en Villavicencio 337, era un bastión de esta nueva modalidad de entrega de juventudes cristianas a predicamentos marxistas. Aquí funcionaba, por fin en ambiente apropiado, la Parroquia Universitaria cuyos feligreses, en 1965, se vieran obligados a remodelar la iglesia de Santa Ana para sentirse a sus anchas. Aquí, en casona de viejo cuño y de un solo piso, con hondos patios y habitaciones blancas, claras, era la capilla un rincón recoleto y la liturgia podían desvestirse

[19] »Mensaje«, junio de 1967.
[20] Ibid., julio de 1967.
[21] »El Mercurio«, 19 de agosto de 1967.
[22] Ibid., 14 de julio, de 1967.
[23] »Cuadernos Universitarios«, julio de 1967.

28

sin problemas de cuanto tuviera dejo de tradición y podía, así, sumergirse en la teatralidad contemporánea, sin ángeles ni estatuas que se le interpusieran.

Al primer patio daban las oficinas de los »asesores espirituales« de la juventud. En la primera oficina —del padre *Diego Palma*— un afiche de la Marcha pro Vietnam compartía con el Cristo los muros despoblados.

En el segundo patio, en un galpón de conferencias, esa tarde del 4 de agosto de 1967 preparaba las conciencias juveniles para el nuevo estilo a llevar *Hernán Larraín* (jesuita), Director de la Escuela de Psicología de la UC y Director de la Revista »Mensaje«. Se enfrentaba a Sergio de Castro, Decano de la Facultad de Economía de la UC. El tema del foro era »Autoridad Universitaria«; he aquí unas frases provenientes de la boca del padre Larraín:

»A medida que los años pasan se adquiere la virtud de la prudencia. Es decir, el arte de no hacer nada. En la Iglesia misma sucede y, sin ánimo de ofender a nadie, la Iglesia se transforma en una verdadera gerontología. Sólo la juventud puede hacer algo«[24].

En aquella época los oídos del chileno medio no tenían costumbre de escuchar ni de aceptar este tipo de definiciones. Pero la descomposición de aquel entonces llevó al país cuesta abajo, vino el gobierno de Allende y los oídos del chileno medio se acostumbraron a todo. El padre Larraín solamente escribía los prolegómenos del drama que a todos tocaría vivir después. Jesuitas como él —en general todos los acantonados en el Centro Belarmino— fueron, realmente, los que prepararon los caminos del señor, entendiendo por »señor« al marxismo que fue dueño y patrón de Chile, a sólo cuatro años de pronunciadas estas palabras en la AUC.

Como los oídos del chileno medio y, sobre todo su conciencia, no estaban todavía acostumbrados al contubernio entre cristianos y marxistas, hubo quienes criticaron la Marcha pro Vietnam. De inmediato, »Mensaje« salió a la defensa de la juventud católica. El padre *Manuel Ossa* S.J. escribió en agosto: »Los cristianos no podían estar de acuerdo con las injurias y desprecios de muchos carteles y gritos, pero, no siendo organizadores de la marcha, no les correspondía suprimirlos (...) Los marxistas se extrañaban al principio al verlos (a los católicos) codo a codo en una lucha de esta clase. Pero poco a poco se daban cuenta de que los cristianos tenían algo nuevo que decirles. A un planteamiento partidista, éstos (los representantes de la AUC) oponían el de una lucha por el bien del hombre, más allá de los partidos. Elos presentaban a la Iglesia como un punto de atracción que recogiera todas las aspiraciones legítimas de los pueblos.

»Así, mediante las conversaciones y el discurso final (a cargo del presidente de la AUC), pudieron decir una palabra que no hubiera sido dicha sin ellos: una palabra que, mirando por encima del »slogan« fácil e inmediato contra el »yanqui agresor«, apuntaba hacia la unión de todos —yanquis, chinos, vietnamitas del norte y del sur— en una acción decidida por la paz«[25].

La historia reciente del Vietnam ya se encargó de responder al padre Ossa; la triste historia de los cristianos chilenos tragados por el marxismo, justamente, cuando iban en busca de »diálogo«, también le ha dado respuesta.

---

[24] »PEC«, 25 de agosto de 1967.
[25] »Mensaje«, agosto de 1967.

La AUC tomaba parte activa en el conflicto universitario. Sus asesores espirituales —un Obispo y varios sacerdotes— firmaron una declaración justificando el movimiento de rebeldía estudiantil mediante los Acuerdos de Buga. Fue como hablar de la Biblia: todo el mundo disculpó cualquier atropello en virtud de los famosos Acuerdos de Buga (Colombia), fruto de un Seminario de Expertos Latinoamericanos, entre los cuales se contaba un profesor argentino separado de su cátedra por actividades subversivas del orden jurídico de la Universidad; por parte de Chile figuraron como peritos Hernán Larraín SJ. y Gastón Cruzat.

Consultado Monseñor Alfredo Silva Santiago respecto de la trascendencia que dichos acuerdos tendrían habiendo sido, como se decía, »ratificados por el CELAM (Consejo Episcopal para América Latina) y por un enviado de la Santa Sede«, explicitó que los resultados de Buga se acompañaban de varias *observaciones,* hechas por la Santa Sede, y enviadas por la Sagrada Congregación de Seminarios y Universidades al propio presidente del Departamento de Educación del CELAM, en carta fechada 15 de marzo de 1967. Monseñor Charles Moeller, enviado de la Santa Sede al Seminario colombiano se habría limitado —según esa carta— a relatar de viva voz y por escrito los resultados. Monseñor Moeller no habría ratificado en ningún momento los acuerdos, porque no era su misión hacerlo[26].

Sin embargo, la AUC daba por sentado que »este documento representa el pensamiento más actual de la Iglesia sobre la materia (universidades católicas) y muy recientemente ha sido indicado por la Santa Sede como la base doctrinal para la reforma de las Universidades Católicas en Chile«[27].

Miguel Angel Solar, alentado por un clima tan propicio, continuaba su misión de componedor. En los »Cuadernos Universitarios« (vocero estudiantil comunista) de julio, contestó así a una entrevista: »*Una universidad católica podría perfectamente existir dentro de un Estado socialista. Respecto a la enseñanza del marxismo creo que, como en el caso de otras ideologías, debe hacerse por marxistas, y no como ocurre ahora en nuestra UC donde se expone el marxismo por alguien que no cree realmente en él, para después »refutarlo« con toda comodidad*«[28].

Este apóstol del marxismo tuvo su gran oportunidad cuando, en pleno asalto universitario, se enfrentó en el Canal 13 de TV, con el director de »El Mercurio«, René Silva Espejo, para explicarle que la similitud de métodos entre la toma de la UC y ciertos planteamientos de estudiantes comunistas eran »simples coincidencias«. Pero luego, premunido de la insolencia de sus pocos años, espetó la bravata: »Aunque fuera así, *aunque realmente estuviéramos de acuerdo con los comunistas,* aunque unidos por el bien común, *yo diría que no les tenemos ningún miedo*«[29].

Esa falta de »miedo« fue lo que perdió a los democratacristianos y con

---

[26]Consulta efectuada por la autora en agosto de 1967.

[27]»El Mercurio«, 16 de agosto de 1967.

[28]»Cuadernos Universitarios«, julio de 1967.

[29]»El Mercurio«, 21 de agosto de 1967.

ellos, al país. Pero, en aquel entonces, ¿quién se preocupaba del desenlace que el tanto jugar con fuego tendría? Eran los primeros titubeos de una gran pasión y, tal como sucede, en los amores turbulentos, cualquiera advertencia en contrario desataba los más violentos rechazos.

RODRIGO AMBROSIO Y EL PADRE VEKEMANS

El comunismo iba infiltrándose por todos los resquicios que le abrían los cristianos. A veces, con mucha generosidad, dejaba traslucir sus estrategias y hasta la identidad de sus peones. Uno de ellos fue *Rodrigo Ambrosio*, para quien »Cuadernos Universitarios« tenía palabras de especial consideración presentándolo como un »joven democratacristiano del grupo rebelde«. Rodrigo Ambrosio era presidente de la Juventud Demócrata Cristiana y constituía un fruto legítimo de la Escuela de Sociología de la Universidad Católica; más concretamente de su director, *Roger Vekemans*.

Párrafo aparte merece el jesuita Vekemans, flamenco radicado en Chile por varios años. Su actuación, siempre misteriosa, fue puesta en tela de juicio recientemente por lo que menos podría esperar de él ningún chileno que lo hubiese conocido o hubiera gozado de las consecuencias de su obra: recibir cinco millones de dólares de la CIA para actividades anticomunistas...

Felizmente tales aseveraciones fueron desmentidas con vigor por el Padre Juan Ochagavía, actual Superior Provincial de la Compañía de Jesús. »Puedo asegurar que el padre Vekemans ha obtenido dinero de numerosas fundaciones europeas y norteamericanas para la promoción de la justicia social«, aclaró el padre Ochagavía. Luego añadió: »Los dineros recibidos por el padre Vekemans *en ningún caso han sido ligados a la ejecución de siniestros planes anticomunistas...«*[30]

La verdadera trayectoria de Roger Vekemans aparece en la publicación »Este y Oeste« (junio de 1971): »Uno de los principales artesanos de la infiltración progresista en la Iglesia, bajo pretexto de ayuda al desarrollo y a la promoción social, ha sido el P. Roger Vekemans, SJ...

»Era considerado como la eminencia gris de Eduardo Frei, a quien ayudó a llegar al poder en 1964. En Chile creó el DESAL (Centro para el Desarrollo Social de la América latina)...

»Sus ideas avanzadas, su anticapitalismo categórico, han hecho de él el jefe de toda el ala izquierda de la Democracia Cristiana... En los años 50 fundaba el Centro Belarmino en Santiago, al que se incorporaron algunos jesuitas progresistas, »con el fin de llevar una vida común y solidaria«[31].

El desenlace de esta aventura chilena de Vekemans fue un tanto apresurado y sorprendió a todos los testigos de su labor: »La derrota de Radomiro Tomic... ha llevado al P. Vekemans a abandonar Chile en el mes de octubre de 1970. Inquieto por los considerables progresos realizados por los social-comunistas en los que,

[30] Ibid., 26 de julio de 1975.
[31] »Este y Oeste«, junio de 1971.

muy imprudentemente había confundido algunos de sus objetivos con los del Evangelio, había sin duda reflexionado un poco en estos últimos tiempos... El P. Vekemans y el DESAL emigraron a Colombia el 18 de octubre (de 1970)«[32], mientras Salvador Allende era ratificado por el Congreso Pleno como Presidente de la República el 24 del mismo mes. Ya podía empezar la »Vía Chilena hacia el Socialismo«: los precursores del proceso que hundió a Chile bien podían emigrar a sembrar a otro país.

Actualmente, Vekemans tiene en Bogotá un Centro de Estudios para el Desarrollo e Integración de América Latina (CEDIAL). Poco ha variado la sigla del DESAL; esperamos fervientemente que se halla modificado la línea. Algo así se vislumbra en el boletín que trimestralmente publica este Centro y que se titula »Tierra Nueva«. En el número de octubre de 1973 aparece una escalofriante cronología de la infiltración marxista en la Iglesia Católica chilena. —»La Iglesia chilena, microcosmos latinoamericanos« (tercera parte)—. ¿Pensará Vekemans alguna vez en la parte de responsabilidad que le cupo en este »entreguismo suicida«?

»La Democracia Cristiana chilena —dice el »Diario de las Américas« en 1971—, su política, sus métodos, su acción práctica, han hecho caer a Chile bajo el dominio marxista. No se comprende cómo el padre Vekemans, padre espiritual responsable de esta política, pueda no confesar el error de su acción«[33].

En todo caso, extraña que Vekemans y DESAL partieran tan precipitadamente y no se quedaran a gozar, como nosotros, del »paraíso«, cuyos cimientos ayudaron a instalar.

Volvamos a Rodrigo Ambrosio. Un sacerdote de la Parroquia de Saint Séverin (París), asesor espiritual de becarios latinoamericanos, confidenció en 1964 a ciertos funcionarios de la UC que Rodrigo Ambrosio (becado en L'Ecole Practique) estaba »inscrito en el Partido Comunista francés« y que allí había recibido orden de »no dejar la DC chilena, a fin de servir de puente«.

Este mismo sacerdote denunció que otros dos estudiantes chilenos, discípulos de Vekemans al igual que Ambrosio, *Raimundo Beca* y *María Cristina Hurtado* (su mujer), habían reconocido a su vez, ser marxistas, pero proyectaban abandonar la Democracia Cristiana apenas llegasen a Chile. (Sin embargo, al regresar de París, gozaron de muy buenos puestos durante el gobierno de Frei).

Figuraba también en la lista de estudiantes de la UC, »fuertemente adoctrinados en el marxismo«, que denunciara el sacerdote francés, *Marta Harnecker*[34] Ella dio espléndidos frutos durante la Unidad Popular. Entre otras cosas publicó un libro sobre »Explotados y Explotadores« (Editora Nacional Quimantú. Colección Cuadernos de Educación Popular, 1971)[35]

Este folleto, como los demás de la misma colección, tenía objetivos sumamente claros, especificados en su prólogo: »Las revoluciones sociales las hacen

[32] Ibid.
[33] »Diario de las Américas«, 17 de diciembre de 1970.
[34] Relatado a la autora por un funcionario de la Universidad Católica.
[35] »Explotados y Explotadores«. Marta Harnecker y Gabriela Uribe. Editora Nacional Quimantú. Colección Cuadernos de Educación Popular, 1971. 61 pp.

las masas populares. . . Para colaborar en la tarea (de concientizar a dichas masas), Quimantú ha decidido publicar una serie de Cuadernos de Educación, cuyo objetivo es justamente tratar de proporcionar en forma pedagógica, y al mismo tiempo rigurosa, los instrumentos teóricos más importantes para comprender este proceso (revolucionario) y determinar cuáles deben ser las características de la nueva sociedad (socialista) que queremos construir«[36].

Marta Harnecker resultó una prolífica escritora y »Quimantú« le publicó los siguientes títulos —siempre como manuales de adoctrinamiento comunista, en masivas tiradas—: »Explotación capitalista«, »Monopolios y miseria«, »Lucha de clases«, »Imperialismo y dependencia«, »Capitalismo y socialismo«, »Socialismo y comunismo«, »El Partido: vanguardia del proletariado«, »El Partido: su organización«, »Dirigentes y masas«, »Estrategia y tácticas«, y »Alianzas y frente político«.

Después de tan ardua labor y luego de dirigir la revista »Chile Hoy«, Marta Harnecker se asiló apenas acaecido el pronunciamiento militar.

Raimundo•Beca, María Cristina Hurtado, Marta Harnecker y Rodrigo Ambrosio fueron, pues, verdaderos exponentes del proceso de infiltración marxista en el estudiantado universitario católico de Chile.

Ambrosio es el ejemplar más perfeccionado (al menos en lo que públicamente se conoce de los cuatro).

Rodrigo Ambrosio, mientras era presidente de la Juventud Demócrata Cristiana, en compañía de otros dirigentes de su misma colectividad, muy allegados todos a sectores clericales, se reunía semanalmente con Volodia Teitelboim, buscando el entendimiento cristiano-marxista. A esas reuniones asistían personeros del clero.

En 1969 ya no hubo más necesidad de juntas clandestinas: Rodrigo Ambrosio pasaba, con gran publicidad, a integrar el MAPU (Movimiento de Acción Popular Unitaria), bastión marxistoide de la DC.

En 1969 ocupó la Secretaría General de esa tienda política, reemplazando a *Jacques Chonchol,* quien, luego de ser precandidato a la Presidencia de la República, por la Unidad Popular, fue llamado por Allende para transformarse en Ministro de Agricultura.

Ambrosio era un sincero militante de la Unidad Popular, pues consideraba que la participación de católicos en el Gobierno allendista constituía el mejor síntoma del »pluralismo« gubernamental. Pensaba también que, para los católicos, trabajar por la UP demostraba »la compatibilidad histórica y práctica entre sus aspiraciones religiosas y la necesidad histórica del socialismo«[37].

En una entrevista publicada por el diario »Crónica« de Concepción, el 29 de mayo de 1971, Ambrosio, a la siguiente pregunta: »¿Se considera usted marxista?«, contestó: »Soy tan marxista como todo el MAPU«[38]. En esos mismos días integraba el equipo de redactores del documento base de la jornada sobre

[36] Ibid. (p. 5).
[37] »Este y Oeste«, noviembre-diciembre 1971.
[38] »Crónica«. Concepción, 29 de mayo de 1971.

33

»La colaboración de los cristianos en la constitución del socialismo«, organizadas por los »Ochenta«, grupo de sacerdotes adictos al marxismo.

Seguía siendo secretario general del MAPU cuando, a los 31 años de edad, en un accidente automovilístico, murió Rodrigo Ambrosio. La misa de sus funerales estuvo a cargo de *Gonzalo Arroyo*, jesuita revolucionario. Cantaron en la misa el folklorista de la UP Angel Parra y *Fernando Ugarte*. (Fernando Ugarte, SS.CC., intérprete de la canción marxista de protesta, abandonó después el sacerdocio).

De la misma línea de Ambrosio y, tarde o temprano, trasvasijados desde el Partido Demócrata Cristiano hacia el MAPU y la Izquierda Cristiana, eran *Rafael Agustín Gumucio, Alberto Jerez, Bosco Parra, Julio Silva Solar, Jacques Chonchol, Vicente Sota* y otros. Ellos expresaban su pensamiento izquierdizante en la revista »Presente« y, hablando sobre crisis universitarias católicas, afirmaban: »*Con tal de defender sus intereses (los derechistas) no vacilan en recurrir al fantasma comunista*«[39].

Por desgracia, el »fantasma« fue tomando cuerpo a pasos agigantados y, montado en el caballo de Troya que le significó la Juventud Demócrata Cristiana, entró triunfalmente a la Universidad Católica aquel amanecer del 11 de agosto de 1967.

LUNES CATORCE DE AGOSTO DE 1967
Rodrigo Egaña, vocal de Prensa y Propaganda de la FEUC, anuncia que la Universidad tomada recibió visita y apoyo por parte del vicepresidente de la Central Unica de Trabajadores (CUT) Juan Campos (comunista). »La materialización del apoyo, explica Egaña, se formalizará en una próxima reunión entre los dirigentes estudiantiles y la CUT«[40].

Tiempo más tarde la revista »Ariete« publica senda fotografía del anfitrión Miguel Angel Solar atendiendo a Campos y al secretario de finanzas de la CUT, organismo de sobra conocido como »instrumento del Comunismo Internacional«[41].

JUEVES DIECISIETE
Trescientos estudiantes manifiestan su apoyo a la toma universitaria, congregados en el frontis de la Casa Central.

Desde un balcón de la Universidad Católica les dirige la palabra Alejandro Yáñez, presidente de la Federación de Estudiantes de la Universidad Técnica del Estado y miembro de las Juventudes Comunistas. Posan junto a él Sergio Insunza Becker, dirigente de las JJ.CC. de la Universidad de Chile, Miguel Angel Solar y los otros líderes juveniles democratacristianos que encabezan la lucha por la »democratización« universitaria. Yáñez anuncia paro de 24 horas por parte de la Técnica en adhesión a la FEUC.

[39]Revista »Presente«. 1967.
[40]»El Mercurio«, 15 de agosto de 1967.
[41]»Ariete«. Año I, número 3. (1967).

VIERNES DEICIOCHO

La FEUC escribe al Cardenal Arzobispo de Santiago, Monseñor Raúl Silva Henríquez, recordándole que »el franco deseo de alterar las viejas estructuras universitarias«, por parte de los estudiantes, »no ha sido desconocido por los Obispos de Chile y, muy por el contrario, hemos recibido reiteradamente el apoyo moral para emprender esta tarea«. Los firmantes piden a los Obispos que »hagan valer su poder moral para solucionar el conflicto«[42].

SÁBADO DIECINUEVE

El cuartel general de la efervescencia universitaria católica se traslada repentinamente a Lota 2571, casa particular del Cardenal Silva Henríquez. En aquella »tierra de nadie« la Universidad Católica ve sellarse su destino, con aportes del Gobierno de Frei, de los estudiantes revolucionarios y del propio Cardenal Arzobispo de Santiago.

Precursor de aquel sábado diecinueve fue el acercamiento logrado por *Bernardo Leighton,* Ministro del Interior democratacristiano, quien, según relación posterior de la FEUC »esa noche (8 de agosto) creía (Leighton) firmemente que él arreglaría las cosas antes que nada pasara«. Para ello concertó un almuerzo (9 de agosto) entre el Cardenal, Monseñor Gómez Ugarte, Leighton, Miguel Angel Solar, y *Luis Hevia* (vicepresidente democratacristiano de la FEUC)[43].

Pero el diecinueve, los acontecimientos se precipitaron. Apenas pasada las diez de la mañana, ya el ministro de Relaciones Exteriores, *Gabriel Valdés Subercaseaux,* tocaba el timbre de la avenida Lota. »Hacía gestiones personales con el Cardenal para lograr una solución al conflicto«, explicará después »Ariete«[44].

Por su parte, *Eduardo Frei,* Presidente de la República, en los últimos días se comunicaba constantemente por teléfono con la Santa Sede, anunciando que Chile se hallaba al borde de la Guerra Civil, a causa de la violencia instaurada por grupos universitarios católicos antagónicos. Según Frei, sólo la entrega de poderes especiales al Cardenal lograría detener esta avalancha juvenil[45].

DOMINGO VEINTE

A través de la Nunciatura Apostólica, el siguiente telegrama del Vaticano es transmitido al Cardenal Silva Henríquez: »Visto que perdura el conflicto nacido en la Pontificia Universidad Católica de Chile, la Sagrada Congregación de Seminarios y Universidades de estudios encarga al Comité Permanente del Episcopado Chileno para que, en la persona de su Eminentísimo Presidente, el señor Cardenal Raúl Silva Henríquez, Arzobispo de Santiago, *obre como mediador de las partes en causa,* a fin de estudiar una reforma ulterior de los estatu-

---

[42] »El Mercurio«, 19 de agosto de 1967.
[43] »Ariete«. Año I, número 3. (1967).
[44] Ibid.
[45] »PEC«, 25 de agosto de 1967.

tos de esta Universidad y dar inmediatas y oportunas disposiciones a *las dos partes,* para que termine en seguida el conflicto«[46].

Gastón Cruzat, que había madrugado en Lota 2571, partió inmediatamente a difundir la feliz noticia por el Canal 13 de televisión. Al lanzarla al aire, los términos se vieron un tanto alterados pues Cruzat, en su entusiasmo, decretó al Cardenal »interventor« y no »mediador«.

Para el resto de los ajetreos de ese día memorable en el historial de la UC, en honor a la objetividad, conviene remitirse a la publicación de la FEUC: el número tercero y postrero de »Ariete«:

»El Cardenal actuó de inmediato y con energía, poniendo el acento en los »plenos poderes« más que en ser mediador... Haciendo uso de las atribuciones que la Santa Sede le confería, el Cardenal exige, ante el asombro del Rector, que (dicho Rector) suspenda toda resolución por ser él quien, desde ese momento, toma el problema en sus manos. Para el Rector no existe otra salida y debe aceptar. El Cardenal llama en seguida a los estudiantes para concertar con ellos una entrevista a las tres de la tarde«[47].

Los estudiantes se hicieron esperar hasta las tres cuarenta y cinco, hora en que 12 miembros de la FEUC tocaron el timbre de la casa del Cardenal.

Continúa la relación de Ariete: »Ya el presidente de la FEUC (Miguel Angel Solar) había tenido varias reuniones con él (Cardenal). Es más, el Cardenal compartía en gran medida los planteamientos estudiantiles y eso era conocido por quienes estaban allí... La conversación con el Cardenal fue ágil y fácil. Se hablaba en el mismo lenguaje«[48].

El prelado tenía dos candidatos a la Pro-Rectoría para mostrar y ofrecer a los estudiantes. Primero hizo pasar al padre Egidio Viganó. Luego a *Fernando Castillo Velasco*, profesor de arquitectura, democratacristiano.

Dice Ariete, »Castillo demostraba gran nerviosismo... Dijo que, considerando sus propias incapacidades sobre el problema universitario y el inconveniente de proyectar una imagen de político democratacristiano más allá de la de universitario, preferiría que se decidiera en la persona del padre Viganó.

»En ese momento pesaba con más fuerza en los estudiantes el nombre Viganó. Pero el Cardenal aportaba nuevos elementos de juicio. Entre otros señalaba que nombrándose a Castillo Pro–Rector, Viganó no quedaba al margen del movimiento de reformas, ya que le era posible trabajar en algunas de las comisiones que se formarían; nombrarlo Pro-Rector, en cambio, implicaba perder toda participación de Castillo«[49].

Dan las seis cuarenta y cinco de la tarde. Miguel Angel Solar y los dirigentes estudiantiles se retiran hacia la Universidad para consultar con el Comando Supremo de la toma. Por fin, dice Ariete, »el acuerdo definitivo fue dejar al Cardenal en libertad para nombrar a quien él estimara conveniente«.

[46] »Ariete«. Año I, número 3. (1967).
[47] Ibid.
[48] Ibid.
[49] Ibid.

Y en la página 29, la misma revista rubrica: »De ahí fue elegido Fernando Castillo, quien fue impuesto por el Cardenal al Rector para ser nombrado«[50].

En realidad el Rector, Monseñor Alfredo Silva Santiago, ya nada tenía que ver en ese asunto, según los estudiantes rebeldes: »... la firma en los acuerdos por parte del Rector era dudosa. Sin embargo, fírmase éste o no, los acuerdos ya eran definitivos y con ello se daba por terminado el conflicto«[51].

Monseñor Alfredo Silva Santiago, Gran Canciller y Rector de la Universidad Católica de Chile, renunció a sus cargos ante Roma, considerando que no podía asumir la responsabilidad moral de »aprobar y firmar todas las fórmulas de arreglo« aceptadas por el Cardenal, Monseñor Raúl Silva Henríquez[52].

La Universidad Católica de Chile, a partir de ese momento, pasó a manos de Fernando Castillo Velasco. El conflicto, en efecto, había terminado.

Según Ariete, el Ministro del Interior, Bernardo Leighton, »felicitó personalmente a los estudiantes en la persona de Miguel Angel Solar«[53].

Según Ariete, »su acierto estratégico (el de Miguel Angel Solar) en la preparación del conflicto y su desarrollo, fue confiar y considerar como el mejor aliado al Cardenal«[54].

Dos días después de su actuación como mediador, el Cardenal confesó ante el profesorado de la UC: »A mí me tocó sacar las castañas del fuego y me quemé las manos«[55].

Solucionado el conflicto, Eduardo Frei, Presidente de la República, le pidió personalmente al Cardenal que, en todo este asunto, la Democracia Cristiana quedara lo más limpia posible[56].

La limpieza de la Democracia Cristiana no podía confiarse a mejores manos: las de Fernando Castillo Velasco.

[50] Ibid.
[51] Ibid.
[52] »El Mercurio«, 23 de agosto de 1967.
[53] »Ariete«. Año I, número 3. (1967).
[54] Ibid.
[55] Relatado a la autora por un profesor de la Universidad Católica.
[56] »PEC«, 25 de agosto de 1967.

AGOSTO DE 1967

Fachada de la Casa Central de la Universidad Católica de Chile, en Santiago. Al frente la Alameda, arteria principal de la ciudad.

Viernes once
A las nueve de la mañana comenzaron los pugilatos en la calle Marcoleta. Alumnos democratacristianos, partidarios de la reforma universitaria, habían ocupado la Casa Central de la Universidad Católica a las cero horas.

Después, en el patio posterior de la sede universitaria, se inicia una batalla campal que durará 2 horas.

EL MERCURIO

Incidentes Promovieron Alumnos al Apoderarse de Universidad Católica

Juan Gabriel Valdés, dirigente universitario, hijo del Ministro de Relaciones Exteriores, Gabriel Valdés Subercaseaux, se replegó al interior de la Casa Central por la puerta izquierda; las otras estaban clausuradas con cadenas y candados. Al parecer, cumplía un papel preponderante en la »toma«; por lo menos todo reportero que pretendiera ordenar ideas en el caos imperante debía dirigirse a él.

CURIO

Agosto de 1967

EL TIEMPO.— Hoy: Nubosidad parcial. Temp. de ayer: Máxima: 20.0º, a las 15.30 horas. Mínima: 3.4º, a las 6.00 horas.

PAGINA 29

Alumnos exaltados de la Universidad Católica de Chile destrozan escaños para proveerse de maderos que luego emplearon como armas contundentes.

PREPARATIVOS DEL SINODO DE SANTIAGO.—

Transformaciones en La Iglesia Chilena

Las estructuras de la Iglesia Católica de Santiago serán sometidas a un proceso de profundas transformaciones, para adaptarlas, —según lo anunció ayer el Cardenal Arzobispo don Raúl Silva Henríquez—, a las necesidades del mundo moderno y ponerlas al servicio del hombre y sus inquietudes actuales.

Los cambios serán realizados dentro de las normas aprobadas por el Concilio Vaticano II, a través del Sínodo Diocesano en el que participarán sacerdotes, religiosos, religiosas y laicos.

Las proyecciones de esa jornada y los trabajos preparatorios ya en marcha, fueron el tema central de una conferencia de prensa que el Cardenal Silva Henríquez ofreció ayer en el buen edificio que por

18 de septiembre próximo con participación de unos quinientos sinodales. Será el séptimo Sínodo que se celebre en Santiago y el primero del presente siglo. El anterior se realizó en 1895. Por primera vez en la historia de la Iglesia metropolitana, participarán religiosas y laicos en este tipo de jornadas.

El Sínodo es un Concilio en dimensión local. La idea de vincularlo nació en 1965, cuando los obispos chilenos que asistían al Concilio Ecuménico, se reunieron en Roma para estudiar la forma de aplicar en sus respectivas diócesis las conclusiones de esa magna reunión religiosa.

ENCUESTAS Y SUGERENCIAS

Los trabajos previos al Sínodo

ventes fueron recopiladas en trescientas páginas, separadas por materias y entregadas al estudio de siete comisiones básicas, que debieron organizar su trabajo en cuarenta subcomisiones. Las conclusiones finales fueron agrupadas en un texto voluminoso que el Cardenal entregará a los 500 sinodales durante una solemne ceremonia que se efectuará el 15 del presente en las Monjas Inglesas.

Contiene un informe crítico sobre la "Iglesia y el Mundo de Santiago". Don Manuel Oxa, uno de los redactores, dijo durante la conferencia de prensa que se había llegado a establecer que en sectores importantes de la población se tiene una imagen reducida de

MARCHAR CON LOS COMUNISTAS

Contingentes de la Federación de Estudiantes de la U. Católica y de la Asociación de Universitarios Católicos (AUC), marcharon codo a codo con las juventudes comunistas, desde Valparaíso a Santiago. »La juventud chilena marcha por un camino unitario«, editorializaba en julio la publicación comunista »Cuadernos Universitarios«.

AGOTADORA
MARCHA POR
LA PAZ

»*A estas horas se desarrolla la marcha con participación amplísima de todos los sectores de la juventud chilena, excepto la extrema derecha. Católicos
y no católicos, políticos y no políticos, marxistas y
no marxistas, unidos por el sentimiento de condenación a la ley de la selva, al crimen sistematizado al por
mayor«. (Volodia Teitelboim).*

*La Asociación de Universitarios Católicos (AUC),
era un bastión de entrega de juventudes cristianas
a predicamentos marxistas.*
*En el segundo patio, en un galpón de conferencias,
el 4 de agosto de 1967 preparaba las conciencias juveniles para el nuevo estilo a llevar Hernán Larraín
(jesuita), director de la Escuela de Psicología de
la UC y director de la revista Mensaje.*

personajes
en la onda

"El cristianismo está más
cerca de la UP que del PN".

PADRE HERNAN LARRA
DIRECTOR DE "MENSAJ

Trescientos estudiantes manifiestan su apoyo a la toma universitaria en el frontis de la Casa Central.

Desde los balcones de la Universidad Católica habla el presidente de la Federación de Estudiantes de la Universidad Técnica del Estado, don Alejandro Yáñez (militante comunista), ofreciendo apoyo al movimiento huelguístico en esa corporación. A su lado aparece el presidente de la Federación de Estudiantes Católicos, don Miguel Angel Solar, quien también usó de la palabra.
En el extremo contrario, otros dirigentes de la época.

Término del conflicto suscitado en la Universidad Católica.

Según Ariete, su acierto estratégico (el de Miguel Angel Solar), en la preparación del conflicto, fue confiar y considerar como el mejor aliado al Cardenal.

Solucionado el conflicto, Eduardo Frei, Presidente de la República, le pidió personalmente al Cardenal que, en todo este asunto, la Democracia Cristiana quedara lo más limpia posible.

EDITORIAL VAITEA

INFORMATIVO N° I - Vol. I - ENERO 1977

Trayectoria internacional de los "Cristianos por el Socialismo"

Los Cristianos por el Socialismo (CPS) tienen cuatro años de vida. Desde el primer encuentro (latinoamericano) de Santiago de Chile (primavera del 72) hasta hoy, el movimiento ha tomado dimensiones internacionales implicando en todo el mundo grupos de cristianos empeñados en "las luchas del proletariado", en un proceso de liberación de la propia fe: liberándola de sus vínculos con el interclasismo y de una religiosidad alienante...

Los documentos fundamentales, en cuyas páginas el movimiento se reconoce a sí mismo, son en orden cronológico:

1.— El primer documento, *considerado en todo el mundo como base histórica del movimiento CPS, es aquel de Santiago de Chile* emanado al término del Primer Congreso Latinoamericano (23-30 de abril de 1972)...

2.— En abril de 1973 nace clandestinamente en España el primer movimiento CPS europeo, en la huella de aquel de Santiago (Chile). Se redacta el documento de Avila...

3.— Pocos meses más tarde (luego del encuentro de Avila) nace el movimiento italiano durante el congreso nacional de Bolonia (20-23 de septiembre de 1973) que logró reunir a más de 2.000 cristianos compañeros...

4.— Un año después, en Nápoles, tuvo lugar el encuentro nacional italiano (1-4 de noviembre de 1974)...

5.— Cronológicamente hablando, el último de los documentos oficiales es el del Primer Congreso Mundial de Cristianos por el Socialismo en Quebec, Canadá, (7-13 de abril de 1975)...

Entre Santiago de Chile y Quebec el movimiento se consolidó en casi todas partes del mundo... [1]

Orleáns

Unos cuatrocientos cristianos militantes de partidos de izquierda se reunieron en Orleáns el 6 y 7 de junio, invitados por cinco movimientos católicos: Juventud Estudiantil Cristiana, Acción Católica Universitaria, Equipo de Profesores, grupos de "Témoignage Chrétien" y de la "Vie Nouvelle"...

La finalidad del encuentro —en el cual participaron sacerdotes y laicos, hombres y mujeres, teólogos y expertos, dirigentes políticos y sindicales, militantes de las organizaciones invitantes y observadores de otras corrientes de la izquierda cristiana— era examinar la oportunidad de lanzar en Francia un movimiento nacional titulado "Cristianos por el Socialismo".

Fundado en Santiago de Chile en 1972, el movimiento Cristianos por el Socialismo fue implantado después en numerosos países del mundo. En Europa es principalmente activo en Italia, Portugal, España y Bélgica.

El primer encuentro internacional de los CPS, que tuvo lugar en Quebec, en abril de 1975, redactó la "constitución" del movimiento. En ella leemos:

"Un número creciente de cristianos de los cinco continentes se comprometen en las luchas de liberación del pueblo. Estos cristianos configuran poco a poco una extensa corriente que se decide por la búsqueda de nuevas modalidades de la fe y de la Iglesia, a partir de una práctica política de carácter proletario y socialista"... [2]

(1) (Com Nuovi Tempi. Roma, 9/5/1976)

(2) (Le Monde. Paris, 10/6/1976)

"Cristianos por el Socialismo", movimiento que merece condena de la Iglesia Católica

En la página 200 y siguientes de "Los Cristianos por el Socialismo en Chile" (Teresa Donoso Loero) queda ampliamente consignada la condena oficial de la Conferencia Episcopal chilena. A ella podemos añadir otros documentos y noticias que configuran el repudio de la Iglesia frente a estos cristianos "comprometidos".

Desde Roma...

... la doctrina social cristiana nunca podrá acoger ni aprobar intentos de solucionar los problemas sociales que pequen de unilateralidad. Tanto menos si adolecen de errores doctrinales, aunque sean fruto de una aparente generosidad de intención.

Este es el caso de la respuesta global a los interrogantes planteados por los problemas de la sociedad contemporánea, formulada por un Movimiento de reciente constitución, que toma el nombre de "Cristianos por el Socialismo".

El Movimiento de los "Cristianos por el Socialismo" surgió el año 1971 en Santiago de Chile, por iniciativa de un grupo de sacerdotes, y seguidamente encontró adeptos entre eclesiásticos y seglares en los demás países del subcontinente latinoamericano y en Europa. Las opciones y las tesis de este Movimiento, divulgadas en una serie de documentos inorgánicos y puntualizadas en tres encuentros de "Cristianos por el Socialismo" (Santiago de Chile 1972, Avila 1973, Bolonia 1973), sometidas después a análisis crítico en algunos documentos del magisterio episcopal (Documento de trabajo de la Conferencia Episcopal de Chile, 1971, Documento de la Conferencia Episcopal de Chile, 1973, Documento de trabajo de la Conferencia Episcopal tarraconense, 1974), aparecen presentadas y examinadas a la luz de la doctrina de la Iglesia en un volumen publicado recientemente por el padre Bartolomeo Sorge, s. j. (*Le scelte e le tesi dei "Cristiani per il socialismo" alla luce dell'insegnamento della Chiesa*, Torino, L. D. C., 1947, pp. 208).

El docto jesuita juzga con severidad el Movimiento de los "Cristianos por el Socialismo", definiéndolo "respuesta inadecuada y errónea... a los problemas reales de nuestro tiempo, en particular a la necesidad de un empeño eficaz a favor de la justicia, necesidad que ha madurado ampliamente en la conciencia de nuestro tiempo" (pág. 32).

A sus articuladas argumentaciones se añaden las contenidas en los tres documentos del magisterio antes citados, cuyos textos se ofrecen íntegramente como apéndice al volumen. En uno de ellos, los obispos chilenos, aunque animados de espíritu de comprensión hacia los responsables del movimiento, afirman que no pueden eximirse de una "aclaración explícita" en vista del "error doctrinal" en que incurren éstos con sus tesis (pág. 113)...

... Los "Cristianos por el Socialismo", actuando un monismo entre fe y compromiso histórico, se deslizan inconscientemente hacia una nueva forma de integrismo y de clericalismo a la inversa. La gravedad de su postura consiste en la negación teórica y práctica de la primacía de la fe sobre la praxis y en la reducción de la fe a la praxis revolucionaria marxista... [3]

Desde Puerto Rico...

El Consejo Episcopal de Puerto Rico rechaza la creación en la isla de un grupo denominado Cristianos por el Socialismo y advierte que está basado en las teorías marxistas que son condenadas por la Iglesia, según un documento dado a la publicidad.

Los Obispos católicos exhortan al pueblo y a la feligresía "a no adherirse al movimiento Cristianos por el Socialismo, ni a ningún otro movimiento o teología objetable por la Iglesia".

"Un cuidadoso estudio de los documentos emanados de cada asamblea internacional del movimiento, sin excluir el documento redactado por sus adeptos en nuestro país, nos convencen de que él mismo se basa, si no todo, en parte, en la doctrina marxista", dice el documento del Consejo Episcopal.

"El marxismo ha sido declarado repetidas veces por el magisterio de la Iglesia como del todo incompatible con la fe católica, aunque dichas doctrinas estén presentadas bajo unas bases evangélicas y teológicas expuestas en un camino nuevo o propulsadas por personas revestidas de autoridad eclesiástica", añade.

"Cristianos por el Socialismo, al igual que otras ideologías o teologías basadas en el materialismo dialéctico, son objetables a la enseñanza católica", dice el documento de los Obispos de Puerto Rico. [4]

[3] (L'Osservatore Romano, 31/8/1975. Artículo de Virgilio Levi titulado "Los Cristianos por el Socialismo, una respuesta equivocada")

[4] (Cable Associated Press, El Cronista, Santiago de Chile, 19/4/1976)

Desde Bogotá...

La Conferencia Episcopal colombiana acusó directa y abiertamente al marxismo de estar dividiendo la Iglesia Católica y pidió a los cristianos estar "alerta" para luchar contra ese mal que se avecina.

El presidente del episcopado, Monseñor Jesús Pimiento, en una conferencia de prensa criticó seriamente a los sacerdotes "rebeldes" que se oponen a la jerarquía, esgrimiendo los "derechos humanos", y precisó que esas voces falsas no deben preocupar a los católicos de Colombia o de otros países "porque la Iglesia de Cristo es muy grande".

El alto prelado indicó que la divisa "Cristianos por el Socialismo" está sirviendo de disfraz, con siglas múltiples, para producir el fermento de la división en la Iglesia. (5)

Desde Francia...

"Esta vieja tentación de los cristianos: ejercer una acción social, política, con etiqueta cristiana, ¡qué tenaz es!...

"Un grupo de cristianos, sea cual fuere, políticamente situado, no tiene el privilegio del conocimiento de Dios ni del anuncio del Evangelio. Entender a los Cristianos por el Socialismo como la manifestación visible de la Iglesia futura, nos parece una nueva forma de clericalismo"... (6)

Desde Quito...

... Integrando el grupo opuesto, encontramos, entre otros, a los que tienen el nombre más conocido de "Cristianos por el Socialismo". Se trata de un Movimiento internacional, en el que ciertos sacerdotes han tomado un papel importante.

Su visión del mundo, si no se ha encerrado, tiende ciertamente a encerrarse en el cuadro de la existencia temporal humana.

Observamos que los cristianos por el socialismo pueden cambiar de nombre, pero que en todos los países —también en Ecuador— conservan los mismos rasgos fundamentales. Comprobamos que los rasgos, con los que se identifican en el encuentro realizado en Santiago de Chile, del 23 al 30 de abril de 1971, y en dos Congresos internacionales, caracterizan también a los cristianos por el socialismo en Ecuador.

En el encuentro de los Movimientos Sacerdotales Latinoamericanos, realizado en Lima, en 1973, se dan estas líneas:

(5) (Cable EFE, El Mercurio, Santiago de Chile, 9/7/1976.

(6) (Le Monde, Paris, 9/11/1976. Reproducción de la Declaración de la Acción Católica Obrera Francesa (ACO), aparecida en la revista Témoignage, nov. 1976)

1. "El cristiano debe, ante todo, insertarse en la praxis revolucionaria".

2. "El compromiso revolucionario sacerdotal no ha de quedar sólo en el nivel ideológico; ha de llegar a otros niveles de lucha política".

3. "La labor evangelizadora debe asumir el hecho de la lucha de clases y ha de situarse claramente del lado de las clases explotadas".

4. "El papel político del sacerdote es real en la medida en que ejerce su sacerdocio en la Iglesia".

En el encuentro internacional de Cristianos por el Socialismo, celebrado en Quebec en 1975, a través de una mezcla inconexa de Biblia y de revolución política, ha quedado en claro que este grupo ha asimilado no sólo el léxico, sino también las tácticas y parte de la ideología marxista.

1. Se desconoce que Dios tiene la iniciativa en la formación y en la manifestación de su plan en favor de los hombres. Según ellos, también el plan de salvación surge de la base.

2. Afirman que hay un marxismo aceptable por los cristianos: el marxismo que parte de la crítica de la religión como ideología favorable a los opresores. Si el cristianismo —dicen— favorece la lucha de clases, puede convivir con el marxismo. Según ellos, hay una fe proletaria y una fe burguesa. La primera es conciliable con un tipo de marxismo.

3. De acuerdo a los documentos de este encuentro, la Iglesia no es una comunidad de amor. No puede estar por encima de la lucha de clases.

Los cristianos por el socialismo sugieren que en la Iglesia de hoy hay oprimidos y opresores. La Iglesia debiera estar integrada sólo por los oprimidos.

La misión de la Iglesia se reduce a la denuncia de las injusticias, aunque ellos mismos reconocen en Quebec que "en países socialistas exigen que en el mundo capitalista los creyentes deben hacer una crítica social; pero, una vez que se llega al socialismo, la fe es un asunto privado, intra-eclesial".

4. Los cristianos por el socialismo se asignan en Quebec varias tareas: "la explicación de la lucha de clases en el interior de la Iglesia institución"; "el descubrimiento de posibles alianzas tácticas de las fuerzas revolucionarias con tendencias, movimientos o personas dentro de la Iglesia"; "el desbloque ideológico de los cristianos para hacer posible su inserción en la militancia revolucionaria".

5. Las estructuras parecen tener, según

ellos, un influjo determinante e independiente de las actitudes internas de la persona. Los cristianos por el socialismo pretenden leer la Palabra de Dios desde esta perspectiva y no admiten, como coherente con el Evangelio, sino una línea de acción, que lleva a suprimir las estructuras externas de dominación.

6. El oscurecimiento de la personalidad de Cristo y, por lo mismo, de lo que es la Iglesia, va unido a la sacralización de ideologías y de jefes.

Para ellos Cristo es el símbolo del pobre y del revolucionario. Su redención es liberación política y económica.

7. Evangelizar significa para ellos hacer tomar conciencia a los oprimidos de su situación de opresión y denunciar a los opresores su estado de pecado, para liberarlos de él, mediante la revolución violenta y la lucha de clases.

La fe es sinónimo de compromiso revolucionario. La Iglesia debería ser un grupo de presión.

8. Dominados de una obsesión por lo político, reducen la actividad de la Iglesia a la actividad política. La denuncia conserva sólo el nombre de profética; en realidad quieren una denuncia meramente política. Pecado es la injusticia social. No hay otro pecado, sino la injusticia social.

Advertimos en nuestra Iglesia el peligro de que unos pocos sacerdotes aprovechen de su prestigio de tales, para poder servir a esta ideología, abusando del aprecio del pueblo por el sacerdote. (7)

Y desde la Santa Sede...

...Por fecundo, indispensable e inagotable que sea y deba ser el impulso que el cristianismo confiere a la promoción humana, no puede ser instrumentalizado intencionalmente para una concepción de la vida —hoy, por ejemplo, se habla de *"cristianos por el socialismo"*— cuando dicha concepción ideológica prácticamente contradice al cristianismo... (8).

 EDITORIAL VAITEA

LOS CRISTIANOS POR EL SOCIALISMO EN CHILE

TERESA DONOSO LOERO

"Su atracción nos parece extraordinaria; si no estuviera tan manoseado el epíteto "sensacional" se lo aplicaríamos a este relato".

ALONE

"Un libro que recomiendo al Clero y fieles de esta Diócesis.

IGNACIO ARBULU P.
Obispo de Huánuco (Perú).

"Un libro que puede alertarnos a nosotros en estos temas tan candentes para la hora presente".

JORGE MANRIQUE H.
Arzobispo de La Paz (Bolivia)

SENTIDO DE LA LIBERTAD EN EL CONCILIO VATICANO SEGUNDO

GONZALO IBÁÑEZ S. M.

EL RESURGIMIENTO DE LA GUERRA FRIA

LUIS MELO LECAROS

FUNDAMENTOS DE LA PRAXIS MARXISTA - LENINISTA EN CHILE

JÚRAJ DOMIC

Esta obra contiene la más abundante documentación de análisis sobre la experiencia marxista en Chile, a la luz de su propia ideología.

(7) (L'Osservatore Romano, Roma, 7/11/1976. Título: Sobre la integridad del mensaje cristiano, exhortación de los Obispos del Ecuador a los fieles.)

(8) (L'Osservatore Romano, Roma, 14/11/1976. Catequesis del Papa en la audiencia general del miércoles 10 de noviembre)

Capítulo IV

LA ERA DE CASTILLO VELASCO

Fernando Castillo, democratacristiano, Pro-Rector y, más adelante, Rector, gobierna la Universidad Católica desde 1967 hasta 1973. Entre sus gestos de colaboración hacia el marxismo, plenamente infiltrado en la Universidad, se cuentan las invitaciones a Ernesto Cardenal y Paul Blanquart OP., *famosos sacerdotes »revolucionarios« ambos, y la creación del Centro de Estudios de la Realidad Nacional* (CEREN), *puesto en manos de Jacques Chonchol, una de las eminencias grises de Salvador Allende.*

Monseñor Alfredo Silva Santiago, entre los muchos insultos que soportó en su vida (por lo bajo, mientras no llegaba la insolencia frontal de Miguel Angel Solar), recibió el calificativo de »pomposo«. Grande, pues, fue la diferencia cuando, aquella noche del 20 de agosto de 1967, un play-boy se hizo cargo de la prorrectoría de la Pontificia Universidad Católica de Chile.

Fernando Castillo Velasco llegó de sorpresa a la Casa Central (tomada). Dejemos paso a la invalorable descripción de Ariete, para saborear en toda su extensión al nuevo estilo: »Son las 10.30 P.M. Aparecen en la puerta dos señores. El portero no conoce a ninguno de los dos y les exige sus salvoconductos. Ambos sonríen al momento que uno de ellos dice: »¿No sabes quien soy yo?«. Ante la negativa del portero, responde: »Soy Fernando Castillo, Pro-Rector de la Universidad Católica«.

»Subió las escaleras del segundo piso. Allí encontró a dos personas conversando y las saludó efusivamente. »Soy el nuevo Pro-Rector —decía— ¿Todavía no lo sabían? Me acaba de nombrar el Cardenal, ¿dónde está la gente?«...

»Después ingresó a la Rectoría. En ese momento sonó el teléfono: un periodista llamaba a Fernando Castillo para confirmar su nombramiento. Con toda sencillez el nuevo Pro-Rector contestó lanzando la noticia...

»Algunos, basándose en actitudes como ésta, lo han calificado de »populachero« (Hasta aquí Ariete)[57].

[57] »Ariete«. Año I, número 3. (1967).

Fernando Castillo Velasco se hizo cargo del mando el martes 22 de agosto a las 19 horas, en el Gimnasio de la Universidad. La parte medular de su discurso fue así: »Pido a Dios, que de seguro está aquí, a los que han trabajado por esta Universidad y a los que han de venir a ella, que nos ayuden. Mi papel es breve, pero tendrá que ser limpio, enérgico y vital«[58].

Terminado el discurso, un periodista preguntó al Pro-Rector su opinión sobre el Principio de Autoridad. Castillo Velasco respondió: »No sé qué sentido tiene realmente el Principio de Autoridad. Existe autoridad o no existe«. (»El Mercurio« 23-8-1967)[59].

El papel de Fernando Castillo no fue breve, si se piensa que tuvo la prorectoría y después la rectoría en su poder hasta el 11 de septiembre de 1973: seis años de responsabilidad directa en la formación de los universitarios católicos del país.

En cuanto a la limpieza del papel... todo depende del cristal con que se mire. Fernando Castillo, con su jovialidad, con su frivolidad, con su encandilamiento, con su vanidad personal, etc., fue colaborador inmejorable para la infiltración marxista de la Universidad Católica. Realmente, si Allende lo hubiese buscado no habría encontrado peón mejor.

Como Presidente de la República y al final de su mandato, Salvador Allende dedicó a Fernando Castillo palabras de elogio, reveladoras de su aprecio y agradecimiento hacia la obra del Rector. Por entonces se rumoreaba que Castillo sería nombrado ministro. Allende lo desmintió diciendo:

»Es un gran Rector, es un gran arquitecto, es una excelente persona, es un hombre de izquierda, pero es el Presidente quien decide (sobre el Gabinete). Estuvo aquí para solidarizar con el Presidente. Es un hombre de izquierda que no puede compararse con los actuales dirigentes del Partido Demócrata Cristiano«[60].

JACQUES CHONCHOL EN LA UC

Entre los hitos de la Era Castillo Velasco destaca la creación del CEREN (Centro de Estudios de la Realidad Nacional) en 1968, a cuyo mando Castillo puso a Jacques Chonchol. Mientras pertenecía a la plana mayor de la UC, Chonchol pasó de la Democracia Cristiana al MAPU, en calidad de Secretario General, luego a la pre candidatura de la Presidencia de la República por la Unidad Popular y, más aún, al Ministerio de Agricultura (como Ministro) en el primer Gabinete de Allende.

Por ninguna de estas cosas el Rector Castillo, siendo democratacristiano, le retiró su confianza.

Chonchol, ideólogo criado al alero de los grandes organismos internacionales, había sido coautor de la Reforma Agraria de Fidel Castro, como asesor de las Naciones Unidas al Instituto de Reforma Agraria cubano.

Vuelto a Chile a comienzos del gobierno de Frei (1964), fue nombrado vicepresidente del INDAP (Instituto de Desarrollo Agropecuario).

[58] Ibid.
[59] »El Mercurio«, 23 de agosto de 1967.
[60] Ibid., 5 de julio de 1973.

\ Vale la pena hojear un ejemplar de los »Cuadernos de la Realidad Nacional« (septiembre de 1971), publicación del CEREN, dirigida por Jacques Chonchol. Entre sus páginas afloran, indesmentibles, los progresos introducidos por Castillo Velasco en el seno de la UC. Porque el CEREN fue, ni más ni menos, un organismo con atribuciones para imponer planes y programas a las Facultades de la Universidad Católica, »de acuerdo a las necesidades de la realidad nacional«. Su gravitación sobre toda la educación superior impartida en ese centro de estudios tiene demasiado peso como para pasarla por alto.

Dicen los »Cuadernos« que las investigaciones del CEREN se agrupan en tres áreas y las tres tienen el único y exclusivo objeto de »ayudar a la formación de una teoría de la construcción socialista en Chile«.

En el Consejo de Redacción de la revista figura Gonzalo Arroyo, jesuita que ya en ese momento capitaneaba la revolución de los sacerdotes agrupados bajo la sigla »Cristianos por el Socialismo«.

Los temas tratados en »Cuadernos« (septiembre de 1971) no logran desviarse de la obsesión marxista, y entre sus articulistas destacan Sergio Bitar Chacra, Ministro de Minería de Allende en 1973, y Lisandro Otero, Consejero Cultural de la Embajada de Cuba en Chile.

En la sección »Notas Bibliográficas«, descuella el panegírico que Patricio Biedma dedica al libro de Fidel Castro »Socialismo y Comunismo: un proceso único«. Dice Biedma (profesor del CEREN): »La presentación de fragmentos significativos de los discursos de Fidel Castro debería cubrir el manto del desconocimiento, ignorancia y mitología que, muchas veces, siniestramente, ahoga la discusión sobre Cuba que se realiza fuera de ella«. Luego añade: »Las clases dominantes latinoamericanas han actuado conforme a lo que se esperaba: había que sembrar la imagen del totalitarismo en Cuba... distorsionar el proceso revolucionario que las había herido y que no tardaría en regarse en el resto del continente«.

Anuncian los »Cuadernos« que, »de acuerdo al Convenio de Intercambio de Profesores, celebrado entre la Universidad Católica de Chile y la Universidad de La Habana, se han integrado a las actividades del CEREN, los profesores cubanos José Bell Lara y Germán Sánchez Otero, quienes serán profesores invitados durante el período de un año«[61].

Como presintiendo el fin de la Unidad Popular, los Cuadernos de la Realidad Nacional (publicación trimestral), incluyeron en su edición de abril de 1973 un índice general de los trabajos aparecidos en sus páginas. Algunos títulos y autores, entresacados de los 16 volúmenes, que alcanzaron a ver la luz del día, son los siguientes:

ARMAND MATTELART, »Prefiguración de la ideología burguesa«.
FRANZ HINKELAMMERT, »Las clases sociales en la sociedad capitalista y en la sociedad socialista«.
PEDRO VUSKOVIC, »Distribución del ingreso y opciones de desarrollo«.

[61] »Cuadernos de la Realidad Nacional«. Universidad Católica de Chile. Centro de Estudios de la Realidad Nacional - CEREN. Septiembre de 1971.

Luis Domínguez, »Lenguaje y rebelión«.

Jacques Chonchol, »Elementos para una discusión sobre el camino chileno hacia el socialismo«.

Norbert Lechner, »Contra la ilusión del Estado Social de Derecho«.

Wilson Cantoni, »Poder popular en el agro chileno«.

Pablo Richard, »Realidad socialista y verificación histórica del cristianismo«.

Hugo Assmann, »El cristianismo, su plusvalía ideológica y el costo social de la revolución socialista«.

David Barkin, »La redistribución del consumo en Cuba socialista«.

Joan Garcés, »Estado burgués y gobierno popular«.

Eduardo Novoa, »Hacia una nueva conceptualización jurídica«[62].

En 1970, el CEREN cayó en manos de *Manuel Antonio Garretón*, del MAPU, quien reemplazó a Chonchol. Definía Garretón este Centro de Estudios de la Realidad Nacional, diciendo: »Su finalidad debe ser la de ayudar a modelar la nueva sociedad socialista de Chile«. Sus palabras fueron publicadas por »El Siglo« y »La Nación« (31-12-1970)[63].

Es interesante destacar que, a comienzos de 1971, se produjo un cuasi-rompimiento entre la Unidad Popular y la Democracia Cristiana. Ambos bandos pugnaban por el poder supremo en la Universidad Católica. Fernando Castillo (cuyas simpatías por el MAPU, el MIR y la UP en general eran evidentes) estaba enfermo. En su reemplazo, el Vice-Rector Fernando Molina (que defendía la ortodoxia DC) representaba un obstáculo para las fuerzas de izquierda. Fernando Molina debió renunciar en marzo en favor de Castillo, siéndole aceptada la renuncia por el Cardenal Raúl Silva Henríquez.

A esas alturas, muchos sectores habían representado al Cardenal el serio peligro que significaba la orientación abiertamente marxista que la Universidad tomaba bajo el mando de Castillo Velasco.

En un Claustro Pleno que se realizó en abril, Fernando Castillo recibió ferviente apoyo de la izquierda universitaria. Este Rector (democratacristiano siempre) era conocido como líder del »poder rectorial«, integrado principalmente por mapucistas.

UN FRAILE MARXISTA PERO CRISTIANO

En abril de 1971, Salvador Allende invitó a periodistas e intelectuales extranjeros, marxistas o tontos útiles, para que celebraran su »Vía Chilena hacia el Socialismo«. Tituló este encuentro: »La Operación Verdad«.

Uno de los participantes fue *Paul Blanquart,* dominico francés, profesor de sociología en el Instituto Católico de París y uno de los principales animadores del grupo de »Cristianos para el Movimiento Revolucionario« en el seno de la Juventud Estudiantil Católica y de la Acción Católica Universitaria de su país.

Blanquart también tuvo su incursión habanera y redactó la resolución presentada por los sacerdotes católicos delegados al Congreso Cultural de La

---

[62] Ibid., abril de 1973.
[63] »El Siglo« y »La Nación«, 31 de diciembre de 1970.

Habana, en 1971, correspondiéndole el alto honor de repartir elogios para Fidel en el discurso de clausura de aquel evento.

Apenas el dominico puso los pies en Santiago, se movilizaron la Vice-Rectoría de Comunicaciones, la Facultad de Teología, el Instituto de Filosofía y el Centro de Estudios de la Realidad Nacional, de la Universidad Católica de Chile, para invitarle a que hiciera escuchar su palabra a los estudiantes.

Esta invitación cuajó en una conferencia del ciclo: »Diálogos Universitarios: Los Cristianos y el Socialismo«.

De feliz memoria las palabras del Rector Castillo Velasco al presentar al conferencista. Extractamos: »Es para mí un honor dar la bienvenida al R. P. Paul Blanquart, de la Orden de Predicadores... Como cristianos entendemos que es nuestra vocación y nuestra mayor responsabilidad luchar por la liberación de los hombres. Nuestra fe y nuestra esperanza nos impulsan a estar junto al pueblo... Nosotros buscamos, pues, y promovemos el diálogo con todos los hombres —especialmente con los científicos, intelectuales y artistas— que, siendo o no cristianos, persiguen los mismos fines de liberación y verdadera democracia... *el socialismo puede ser también un régimen que respete la libertad y la crítica constructiva*... un diálogo honesto y comprensivo en nuestra Universidad Católica, respecto del Socialismo que se quiere implantar en Chile«[64].

El fraile de la Orden de Predicadores, después de tanta acogida, se sintió como en casa y procedió a edificar al auditorio con su idílica entrega personal al marxismo. Dijo, entre otras cosas:

»...*es necesario superar la primera etapa, la etapa del diálogo, para comprometerse audazmente en la segunda, la etapa de la acción común*. En ésta, que es la etapa de la práctica revolucionaria, el cristiano no puede, al menos esa es mi opinión, ahorrarse el marxismo que es la teoría de esta práctica revolucionaria.

»El verdadero problema de la integración de los cristianos a la construcción del socialismo es, por último, el de las relaciones entre la fe cristiana y el marxismo. A mi juicio es de responsabilidad de una comunidad universitaria como la aquí reunida, en la situación histórica de este país, consagrar la mayor parte de sus investigaciones a este grave problema.

»Yo me contentaré con proponer algunas pistas, tanto en la teoría marxista como en la teología cristiana, *para sugerir que es posible ser, a la vez, marxista y cristiano*. Este será mi aporte al debate.

»Un número cada vez mayor de individuos, que no tienen mucha audiencia de parte de las organizaciones revolucionarias clásicas ni de parte de la jerarquía eclesiástica, afirman ser lo uno y lo otro. Y yo soy uno de ellos...

»Existe, pues, un lugar en que se puede ser a la vez marxista y cristiano... La fe puede tener un sentido para el revolucionario. Más aún, *solamente dentro de ese proyecto de liberación del hombre, la fe puede tener un sentido*...

»*Por lo demás, ella (la Iglesia) ya dejó de ser UNA y el verdadero*

---

[64] »Los Cristianos y el Socialismo«. Conferencia del R. P. Paul Blanquart, O. P. Diálogos Universitarios. Universidad Católica de Chile. Vicerrectoría de Comunicaciones, 1971.

problema es saber qué Iglesia existirá mañana. Y yo digo simplemente lo que es mi convicción: no podrá haber sino una Iglesia habitada por revolucionarios...

»Compréndanme bien. Yo no digo que aquellos que no son revolucionarios no sean cristianos. Yo digo: si la fe existe y tiene un sentido mañana, será por un cierto tipo de cristianos (los revolucionarios)«[65].

Así terminó esta memorable conferencia dictada por Paul Blanquart, de la Orden de Predicadores, en la (todavía) Pontificia Universidad Católica de Chile, en mayo de 1971.

Parece interesante consignar, a propósito del padre Blanquart, palabras suyas, pronunciadas o escritas en distinta ocasión, que se usaron como epígrafe para la obra marxista titulada »Los cristianos y la Revolución« (Editora Nacional Quimantú, 1972):

»Para el revolucionario, es decir, para quien la revolución significa la manera verdadera de ejercer el amor, la fe es concretamente inseparable de acción política: fe y revolución no existen separadas una de otra. Dado que la revolución es la manera que este hombre tiene de vivir en el amor, es pues el lugar de su vida con Dios; en él vive su fe«. PAUL BLANQUART[66].

ERNESTO CARDENAL, EL INEFABLE

Durante la Era Castillo Velasco, la Universidad Católica importó cuanto pudo para saciar su sed de diálogo marxista-cristiano. Entre los extranjeros cabe destacar al inefable poeta, cura y revolucionario *Ernesto Cardenal* quien, un buen día de octubre de 1971, desembarcó en Pudahuel con su blanco camisón que, en la espalda, llevaba estampada una enorme mariposa multicolor.

Gracias a la invitación expresa del Rector de la UC, Cardenal pudo disfrutar de cátedra entre el alumnado católico y también difundir su mensaje lírico-concientizador al público en general, a través del Canal 13 de televisión. Luego pasó a ser huésped oficial de la Unidad Popular y catequizó al resto del país.

Ernesto Cardenal es una mezcla tan peligrosa como extraña del nuevo estilo de cristianismo comprometido. Peligrosa porque su verbo, de indudable calidad, sabe llegar a la médula del alma humana. Extraña porque practica un marxismo sentimentaloide, aprendido en Cuba en unos pocos días de encantamiento; en cuanto a la ideología marxista propiamente tal, en 1971 Cardenal se confesaba analfabeto.

Este poeta nació en Nicaragua, en 1925. Estudió en los jesuitas. En 1957 ingresó a la Trapa (Abadía de Gethsemani, Kentucky) para hacerse monje. Luego pasó al Monasterio Benedictino de Cuernavaca, México, y a un Seminario de Colombia. Por fin se ordenó sacerdote (secular) en 1965. Mientras tanto escribía poemas, entre los cuales destaca su »Oración por Marilyn Monroe«. Ahora vive en una isla nicaragüense, llamada Solentiname, llevando vida monástica contemplativa de su propio invento, en comunidad con otros sacerdotes y con

[65] Ibid.
[66] »Los Cristianos y la Revolución, un debate abierto en América Latina«. Editora Nacional Quimantú, 1972. 396 pp. (p. 5).

campesinos: »En la misa de Solentiname —dice— los campesinos comentan a veces palabras del Che Guevara junto con las del Evangelio«[67].

Cardenal viajó a La Habana en julio de 1970 invitado por la »Casa de las Américas« para un certamen literario. Allí su éxtasis no conoció fronteras y decretó haber descubierto en la obra de Fidel Castro el Reino de Dios en la Tierra. Fruto de este viaje fue su libro titulado »En Cuba«, editado en Buenos Aires, cuyo contenido doctrinario es de un confusionismo tal que hace titubear al católico más ortodoxo. Algunos párrafos para ilustrar la calidad teológica del padre Cardenal:

Caridad Revolucionada:
»Mientras seguía mi camino en dirección a mi hotel, iba pensando: en Cuba el nuevo nombre de Caridad es Revolución«[68].

Consejos de Cardenal:
»La Iglesia revolucionaria de Cuba sería la del Concilio, la de Medellín, la del Evangelio, y la misma Iglesia de Roma. Mientras que la otra es la disidente y hereje, la que Fidel ha llamado acertadamente »Iglesia de Washington«. La selección de sacerdotes que van a venir a Cuba no la hagan a través de nuncios ni obispos, sino de los movimientos clandestinos que luchan por la liberación de esos países... Se trata de importar a Cuba la revolución de la Iglesia de América Latina«[69].

Espíritu del Concilio:
»Oves (Monseñor Francisco Oves, Arzobispo de La Habana) opina que las nuevas revoluciones en América Latina no van a tener conflictos con la Iglesia. No los hubiera habido tampoco en Cuba si el Concilio hubiera sido un poco antes o la Revolución un poco después. La Revolución ocurrió justamente en vísperas de que se renovara la Iglesia. Esta renovación, para Cuba, ya fue tarde«[70].

Evangelio politizado:
»Vi que abrían desmesuradamente los ojos cuando les dije: *El evangelio es esencialmente político o no es nada. Lo que sí, que su política no es reaccionaria sino revolucionaria*«[71].

En sus andanzas por La Habana, Ernesto Cardenal suele acompañarse de sacerdotes chilenos, de paso como él. En la página 324 de su obra dice: »Estamos en la casa del marxista. Han ido conmigo el Decano de Teología de la Universidad Católica de Chile —un jesuita— y otros dos chilenos«[72].

[67]»En Cuba«. Ernesto Cardenal. Ediciones Carlos Lohlé. Buenos Aires, 1972. 370 pp. (p. 174).
[68]Ibid. Citado por »El Mercurio«, 11 de abril de 1973.
[69]Ibid. (p. 302).
[70]Ibid. (p. 94).
[71]Ibid. (p. 173).
[72]Ibid. (p. 324).

En la página 293 pone en boca de un sacerdote de Chile la siguiente frase: »Siempre que oigo una cosa buena de la Revolución siento una gran satisfacción y cuando oigo algo malo me duele mucho. Uno quisiera que la Revolución fuera una cosa perfecta, impecable«[73].

Llegado a nuestro país, Ernesto Cardenal comenzó por dialogar masivamente con los estudiantes de la Universidad Católica. Las preguntas iban y venían y el poeta, arrobado, desnudaba su alma:

Conversión:
»...la contemplación a mí me llevó a la revolución; la reflexión, la oración me abrieron los ojos, me concientizaron y *descubrí, pues, que Dios era revolución*. Ahora, yo no tengo vocación de líder; mi vocación, pues, es de profeta«[74].

Teólogos astutos:
»Ahora yo no he puesto ninguna incompatibilidad entre marxismo y cristianismo, ahora hay teólogos en América Latina que están descubriendo que la filosofía marxista es la verdadera filosofía del cristianismo, que actualmente la única manera de explicar los dogmas es con el marxismo; lo que hizo antes Santo Tomás con el aristotelismo mediante la escolástica, ya eso no funciona para nosotros el pensamiento escolástico, y con el pensamiento marxista se explican los dogmas en una forma coherente para el hombre actual. Los teólogos avanzados de Europa, los que están más bien negando los dogmas o dudando de ellos: se duda del dogma de la Santísima Trinidad y de la Encarnación y de la Eucaristía y de la Resurrección de la Carne... y los teólogos de América Latina me parece que son realmente avanzados y revolucionarios, porque con el marxismo están explicando todos esos dogmas«[75].

Dudas:
»Conversé en San José de Costa Rica con un teólogo colombiano, padre Olaya, que me presentó también un esquema de una teología marxista que me pareció muy fascinante, aunque no acabé de entenderla...«[76].

Explicaciones para todo:
»...a la luz de esta teología se interpreta el reino de los cielos y todo lo que Cristo dice del reino de los cielos como la construcción de la sociedad perfecta comunista... Ahora vamos a ver esa frase de que cuando El venga encontrará poca o ninguna fe, se aplicará tal vez eso al capitalismo«[77].

Así enseñaba Ernesto Cardenal en plena Universidad Católica, gracias a la invitación de Fernando Castillo Velasco. Desde esas aulas la voz del

[73] Ibid. (p. 293).
[74] »Los cristianos y la Revolución, un debate abierto en América Latina«. Editora Nacional Quimantú, 1972. 396 pp. (p. 384).
[75] Ibid. (p. 385).
[76] Ibid. (p. 387).
[77] Ibid. (p. 387).

poeta se repartió por todos los ámbitos de Chile. La ciudadanía toda pudo gozar del confusionismo religioso que su voz cantante predicaba.

»Lo que no comprendo —decía— es que los que quieren ser cristianos, los que aspiran a vivir el Evangelio, rechacen la Revolución. Pero... ¡si la Revolución no es más que el Evangelio puesto en práctica«[78].

Y había que ver con qué fervor terminaba sus arengas político-religiosas:

»¡Yo soy un comunista cristiano!«, repetía[79].

[78] »La Nación Dominical«, 24 de diciembre de 1972.
[79] Ibid.

LA ERA DE CASTILLO VELASCO

Fernando Castillo Velasco se hizo cargo del mando el martes 22 de agosto de 1967, a las 19 horas, en el gimnasio de la Universidad.
Su papel no fue breve. Tuvo la pro-Rectoría y después la Rectoría en su poder hasta el 11 de septiembre de 1973: seis años de responsabilidad directa en la formación de los universitarios católicos del país.

La »toma« de la Universidad Católica y su secuela más funesta —la rectoría Castillo Velasco— constituyen sólo el primer capítulo (público) de la infiltración marxista de la Iglesia Católica chilena.
(Eduardo Frei, Presidente de la República, y Fernando Castillo V., a su derecha).

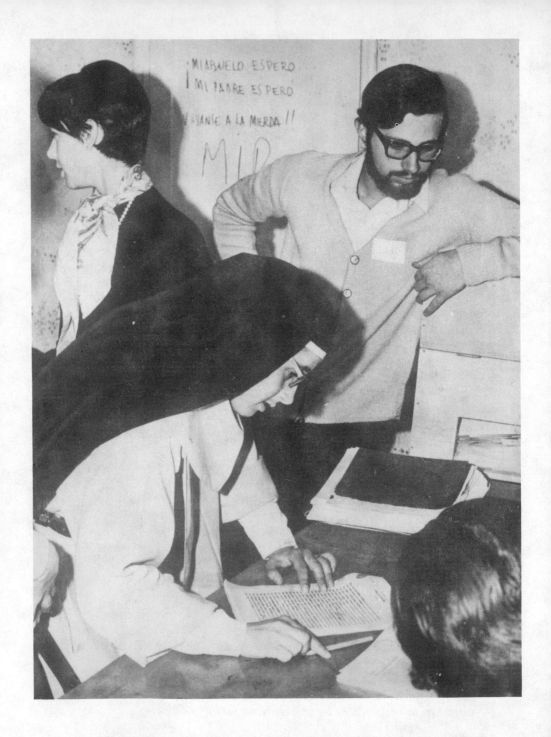

Una religiosa, alumna de la Universidad Católica de Chile, firma la lista de votantes antes de proceder a emitir su sufragio en la elección de nuevo ejecutivo de la Federación de Estudiantes de esta casa de estudios, FEUC. Como contraste, en un muro inmediato de la universidad pontificia aparece una leyenda alusiva al MIR. (Diario El Mercurio, 17 de octubre de 1969).

Capítulo V

»TEOLOGIA« DE LA LIBERACION

A fin de comprender el desarrollo futuro del proceso chileno, en cuanto a la infiltración marxista de la Iglesia, se transcribe un trozo del libro del padre Miguel Poradowski titulado »Sobre la teología de la liberación«.

La »toma« de la Universidad Católica y su secuela más funesta —la Rectoría Castillo Velasco— constituyen sólo el primer capítulo (público) de la infiltración marxista de la Iglesia Católica chilena. Por ello, para estar preparados frente a los demás peldaños que habría que subir —o bajar— en este drama, conviene esclarecer de una vez por todas, ciertos conceptos fundamentales.

Miguel Poradowski —sacerdote— parece ser el más indicado para difundir esta claridad. Copiamos de su obra titulada »Sobre la teología de la liberación« (Editora Nacional Gabriela Mistral) las siguientes normas:

»Una de las principales diferencias entre la teología tradicional y la »nueva teología« consiste en que la primera es teocéntrica mientras que la segunda es antropocéntrica. La teología tradicional está centrada en Dios, cristianamente concebido, es decir, en la Santísima Trinidad: el Dios Padre como Creador, el Dios Hijo como Redentor y el Dios Espíritu Santo como Santificador. »La nueva teología« está centrada sobre el hombre como objeto del amor divino.

»Mientras la teología fue teocéntrica el marxismo no pudo infiltrarla; podía solamente combatirla. Pero desde el momento en que la teología de teocéntrica se ha transformado en antropocéntrica y, especialmente cuando toma una actitud típicamente sociológica, el marxismo tiene ya las puertas abiertas, puede entrar en ella, infiltrarla, dominarla y hasta utilizarla para sus propios fines, y así acontece.

»Un esquema simplificado de esta »teología« es el siguiente:

a. Cristo vino al mundo para liberar al hombre.
b. El cristianismo es un movimiento de lucha por la plena libertad humana.
c. En nuestros tiempos el hombre es un esclavo del régimen capitalista.

d.   Todo régimen socioeconómico que no sea socialista es esencialmente un régimen de explotación y opresión.

e.   Como cristianos tenemos el deber de luchar contra el esclavizante
régimen capitalista.

f.   La revolución marxista es el único camino que conduce a la destrucción del opresor régimen capitalista y a la construcción de una
sociedad socialista.

g.   Por consiguiente, cada cristiano debe comprometerse en la lucha
por la victoria de la revolución marxista.

h.   Este es un deber religioso, de ahí el lema: »soy marxista, porque
soy cristiano«[80].

En una nota, el padre Poradoswski aclara que el lema »soy marxista porque soy cristiano« fue lanzado por Jacques Chonchol, cuando era profesor de
la Pontificia Universidad Católica de Chile[81].

[80] »Sobre la teología de la Liberación«. Miguel Poradowski. Editora Nacional Gabriela
Mistral. Enero de 1975. 46 pp. (pp. 8-9 y 14-15).
[81] Ibid. (p. 15).

Capítulo VI

»TOMA« DE LA CATEDRAL (Año 1968)

Un grupo de nueve sacerdotes, tres religiosas y doscientos laicos ocupa la Catedral Metropolitana de Santiago para protestar por el viaje del Papa Paulo VI al Congreso Eucarístico de Bogotá, por la prohibición vaticana de la píldora anticonceptiva y por la construcción del Templo Votivo de Maipú. Permanecen allí todo un día, celebran la misa, interpretan canciones folkórico-religiosas de protesta, emiten manifiestos y fundan oficialmente la »Iglesia Joven«. El Cardenal-Arzobispo de Santiago declara que este acto constituye una profanación y que los sacerdotes participantes ya no están en comunión con su Obispo. Al día siguiente los sacerdotes son perdonados.

Todos los sermones de la misa dominical anunciaron que la Catedral de Santiago había sido »tomada«.

Miles de ciudadanos llegaron a la Plaza de Armas, para contemplar cómo colgaba, entre las dos torres del templo, un lienzo que decía: »Cristo es igual a la verdad, más la lucha de una Iglesia junto al pueblo y a su lucha«.

Los católicos más recalcitrantes pensaron que llegaba »la abominación de la desolación« en su mejor sentido apocalíptico. No soñaron, siquiera, que presenciaban un juego de niños: la »toma« de la Catedral era un preámbulo inofensivo para todo el maridaje político-religioso que Chile debería soportar en años venideros.

Esta fecha histórica está relatada por sus protagonistas en el libro »Los cristianos y la Revolución« (Editora Nacional Quimantú, 1972): »Eran las 4 de la mañana del día domingo 11 de agosto de 1968, cuando 9 sacerdotes y 3 religiosas, acompañados de 200 laicos, entre los cuales había obreros, estudiantes, universitarios, empleados en su mayoría jóvenes, se apoderaron de la Catedral de Santiago.

»Durante el tiempo que duró la toma, que fue de catorce horas, entre otras cosas se efectuó una misa, tuvo lugar una conferencia de prensa y se hicieron reflexiones en común.

»La misa fue celebrada con pan y vino. Se pidió »por el pueblo de Biafra...«, »por los caídos en la guerra de Vietnam...«, »por la clase trabajadora explotada en América Latina...«, »por los procesados políticos de Brasil...«, »por los muertos en pos de la liberación de América del Sur...«, »por el pueblo uruguayo en su lucha...«[82].

Angel Parra y su hermana Isabel (ambos marxistas) cantaron el »Oratorio para el Pueblo«, bajo un púlpito barroco del cual pendían posters del Che Guevara y de Camilo Torres[83].

Para »tomarse« la Catedral, este conjunto de personas esgrimió tres argumentos dignos de protesta: a) la prohibición eclesiástica de la píldora anticonceptiva; b) el viaje de Paulo VI al Congreso Eucarístico de Colombia, país en el que impera »un sistema capitalista con la explotación del hombre y de todos sus valores«, viaje que convierte al Papa en »cómplice del desorden establecido en América Latina«; c) la construcción del Templo Votivo de Maipú.

Algunos de los sacerdotes que tuvieron a su cargo esta manifestación sin precedentes fueron: *Ignacio Vergara, Francisco Guzmán, Gonzalo Aguirre, Andrés Opazo, Carlos Lange, Paulino García* (párroco de Las Barrancas) y *Diego Palma* (asesor de la Asociación de Universitarios Católicos). Y entre los laicos dignos de mención destacan: Miguel Angel Solar, ex presidente de la Federación de Estudiantes de la Universidad Católica famoso por su asalto a esa casa de estudios, asalto cuyo primer aniversario fue rigurosamente celebrado con la »toma« de la Catedral, y *Clotario Blest*.

Este último personaje resulta, sin duda, el más folklórico de la »toma« A la sazón contaba con 68 años de edad y su aspecto de patriarca, haciendo declaraciones de prensa ante la celosía de un confesionario, contrastaba de veras con el ímpetu juvenil de los conjurados.

Blest, empleado jubilado de la Administración Pública, fue adquiriendo carisma de redentor del proletariado gracias a sus luchas sindicales. Según la »Historia de la CUT«[84], libro de Jorge Barría (Ediciones Prensa Latinoamericana, 1971), la primera aparición de Clotario Blest como líder es en calidad de dirigente nacional de la ANEF (Agrupación Nacional de Empleados Fiscales). Luego reaparece como candidato »católico independiente« a la presidencia de la Central Unica de Trabajadores de Chile (CUT). Blest triunfa y es nombrado presidente nacional del nuevo organismo aglutinador de las fuerzas laborales que nace, en 1953, bajo una declaración de principios que, en parte, dice:

»El régimen capitalista actual, fundado en la propiedad privada de la tierra, de los instrumentos y medios de producción y en la explotación del hombre por el hombre, que divide a la sociedad en clases antagónicas, explotados y explotadores, debe ser sustituido por un régimen económico-social que liquide la propiedad privada hasta llegar a la sociedad sin clases, en la que se aseguren al hombre y a la humanidad su pleno desarrollo«[85].

En 1957 Clotario Blest es reelegido presidente de la CUT, con los votos

[82] »Los Cristianos y la Revolución, un debate abierto en América Latina«. Editora Nacional Quimantú, 1972. 396 pp. (p. 109).

[83] »El Siglo«, 14 de agosto de 1968.

[84] »Historia de la CUT«. Jorge Barría. Ediciones Prensa Latinoamericana-Chile. 1971. 157 pp. (pp. 27-97).

[85] Ibid. (p. 52).

de comunistas y radicales. En 1959 se repite la figura pero, esta vez unánimemente votan por Blest comunistas, socialistas y trotskistas. Democratacristianos y radicales se han marginado alegando »la no vigencia de la democracia en las discusiones«; la directiva de la CUT queda entregada al católico independiente Blest y a sus entusiastas electores de izquierda. Finalmente Clotario Blest renuncia a su alto cargo en 1961 convencido, por experiencia propia, de que en ciertas gestiones de la CUT »primaron los intereses partidistas sobre los gremiales«[86].

Su paso   prolongado por ese »instrumento del Comunismo Internacional« que fue la CUT, no moderó el romanticismo de Clotario Blest. Helo aquí, como portavoz católico, declarando públicamente en la Catedral »tomada«: *»Estaremos de la mano con nuestros hermanos marxistas, en la barricada del pueblo contra el capitalismo, siguiendo el ejemplo de Camilo Torres. Nosotros reverenciamos al »Che« Guevara. Lo admiramos«*[87].

»Las palabras del señor Blest fueron recibidas con aplausos«, señaló un diario de la capital. Añadiendo que los ocupantes del recinto se autodenominaron como miembros de la *Iglesia Joven*[88].

SANTOS CAMILO TORRES Y CHE GUEVARA

Desde dentro de la Catedral Metropolitana de Santiago, la »Iglesia Joven« emitió su primer manifiesto. Decía, entre muchas cosas más:

»Denunciamos la estructura de poder, de dominio y de riqueza en la que se ejerce a menudo la acción de la Iglesia. . .

»Es esta estructura la que cambia el signo positivo que debería tener un Congreso Eucarístico. El Papa cae en esta red.

»El compromiso real de la Iglesia con la liberación de los oprimidos no se mide por gestos de la magnitud de un Congreso Eucarístico. . .

»Le pedimos a la Iglesia que se defina en defensa del oprimido, que se arriesgue a perder su situación de privilegio, para animar la liberación de los explotados. . .

»(Nuestro deseo de ver) una Iglesia que predique a Cristo Redentor, ayudando al pueblo a redimirse de la explotación, comprometiéndose con los oprimidos en su lucha de liberación del desorden establecido, colaborando para buscar nuevos caminos. . .

». . .La Iglesia debe comprometerse con el hombre. Este compromiso exigirá romper con una moral burguesa y meramente formal. Cristo fue el primero en romper con esa moral burguesa, falsamente religiosa. . .«[89].

Mientras un estudiante de Derecho, llamado *Ricardo Halabí* hacía una declaración de principios ante la prensa extranjera diciendo: »Nosotros no rechazamos, especialmente, ni al Papa ni a nuestros Obispos, pero ellos son

---

[86] Ibid. (pp. 103-104).

[87] »El Mercurio«, 12 de agosto de 1968.

[88] Ibid.

[89] »Los Cristianos y la Revolución, un debate abierto en América Latina«. Editora Nacional Quimantú, 1972. 396 pp. (pp. 111-120).

prisioneros de estructuras arcaicas; nuestro deber es liberarlos«[90], otro estudiante, cuyo nombre nunca se supo, vociferaba en el atrio de la Catedral: »¡El Papa no tiene derecho de hacer lo que le da la gana; forma una comisión para lo de la »píldora«, la comisión dice una cosa y él hace otra radicalmente opuesta!«

El broche de oro de la »toma« lo puso *Raúl Gutiérrez*, relacionador público del Arzobispado, cuando confesó a grandes voces: »No me parece que en estos instantes, en Chile, sea necesario seguir el camino de Camilo Torres, pero si se hace indispensable hay que tomarlo. Aunque se corra el riesgo de seguir la suerte de Camilo Torres o del Che Guevara, dos personajes a quienes nosotros consideramos verdaderos santos«[91].

RELACIONADORES PÚBLICOS DEL ARZOBISPADO

A decir verdad, el Arzobispado de Santiago tuvo mala suerte con sus relacionadores públicos. Al señor Gutiérrez lo sucedió *Sergio Prenafeta*, entre cuyas actuaciones destaca un incidente con el diario »Clarín«, arquetipo de la prensa amarilla chilena matriculada con el marxismo. La carta de Prenafeta a »Clarín« no necesita comentario. Dice así:

»Santiago, marzo de 1970.

Señor Director:

En la edición del 27 de febrero de »Clarín«, página 4, aparece una fotografía del Cardenal Raúl Silva H. sin una información que hable del Pastor. Como esta (foto) pareciera acompañar a una crónica titulada »El Cura del Diablo« y referida al cura de Ancud Abel Macías Gómez, el Señor Cardenal se ha mostrado muy sorprendido por la vinculación que »Clarín« ha querido hacer entre ese sacerdote y los cargos que el diario le imputa, y el Arzobispo de Santiago.

El Cardenal Silva no es ni el jefe directo del P. Macías ni el jefe de todos los curas de Chile. El superior del sacerdote periodista es el Obispo de Ancud, Sergio Contreras, y el presidente de los Obispos chilenos es el Obispo de Valdivia, José Manuel Santos A.

No hay razón entonces para que »Clarín«, que siempre ha tenido una gran deferencia para con el Cardenal Silva, lo enrede en una información con la actitud de un sacerdote ajeno a la provincia de Santiago y, aún más, »momio«. Creo que en beneficio del gran aprecio que el Cardenal siempre ha sentido por »Clarín« y por los que en él laboran, y por el conocimiento fehaciente que »Clarín« tiene de que el Cardenal no se distingue por sus posturas conservadoras dentro de la Iglesia —hecho que ustedes han destacado— valdría la pena aclarar que la inclusión de la foto de Monseñor Silva Henríquez ha sido, como todos estimamos, un error de taller muy ajeno a todos ustedes.

[90] »La Croix«, París 18 de agosto de 1968. Del enviado especial Pierre Gallay.
[91] »Las Noticias de Ultima Hora«, 14 de agosto de 1968.

Reciba los atentos saludos del propio Cardenal y los de su atento servidor.

(Fdo.): Sergio Prenafeta J., Relacionador Público«[92].

Al pie de la carta, publicada por »Clarín« el 5 de marzo de 1970, venía la siguiente nota aclaratoria de la Dirección del diario:

»Tiene toda la razón Sergio Prenafeta. Se trató de un lamentable error en el taller, ya que al extraviarse una foto que teníamos del »Cura del Diablo«, alguien llenó el hueco con un clisé del Cardenal. En este diario hay plena conciencia de que Monseñor Raúl Silva Henríquez es un verdadero pastor, que conoce y padece por los problemas del pueblo. La prueba es que siempre hemos tenido abiertas nuestras páginas para destacar la labor auténticamente cristiana del Cardenal. Si hemos caído en pecado, pedimos, humildemente, perdón...«[93].

Dada la catadura de »Clarín«, la opinión pública católica se preocupó por semejante intercambio de cartas. Concretamente, el abogado Jaime Guzmán Errázuriz, telefoneó a Prenafeta, el cual afirmó que su carta a »Clarín« era una *comunicación oficial del Arzobispado de Santiago*[94].

Guzmán emplazó públicamente al Cardenal, a través de »El Mercurio«, para que desmintiera lo afirmado por su relacionador público. Lamentablemente, sólo hubo silencio por respuesta.

Los curas españoles

Papel protagónico en el asalto a la Catedral les cupo a dos sacerdotes españoles, (cabe recordar que »un gran porcentaje de los sacerdotes que salen de España a América Latina son fanáticos marxistas-leninistas« (Poradowski); en 1972, en El Escorial, se reunieron en Congreso más de 400 curas de esta tendencia, curas que realizan su labor proselitista en Latinoamérica)[95]. Ese 11 de agosto descollaron el padre *Antonio Postigo,* nativo de Castilla La Vieja y radicado en Chile, desde hacía cinco años como miembro de la Parroquia de la Medalla Milagrosa, y el padre *Paulino García* —español también— párroco de Las Barrancas.

Postigo, cigarrillo en mano y ojos desorbitados, discutía en las afueras del templo con un laico escandalizado por la »toma«. Gritaba: »¡Yo estoy a favor de los que están dentro de la Catedral, pues considero que la jerarquía eclesiástica debe cambiar sus formas!«[96].

Alguien le increpó que por qué no iba a decir estas mismas cosas en su patria. A lo cual Postigo replicó: »Soy contrario al régimen de Franco, pues nadie puede expresar libremente sus pensamientos«. (En cambio en este país po-

[92] »Clarín«, 5 de marzo de 1970.
[93] Ibid.
[94] »El Mercurio«, 7 de marzo de 1970.
[95] »El marxismo invade la Iglesia«. Miguel Poradowski. Ediciones Universitarias de Valparaíso, 1974. 99 pp. (p. 17).
[96] »El Mercurio«, 12 de agosto de 1968.

día decirse cualquier cosa). Por eso, el español prosiguió: »La Iglesia en Chile tiene mucha plata y coincido en que hay que efectuar reformas«[97].

Días después, a la hora de las sanciones, Postigo rectificó ante algunos periodistas: »Yo no he expresado estar en contra de la jerarquía eclesiástica en general, sino que dije que la jerarquía chilena me gusta más que otras que conozco, pero quizás le falte este paso de identificarse más con la clase obrera, para ponerse a la cabeza de la jerarquía católica en el mundo... No me he expresado abiertamente contra el régimen del Gobierno español, sino que estas manifestaciones que están ocurriendo en Chile no se podrían dar en España, porque allá no hay total libertad de expresión«[98].

En cuanto al padre Paulino García que, durante el oficio religioso de la Catedral »tomada«, pronunció estas sentidas palabras: »Nos hemos reunidos hoy, en nombre de Dios, fieles a nuestros principios, para demostrar a los poderosos que estamos junto a la lucha de los pobres«[99], vuelto a España por obligación, luego de su participación en la »toma« de 1968, no encontró barreras a su libertad de expresión epistolar. Desde Madrid, en septiembre de 1970, escribió a Gladys Marín, Secretaria General vitalicia de las Juventudes Comunistas de Chile, una carta que comenzaba así:

»¡Adelante la Izquierda, mierda! Ojalá lleguen al poder y acaben para siempre con la explotación, el hambre, la incultura, etc., etc. Su triunfo y la implantación del auténtico socialismo serán definitivos en América Latina«. El presbítero terminaba con esta recomendación pastoral: »Sean fieles al marxismo. Su triunfo adelantará la historia«[100].

Excomunión y misericordia

El Cardenal Raúl Silva Henríquez reaccionó violentamente ante la ocupación de la Catedral. Emitió una declaración que, en sus partes medulares, decía:

»La acción de unos pocos sacerdotes descontrolados, olvidados de su misión de paz y amor, ha llevado a un grupo de laicos y de jóvenes a efectuar uno de los actos más tristes de la historia eclesiástica de Chile... *Se ha profanado nuestra Iglesia Catedral...*

»Queremos que nuestros fieles sepan que condenamos con toda energía estos hechos y que los sacerdotes que han intervenido en ellos se han separado de la comunión con su Obispo...«[101].

Explicitando más los alcances de la excomunión, el Cardenal Silva Henríquez, declaró luego a la prensa: »en dichas condiciones (esos sacerdotes) no pueden oficiar su ministerio«. Sin embargo, una puerta de escape quedó abierta: esa medida tendría vigencia hasta que los sacerdotes recapacitaran y manifestaran personalmente su obediencia a la Jerarquía eclesiástica[102].

[97] Ibid.
[98] Ibid., 15 de agosto de 1968.
[99] Ibid., 12 de agosto de 1968.
[100] »El Siglo«, 30 de septiembre de 1970.
[101] »El Mercurio«, 13 de agosto de 1968.
[102] Ibid.

Los »profanadores« se apresuraron a congraciarse con su Obispo. Una carta firmada por Diego Palma, Andrés Opazo, Paulino García, Carlos Lange, Ignacio Vergara, Gonzalo Aguirre y Francisco Guzmán, llegó a manos cardenalicias antes de transcurridas 48 horas de la toma. Decía:

»Nos ha causado gran dolor que nuestra actuación se haya tomado como dirigida a herir a nuestro Pastor el Cardenal Raúl Silva...

»La suspensión »a divinis« que hemos recibido nos llena de pena y queremos, señor Cardenal, pedirle disculpas por el dolor que se ha seguido del hecho de la ocupación de la Catedral.

»Queremos pedirle la derogación de dicha suspensión para poder comunicar en el sincero y entusiasta servicio del Pueblo de Dios...

»Le solicitamos poder continuar en el ejercicio de nuestro apostolado... Pedimos sinceramente disculpas si hemos ofendido a la Iglesia de Santiago«[103].

El Cardenal se apresuró a perdonar y, por escrito, levantó la excomunión: »En cumplimiento de nuestra misión pastoral hemos dejado sin efecto la suspensión de sus funciones que les habíamos impuesto a los firmantes de esta carta«[104].

La misericordia, al parecer, llegó demasiado rápido, pues el padre Carlos Lange, párroco de la Población Joao Goulart y uno de los »profanadores« absueltos, declaró en entrevista exclusiva del diario comunista »El Siglo«: »Nosotros fuimos a hablar con el Cardenal para expresarle nuestro perdón por las ofensas que *él creyó* haber recibido... (pero) en ningún caso nos hemos desdicho de nada. Eso sería reconocer una actuación irresponsable y todos nosotros somos bastante adultos para saber qué hicimos y por qué lo hicimos. Por eso no podíamos arrepentirnos«[105].

Días después, entrevistado por Franceso Rosso, periodista de »La Stampa« de Torino (Italia), el Cardenal Silva Henríquez, refiriéndose a los ex »profanadores« de la Catedral, afirmó:

»Cometieron un error de buena fe y con su gesto impulsivo volvieron a dar energías al clero conservador«[106].

El mismo enviado especial de »La Stampa« entrevistó a Clotario Blest, cuya presencia en la Catedral el 11 de agosto de 1968 tuvo gran peso como símbolo; como símbolo del diálogo cristiano-marxista que tan fecundo sería dentro de la Iglesia Católica chilena.

Según Francesco Rosso, Blest »vive entre retratos de Lenin, Castro, Mao, Camilo Torres; en otras fotografías se le ve abrazado con el Che Guevara. Lee asiduamente la Revista de Pekín y, desde hace 35 años, publica una hoja llamada »Germen« la cual, sobre su título y como emblema, tiene una cruz sostenida por la hoz y el martillo«[107].

---

[103] Ibid., 14 de agosto de 1968.
[104] Ibid.
[105] »El Siglo«, 16 de agosto de 1968.
[106] »La Stampa«. Torino, 27 de noviembre de 1968.
[107] Ibid.

»Como ve —dijo Blest en esa oportunidad— la rebelión cristiana contra el capitalismo no es nueva«[108].

Seguramente rió: el triunfo estaba a las puertas. El periodista le preguntó sobre los jesuitas chilenos. Clotario Blest una vez más, hizo alarde de franqueza:

»Son muy demasiados hábiles; un grupo trabaja a la izquierda y otro a la derecha, prontos a arreglarse con quien venza«[109].

En cambio el Cardenal fue más indulgente:

»(Los jesuitas) —dijo— son sacerdotes que desarrollan cierta labor, según principios propios, para avivar la conciencia cristiana y social de los chilenos. No me parece que sean de deplorar«[110].

El periodista italiano preguntó a Su Eminencia: »Pero la mezcla que ellos hacen de cristianismo y marxismo, ¿no podría colocarlos fuera de la Iglesia?«

»No veo este peligro —repuso Su Eminencia— porque yo continúo, a pesar de todo, manteniendo el diálogo con ellos«[111].

[108] Ibid.
[109] Ibid.
[110] Ibid.
[111] Ibid.

CATEDRAL METROPOLITANA DE SANTIAGO

En primer plano la tradicional Plaza de Armas.

● La Catedral de Santiago fue "tomada" por un grupo de universitarios, sacerdotes, monjes y políticos.

POR UNA IGLESIA JUNTO AL PUEBLO Y SU L...

Fundado en Valpso. el 12 de Sept. 1827
Año CXLI — N° 47.775 (M. C. R.)

PRIMER CUERPO

Fundado en Stgo. el 1° de Junio 1900
Año LXIX — N° 24.578 (Es Propiedad)

EL MERCURIO

Santiago de Chile, Lunes 12 de Agosto de 1968

PRECIO E° 0,50 ó $ 500
Por avión: E° 0,55 ó $ 550

HORAS Y MEDIA.—

upada la Catedral por Sacerdotes y Laicos

rece horas y media, desde madrugada hasta las 17.30, tedral de Santiago retuvo más a menos 200 católicos upo de sacerdotes jóvenes, te gremial y líderes esta- as Universidades de Chile

*** Los ocupantes expresaron que el movimiento era una protesta por "el alejamiento de la Iglesia de los sectores pobres". Manifestaron que se rebelan, además, por "el viaje del Papa Paulo VI a Colombia y el Congreso Eucarístico Internacional, que se iniciará el 18 en Bogotá".

*** En el interior de la Catedral los integrantes del grupo, que se autodenomina "La Iglesia Joven", ofrecieron una conferencia de prensa, oficiaron misa y realizaron un foro privado para aclarar sus planteamientos.

*** El Cardenal Arzobispo de Santiago, Raúl Silva Henríquez, quien se encontraba en San Antonio, se negó a formular declaraciones frente a lo acontecido. El Arzobispado, en su ausencia, emitió un comunicado oficial en el que "lamenta y condena la forma en que se ha procedido, reñida con el espíritu del Evangelio".

*** En las calles adyacentes a la iglesia numeroso público se apostó expectante desde las primeras horas de la mañana, promoviéndose discusiones que, en algunos casos, fueron acaloradas, respecto al insólito hecho, contrastando con este ambiente el tranquilo paseo y retreta dominical de la Plaza de Armas.

*** A las 17.30 horas, los manifestantes se retiraron del templo en religioso silencio, sin provocar tumultos ni desórdenes a su salida.

*** El movimiento, que no muestra cabeza visible, llevó hasta el templo a 6 sacerdotes, 2 monjas, un grupo numeroso de obreros pertenecientes a la JOC, estudiantes universitarios, entre los cuales se pudo observar a Ricardo Halabi, alumno de Derecho de la U. de Chile; Miguel Angel Solar, ex presidente de la FEUC; Rodrigo Egaña, de la U. Católica; y a Clotario Blest, ex presidente de la CUT y de la ANEF.

. Clotario Blest y Víctor Arroyo, sindicados como dirigentes del que da acceso a la Catedral, por la Parroquia del Sagrario. Con istas poco momentos después de la ocupación del Templo Metropolitano

"Cristo es igual a la verdad, más la lucha por una Iglesia junto al pueblo y su lucha. Justicia y amor". Así rezaba el cartel colocado por los reformistas entre las dos torres de la Iglesia Catedral que dan frente a la Plaza de Armas

(Amplio reportaje en páginas 23, 33 y 34).

»TOMA« DE LA CATEDRAL

Como un reguero de pólvora, todos los sermones de la misa dominical anunciaron que un templo había sido »tomado«. Al salir los corrillos confirmaron que se trataba ni más ni menos, de la Catedral Metropolitana...

Por entre sus torres colgaba un letrero que decía: »Cristo es igual a la verdad más la lucha por una Iglesia junto al pueblo y a su lucha, Justicia y Amor«. Y en el interior de las naves solemnes un grupo de doscientas personas —barbudos, monjas, estudiantes, sacerdotes, comunistas, etc.— organizaban la conferencia de prensa de rigor.
(La Prensa - 7 DIAS del Perú y del Mundo).

Semejante conjunto de atropellos conmocionaron a la ciudadanía, por lo general parca en cosas de religión. Y medio Santiago se aportó desde muy temprano (la Catedral fue tomada el 11 de agosto a las 4 de la mañana), con el fin de discutir y defender sus derechos de católicos.
(La Prensa - 7 DIAS del Perú y del Mundo).

La toma de la Catedral era un preámbulo para todo el maridaje político-religioso que Chile debía soportar en años venideros.

Declaración del Arzobispado

El Arzobispado entregó la siguiente declaración:

"Ante los hechos producidos en la madrugada de hoy en la Iglesia Catedral de Santiago, los Vicarios de la Arquidiócesis en ausencia del señor Cardenal por labores pastorales en la zona rural lamentan y condenan profundamente la forma en que se ha procedido, reñida con el espíritu del evangelio.

La Iglesia de Santiago, conforme al Concilio Vaticano II, está abierta a través del Sínodo convocado por el señor Cardenal al estudio y análisis de todos los problemas que dicen relación a su comunidad.

Ningún miembro de la comunidad incluido el grupo de los ocupantes de la Catedral podrá afirmar que no tiene ni ha tenido oportunidad de ser escuchado en sus inquietudes y aspiraciones por el mismo señor Cardenal o por sus representantes los Vicarios.

Acontecimientos como los ocurridos en el día de hoy que dañan a la Iglesia, ni en su fondo ni en su forma pueden ser justificados.

El deseo de la Iglesia de Santiago es convertirse cada vez más en una Iglesia que esté conforme al Evangelio y al espíritu del Concilio. Firman, Fernando Ariztía R., Obispo Auxiliar de Santiago; Jorge Gómez Ugarte, Vicario General de Santiago; Ignacio Ortúzar R., Vicario Episcopal, Zona Sur; Ismael Errázuriz G., Vicario Episcopal, Zona Este; Rafael Maroto P., Vicario Episcopal, Zona Centro; Javier Bascuñán V., Vicario Episcopal, Zona Norte; René Vío Valdivieso, SS. CC. Vicario Episcopal, Zona Rural. Santiago, 11 de agosto 1968.

CARDENAL NO FORMULO DECLARACIONES

San Antonio (Oscar Medina, enviado especial).— El Cardenal Raúl Silva Henríquez se negó a formular declaraciones sobre la ocupación y toma de la Catedral de Santiago. El Primado de la Iglesia en Chile visitó la Parroquia Santa Rita, en María Pinto y desde allí viajó a San Antonio donde confirmó a más de sesenta niños que habían recibido primera comunión. Durante dos horas se le esperó para conversar con él y al término de la ceremonia religiosa recibió a este enviado especial. Señaló que nada tenía que decir en relación con lo sucedido en la Catedral. Incluso se sintió molesto por el asedio periodístico que se le hizo.

Durante el tiempo que duró la toma, que fue de 14 horas, entre otras cosas se ofició una misa, tuvo lugar una conferencia de prensa y se hicieron reflexiones en común.

»La misa fue celebrada con pan y vino«. Se pidió por »el pueblo de Biafra...«, »por los caídos en la guerra de Vietnam...«, »por la clase trabajadora explotada en América latina...«, »por los procesados políticos de Brasil...«, »por los muertos en pos de la liberación de América del Sur...«, »por el pueblo uruguayo en su lucha...« (»Los Cristianos y la Revolución«. Ed. Nac. Quimantú, 1972).

Angel Parra y su hermana Isabel (ambos marxistas) cantaron el »Oratorio para el pueblo«, bajo el púlpito barroco del cual pendían posters del Che Guevara y de Camilo Torres.

Algunos de los sacerdotes que tuvieron a su cargo esta manifestación sin precedentes fueron:
Andrés Opazo, Ignacio Vergara, Francisco Guzmán, Gonzalo Aguirre, Carlos Lange, Paulino García (párroco de Las Barrancas) y Diego Palma (asesor de la Asoc. de Universitarios Católicos).

Foto superior izquierda: los obreros Víctor Arroyo y Marcos Alcayaga quienes actuaron en la »toma« de la Catedral. A la derecha el sacerdote Francisco Guzmán.

En las fotos inferiores, de izquierda a derecha: el sacerdote Paulino García y el doctor Patricio Hevia.

Ese 11 de agosto descollaron el padre Antonio Postigo, nativo de Castilla la Vieja y radicado en Chile desde hacía cinco años como miembro de la parroquia de la Medalla Milagrosa, y el padre Paulino García —español también— párroco de Las Barrancas.

Postigo, cigarrillo en mano y ojos desorbitados, discutía en las afueras del templo con un laico escandalizado por la »toma«. Gritaba: »¡Yo estoy a favor de los que están dentro de la Catedral, pues considero que la jerarquía eclesiástica debe cambiar sus formas!«.

Reacciones de

todos". Continuó diciendo que "en España habrían ahogado un movimiento de esta naturaleza antes de que este hubiese empezado".

Después el sacerdote Antonio Pontigo indicó que él no había participado en la toma por "otros problemas personales".

Luego aclaro: "Este movimiento es pacífico. No es un atentado contra la Iglesia. El Cardenal sabía de estas inquietudes"

ES DIFICIL CAMBIAR LAS ESTRUCTURAS

Más adelante, el sacerdote Pontigo, que vestía terno gris camisa del mismo color, resaltó: "La jerarquía actual representa a la Iglesia, pero es difícil para ella cambiar las estructuras que tienen veinte siglos". Luego, el clérigo vuelve a recordar a España, publicamente, y dice: "Vine a Chile a raíz del llamado del Papa Juan XXIII, pensando en que aquí podía hacer más que en mi país".

Interrogado sobre el fin que podía tener el movimiento conocido, a raíz de la "toma de la Catedral", Pontigo afirmó: "Este movimiento tiene que conducir a algo".

"CAMILO TORRES ES UN SANTO"

Se le preguntó al sacerdote Pontigo, su pensamiento en torno al movimiento iniciado en Colombia por el Padre Camilo Torres, que muriera durante una acción guerrillera.

Sin vacilaciones dijo:

"Camilo Torres, para mí, es un santo. Todo hombre que da la vida por una causa lo considero así. El no quería la guerrilla, pero tuvo que ir a ella porque en las altas esferas no lo escucharon".

Puntualizó que el movimiento iniciado por el grupo de católicos chilenos, que culminó con el ingreso masivo a la Catedral en horas de la madrugada de ayer "es un medio más de diálogo con la jerarquía".

Alguien le consultó si fuera joven y tuviera que elegir una actividad: ¿Cuál sería ésta? Pontigo respondió: "Volvería a ser sacerdote. Es difícil pero volvería, pues se trata de una vocación".

CREYO QUE ERA BROMA

terarme en persona si eso era cierto.

"La Iglesia es un lugar sagrado. Pueden tener razón las personas que realizaron este movimiento, pero no tienen por qué hacer uso del templo, y menos en el día de los oficios religiosos, para estampar sus protestas. Estoy indignado" —repetía el transeúnte.

Un joven universitario, José Alfaro, de 21 años, estudiante de la Universidad Técnica del Estado, rebatió los argumentos de Godoy. "Ud. no comprende que la Iglesia es una comunidad donde todos los católicos somos partícipes de una verdad común. Esa verdad está muy clara en el Evangelio, pero ahora se está olvidando por causa de los que ostentan un poder absolutista dentro de la Iglesia".

DESCONCIERTO

Un sacerdote de edad avanzada llegó hasta los grupos en discusión frente al Templo Metropolitano y preguntó que sucedía con la Iglesia. Se enteró a medias, pero emitió su opinión. "Las horas de servicios religiosos no deben ser interrumpidas. Yo no sé qué es lo que discuten, pero la Iglesia debe respetarse y esos temas polémicos deben plantearse en otros lugares. Solo queda rogar a Dios que arregle la situación", —el sacerdote se negó a identificarse.

Mariana Ponce, 19 años, estudiante universitaria, se manifestó de acuerdo con el movimiento reformista. "Es la única forma en que los católicos se p... ... ... La Iglesia t... rígida mite ... tamen

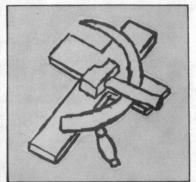

Símbolo reproducido de la Revista The Lance, *del colegio católi-*
co Saint George.

Entre los laicos dignos de mención destacan:
Miguel Angel Solar, ex presidente de la Federación de Estudiantes de la
Universidad Católica, famoso por su asalto a esa casa de estudios, asalto
cuyo primer aniversario fue rigurosamente celebrado con la toma de la
Catedral, y Clotario Blest.

Clotario Blest resulta, sin duda, el personaje más folklórico de la toma. A
la sazón contaba con 68 años de edad y su aspecto de patriarca, haciendo
declaraciones de prensa ante la celosía de un confesionario, contrastaba
de veras con el ímpetu juvenil de los conjurados.

Según Francesco Rosso, periodista de La Stampa de Torino *(Italia), Blest*
»vive entre retratos de Lenin, Castro, Mao, Camilo Torres; en otras foto-
grafías se le ve abrazado con el Che Guevara. Lee asiduamente la Revista
de Pekín y, desde hace 35 años, publica una hoja llamada Germen la cual,
sobre su título y como emblema, tiene una cruz sostenida por la hoz y el
martillo«.

Eduardo Halabí, Clotario Blest y Víctor Arroyo, sindicados como dirigentes del movimiento
que se autodenomina de »La Iglesia Joven«
aparecen junto a la puerta de reja que da acceso a la Catedral, por la parroquia del Sagrario. Conversan con periodistas pocos momentos después de la ocupación del Templo
Metropolitano.
(Diario El Mercurio*)*.

Sacerdote Paulino García no se olvidó de Chile

Un sacerdote español que desempeñó parte muy activa en la toma de la Catedral de Santiago de Chile, sigue atentamente el desarrollo de los acontecimientos de este país, a pesar de encontrarse de regreso en España.

Se trata del padre Paulino García, que se desempeñó como párroco en poblaciones de la comuna de Las Barrancas.

Para la toma de la Catedral, García estuvo en el centro de una pequeña y estrecha polémica montada —¡cuándo no!— por el otrora influyente matutino "El Mercurio".

Todo se debió a que el padre García apareció en una fotografía fumando un cigarrillo dentro de la Catedral. "¡Profanación!", se dijo en el diario de la familia Edwards.

Pero en conferencia de prensa, Paulino García replicó con sequedad: "Fumar un cigarrillo en un momento de nerviosismo en el interior de un templo, no es profanación. En cambio están profanando diariamente y en cada minuto a ese templo que es el hombre, quienes mantienen al pueblo en la miseria, la promiscuidad y la ignorancia, con su explotación".

Su acción en la toma de la Catedral, valió finalmente al padre Paulino García el tener que abandonar Chile y regresar a España.

Desde Madrid —antes de la elección— escribió el 28 de agosto a su amiga, la diputado Gladys Marín, la siguiente carta:

"¡Adelante la Izquierda, mierda! Ojalá lleguen al poder y acaben para siempre con la explotación, el hambre, la incultura, etc., etc. Su triunfo y la implantación del auténtico socialismo serán definitivos en América Latina.

"Hoy dan noticias de las elecciones los diarios españoles. Aseguran un golpe militar si sale Allen-

de. Ya estará Nixon preparando algún plan demoníaco. Respondan fuerte.

"Tengo ganas que llegue el día 4. Ese día estaré tan nervioso como ustedes. Me hubiera gustado estar ahí.

"Espero un triunfo definitivo. Les felicito de antemano. Felicite de mi parte a su partido, el Partido Comunista. Vale la pena servir auténticamente al pueblo. Sean fieles al marxismo. Su triunfo adelantará la historia".

"Hasta el día cuatro en que estaré totalmente unido a todos ustedes".

"Un cordial saludo.

(Fdo.) Paulino García"

Sin embargo esa acción —calificada en un documento reciente de la Iglesia Joven como "gesto profético"— marcó 1 comienzo de una pausada evolución de las jerarquías hacia una posición de mayor compromiso social.

Aunque los obispos chilenos anunciaron antes de la elección que se reservarían un pronunciamiento para después del Congreso Pleno, la Conferencia Episcopal de Chile emitió el jueves de la semana pasada una constructiva declaración acerca de la nueva situación nacional.

Los obispos se reunieron en la localidad de Punta de Tralca y proclamaron que "hemos cooperado y queremos cooperar con los cambios, especialmente con los que favorecen a los más pobres".

Esta declaración permite prever que la Iglesia Católica adoptará oficialmente una positiva actitud al asumir la Presidencia Salvador Allende. El Vaticano ha adoptado una flexible y constructiva posición frente al gobierno revolucionario de Fidel Castro en Cuba, a pesar que en ese país un numeroso grupo de sacerdotes y monjas de origen español tomó parte muy activa en el ajetreo contrarrevolucionario de la primera época. Numerosos religiosos contrarrevolucionarios extranjeros sorprendidos organizando acciones contrarrevolucionarias, tuvieron que ser expulsados, o abandonaron Cuba por propia iniciativa.

Recientemente el sacerdote y gran poeta nicaragüense Ernesto Cardenal visitó Cuba. Como conclusión de su viaje planteó que, a su juicio, los católicos avanzados del resto de los países latinoamericanos, deben ayudar a los católicos cubanos a adoptar una línea de mayor compromiso.

Paulino García, sacerdote español entonces radicado en Chile, se desempeñó como párroco en poblaciones de la comuna de Las Barrancas.

Su acción en la toma de la Catedral valió, finalmente, al padre Paulino García, el tener que abandonar Chile y regresar a España.

Desde Madrid, en septiembre de 1970, escribió a Gladys Marín, secretaria general vitalicia de las Juventudes Comunistas de Chile, una carta que comenzaba así: »¡Adelante la izquierda, mierda! Ojalá lleguen al Poder y acaben para siempre con la explotación, el hambre, la incultura, etc. Su triunfo y la implantación del auténtico socialismo serán definitivos en América latina«. El presbítero terminaba con esta recomendación pastoral: »Sean fieles al marxismo. Su triunfo adelantará la Historia«.

Capítulo VII

NUEVAS ANDANZAS DE LA »IGLESIA JOVEN«

*Esta organización que es la precursora de los »Cristianos por el Socialismo«
y otros grupos rebeldes, promarxistas, enquistados en la Iglesia Católica chilena, celebra misas por asaltantes de bancos y extremistas detenidos o prófugos, interrumpe una Consagración Episcopal, emite manifiestos revolucionarios, etc.*

La »Iglesia Joven« protagonizó un papel de adolescencia en la vía chilena
hacia el »cristianismo« marxista. Duró lo que duran esos años duros del despertar del ser humano. Su paso fue efímero pero, sin lugar a dudas, dejó huellas
en el camino del entreguismo católico nacional. Cuando Salvador Allende se
hizo cargo del país, la »Iglesia Joven« desapareció como por encanto. Su misión estaba cumplida. Vendrían después los adultos: sacerdotes, los Ochenta,
los Doscientos; y con ellos esa tremenda conmoción que hizo añicos tantas
conciencias y que sumió en la anarquía a tantas otras. En sólo dos años de
existencia, la »Iglesia Joven« tuvo tiempo para sembrar suficiente desconcierto.

A raíz de la ocupación de la Catedral de Santiago, la »Iglesia Joven« hizo irrupción en Valparaíso, siendo los fundadores de esta filial unas sesenta
personas entre sacerdotes y laicos. Según la declaración que de allí surgió,
tales pioneros deseaban formar una Iglesia »vigorosamente comprometida con la liberación popular« y condenaban a una jerarquía »ligada al poder y a los intereses que impiden la liberación popular«[112].

Esta inauguración del rejuvenecimiento eclesial porteño se robuste-
ció con la renuncia (a sus cargos pero no a la Iglesia Católica ni menos a sus respectivos ministerios) de 23 sacerdotes de la Diócesis de Valparaíso: 18 chilenos,
tres españoles y dos holandeses. Todos reclamaban contra la »prudencia«
del Obispo Monseñor Emilio Tagle, cuya solidez de principios y cuyo cora-

---

[112] »Los Cristianos y la Revolución, un debate abierto en América Latina«. Editora Nacional Quimantú, 1972. 396 pp. (p. 129).

je para decir las cosas constituirían, durante los tres años de la Unidad Popular, uno de los pocos pilares que los laicos chilenos tuvieron para aferrarse.

La »Iglesia Joven«, en Valparaíso, pasó a llamarse »Iglesia del Pueblo«. Su fundador genuino fue el padre *Darío Marcotti* quien mereció, de parte de Salvador Allende y por televisión, el título de »camarada sacerdote«.

La visita de Helder Camara

Llegó el 14 de abril de 1969 y, con él, aterrizó en Chile el revolucionario Obispo de Recife (Brasil), Helder Camara. Venía invitado por la Universidad Católica de Castillo Velasco, porque »para la nueva Universidad y el espíritu de la Reforma, la presencia de Monseñor Helder Camara representa una voz que guía y ratifica posiciones; una voz que respalda a quienes entienden a la Universidad comprometida con el pueblo«[113].

En emplazamiento público hecho al Obispo brasileño, la »Iglesia Joven« desgranó un cuestionario del cual vale la pena retener lo siguiente:

»¿Puede ser verdaderamente cristiano un Episcopado como el de Chile que está constituido, en parte casi total, por personas que, o son parientes inmediatos o llevan apellidos similares a los de la clase dirigente que explota al país?«.

Firmaba el cuestionario, por el Núcleo N° 16 de la »Iglesia Joven« un representante llamado *Juan Subercaseaux A.*[114].

El escándalo de la consagración episcopal

Llegó el 4 de mayo de 1969, fecha fijada para la consagración episcopal de un sacerdote de 53 años, cuyas ideas progresistas eran de sobra conocidas por el catolicismo. Monseñor Ismael Errázuriz Gandarillas traía, entre sus banderas de combate, la siguiente: »Quiero apoyar, con todo interés, los planes de promoción humana y cristiana que se está impulsando en algunas poblaciones por parte de sacerdotes, religiosas y laicos que viven con y como los pobladores«[115].

Nada hacía presagiar una violenta irrupción de la »Iglesia Joven« en la Parroquia del Sagrado Corazón del Bosque, para oponerse a la ceremonia de Monseñor Errázuriz. Sin embargo, como los rebeldes iban siempre más allá, quemando etapas, sobrepasándolo todo y sobrepasándose a sí mismos, a las 19.30 en punto llegaron para interrumpir la lectura de la Bula Papal relativa al nombramiento del Obispo Auxiliar.

Una voz, que no provenía precisamente del altar, comenzó a leer a gritos:

»Reunidos aquí, en el día de la Consagración de nuestro hermano Ismael Errázuriz, como Obispo de nuestra Iglesia, el movimiento Iglesia Joven siente la necesidad de expresar su inquietud frente a la manera como hoy se de-

---

[113] »Las Noticias de Ultima Hora«, 13 de abril de 1969.

[114] Ibid.

[115] »El Mercurio«, 4 de mayo de 1969.

signa a nuestros pastores... En efecto, dependemos de los designios autoritarios del Papado y sus representantes, los Nuncios Apostólicos...«, etc.[116]

La batahola fue de proporciones. Los verdaderos invitados a la Consagración echaron a empellones a los invasores.

»Van a destruir el día más hermoso de mi vida«, objetó en alta voz el nuevo Obispo, tratando de apaciguar los ánimos[117].

El Cardenal, por su parte, bosquejó una breve homilía para afirmar: »En la Iglesia hay tensiones... Mi querido Hermano tú que comienzas esta carrera, que es un Vía Crucis, tienes que guardar la calma con los que nos hacen sufrir«[118].

Al día siguiente, en la sede del Círculo de Periodistas, la »Iglesia Joven« ofrecía una conferencia de prensa, a cargo de »los compañeros« (así se llamaban unos a otros) *Leonardo Jeffs, José María Arrieta, Antonieta Saa y Hugo Cancino*. El diálogo dio para mimeografiar 32 carillas tamaño oficio, con afirmaciones de este tipo:

»*Nosotros no queremos irnos de la Iglesia. No. No nos vamos a ir de la Iglesia*«.

»Nosotros conversamos con don Ismael (Errázuriz) el miércoles (anterior a la ceremonia interrumpida) y le planteamos que no estábamos de acuerdo con su Consagración y él nos preguntó por qué. O sea, él dijo comprender el porqué: no había sido elegido. Hubo una conversación bastante detenida sobre la participación del pueblo cristiano en la designación de las autoridades de la Iglesia. El estaba de acuerdo y, aún más, nos dijo: »Si yo no encuentro apoyo posteriormente, yo voy a renunciar«.

»Ayer, un grupo de dirigentes o miembros de la Iglesia Joven participó en una reunión con grupos rebeldes democratacristianos, después de conocerse la renuncia de don Rafael Agustín Gumucio...«.

»También en la Universidad Católica se ha formado un frente revolucionario con participación de medios extremistas, del MIR y de la Iglesia Joven y democratacristianos...«.

»Nosotros somos un movimiento de Iglesia y, como tal, tenemos que participar en la tarea histórica de liberación del hombre, de todos los hombres...«.

»Nosotros creemos que en esta tarea histórica deben trabajar juntos, muy unidos, cristianos y marxistas...«.

»El Che Guevara, a pesar de no decirse cristiano, de no colocarse un rótulo y seguramente no haber ido nunca a misa, vivió su cristianismo mucho más que los que hablan todos los días del cristianismo...«.

»Nosotros contamos con la colaboración de teólogos y expertos en Historia de la Iglesia, que no son cualquier persona: son profesores de la Facultad de Teología de la Universidad Católica«.

[116]Conferencia de prensa convocada por un grupo de la »Iglesia Joven« en el Círculo de Periodistas de Santiago, 6 de mayo de 1969. Texto mimeografiado por el Departamento de Opinión Pública del Arzobispado de Santiago, 8 de mayo de 1969.

[117]»El Mercurio«, 5 de mayo de 1969.

[118]Circular del Departamento de Opinión Pública del Arzobispado de Santiago titulada: »El Movimiento Iglesia Joven y los sucesos de la Iglesia El Bosque«.

»Que los dirigentes o miembros del movimiento Iglesia Joven hayan pedido perdón después de la toma de la Catedral, y hayan reconocido que eso fue un error, es una mentira; es algo absolutamente falso que dio a conocer las »Ultimas Noticias«...

Pregunta: »¿Por qué los sacerdotes fueron perdonados entonces y no separados de la Iglesia, como había dicho el Cardenal?«

Respuesta: »...en vista de que algunos Obispos quisieron intervenir, se levantó la suspensión. Entre ellos recuerdo yo a don Carlos González, a don Carlos Camus y a don Enrique Alvear que intervinieron ante la autoridad eclesiástica de Santiago para que se levantara la suspensión«.

Pregunta: »¿Y ellos no pidieron perdón, ni los sacerdotes ni los laicos?«.

Respuesta: »No«[119].

MISA PRO MIRISTAS

En septiembre de 1969 la »Iglesia Joven« envió una circular a diversas personalidades de Santiago, invitando a »una Misa por los que son víctimas de la persecución y la represión«, entendiéndose por ellos los miristas prófugos de la justicia, especialmente el detenido asaltante de bancos Jorge Silva Luvecce[120]. La misa tuvo lugar en el Instituto Pedagógico de la Universidad de Chile y estuvo a cargo del sacerdote *José Ruiz Guiñazu*.

Durante la ceremonia se repartió un volante titulado »Hambre y sed de justicia«, que comenzaba diciendo: »¡Ahí tienen al hombre! Se llama Jorge Silva... ¡Ah lo tienen! flagelado y torturado por los esbirros de la justicia, llevado en peso al tribunal porque no puede sostenerse solo... El cargo mayor que tienen contra Jorge Silva es haber buscado el camino de la violencia. Pero la violencia tiene otros autores, que no han comparecido a este proceso y que, por el contrario, son hoy día sus jueces: los Ilustrísimos y solemnes Ministros de las Cortes Suprema y de Apelaciones...«[121].

Monseñor Jorge Gómez Ugarte, Vicario General del Arzobispado de Santiago, se apresuró a descalificar a los organizadores de la misa del Pedagógico, pero advirtiendo que ella »no se realizó, como alguien pudo entenderlo, en adhesión a la acción política del MIR[122]. Sergio Prenafeta, Director del Departamento de Opinión Pública del mismo Arzobispado, escribió a »El Mercurio« desmintiendo enfáticamente: »La misa a que alude la información (del diario) no fue por el MIR, ya que esta celebración litúrgica nada tiene que ver con determinada estrategia política«[123].

[119] Conferencia de prensa convocada por un grupo de la »Iglesia Joven« en el Círculo de Periodistas de Santiago, 6 de mayo de 1969. Texto mimeografiado por el Departamento de Opinión Pública del Arzobispado de Santiago, 8 de mayo de 1969.

[120] Copia de la circular enviada al director de »El Mercurio«, 4 de septiembre de 1969.

[121] Copia del volante titulado »Hambre y sed de justicia«, fechado el 5 de septiembre de 1969. Firma »Movimiento Iglesia Joven«.

[122] »El Mercurio«, 12 de septiembre de 1969.

[123] Ibid.

Para Navidad, la »Iglesia Joven« decretó emitir un mensaje escrito que, entre otras cosas decía:

»El silencio de la jerarquía, su complicidad con la violencia de los opresores que torturan, no impedirán que el pueblo cristiano sea fiel al testimonio evangélico de Camilo Torres. *Asumiremos la revolución en toda la dimensión de nuestras vidas...*

»¡Llamamos a todos nuestros hermanos, a los sacerdotes y religiosas a responder al imperativo histórico de la Revolución como única forma de lograr el Amor para todos!«[124].

Ya no cabía duda: el rumbo de la »Iglesia Joven«, en cuyo seno, militaban sacerdotes y monjas, con la mayor tranquilidad, tenía un norte bien definido.

A estas alturas quizás ya no podría Monseñor Manuel Sánchez, Arzobispo de Concepción, mostrarse tan tajante como lo hiciera un año atrás, entrevistado por »El Sur«.

»Yo considero —decía entonces— que *no hay infiltración comunista en la Iglesia.* Creo que a veces, cuando los elementos que componen la Iglesia, sean laicos o sacerdotes, se encuentran ante problemas humanos de extrema necesidad, consideran que debe dárseles una rápida solución y sus voces no se escuchan, entonces son tildados *injustamente* de rebeldes o de buscar fórmulas de ideología de extrema izquierda«[125].

En septiembre de 1970 el Movimiento »Iglesia Joven« cantaba victoria y convocada a su Primer Encuentro Nacional »bajo el signo de la liberación de los oprimidos de Chile que entran irreversiblemente a ser protagonistas de su propia historia«[126].

Mientras el pueblo chileno, desgarrado a favor o en contra, esperaba el veredicto del Congreso Nacional que consagraría Presidente de la República a Salvador Allende, la »Iglesia Joven« se trepaba por anticipado al carro del triunfo declarando:

»El Evangelio nos manda construir la tierra nueva, nos manda encarnarnos en el mundo y en las tensiones de este tiempo, para preparar el advenimiento del reino de Dios. Hoy debemos integrarnos a la tarea histórica de construcción de la nueva sociedad, asumiendo todos los sacrificios, todos los dolores, todas las exigencias que demanda forjar una sociedad y un hombre nuevos«.

SOLIDARIDAD CON MONSEÑOR HOURTON

El 13 de septiembre, mucho antes de la decisión del Congreso pleno, la »Iglesia Joven« declaraba públicamente: »Solidarizamos con la actitud del Obispo Jorge Hourton, de Puerto Montt, quien ha llamado a los cristianos a integrarse a la construcción de la nueva sociedad«[127].

---

[124] Copia de la circular titulada »Reflexiones de Navidad«, fechada 25 de diciembre de 1969. Firma »Movimiento Iglesia Joven«.

[125] »El Sur«, Concepción, 25 de septiembre de 1968.

[126] »El Siglo«, 19 de octubre de 1970.

[127] »El Siglo«, 14 de septiembre de 1970.

Lo que Monseñor Hourton dijo, en realidad, fue lo siguiente: »Conocidos los resultados oficiales de la elección presidencial del viernes pasado, que dan la primera mayoría al Dr. Salvador Allende, me permito hacer un llamado a todos los católicos de la Arquidiócesis y a la ciudadanía en general, para que el veredicto del sufragio universal sea recibido con serenidad y confianza por todos aquellos que apoyaron a otro candidato. De acuerdo a nuestras disposiciones constitucionales corresponde ahora al Congreso Pleno pronunciarse entre las dos más altas mayorías, pero el ánimo democrático de todos y la categórica declaración del candidato que obtuvo la segunda mayoría, *permiten prever con certeza que el Congreso ratificará la elección del Dr. Allende.*

»El profundo espíritu cívico y democrático del pueblo chileno, demostrado una vez más por la normalidad y respeto con que se desarrolló el acto eleccionario, debe continuar en el futuro, porque es una inmensa riqueza espiritual y moral que no debemos perder ni aminorar. Señalado el nuevo gobernante, es necesario que se apaguen las pasiones divisionistas, se tranquilicen los ánimos y nos reconciliemos todos los chilenos en el común esfuerzo por alcanzar las metas patrióticas de progreso y desarrollo, de justicia, y de paz.

»Ahora ya no deben quedar rencores ni revanchas. . .

»Obremos el bien y no temamos. Este proceso eleccionario no giró en torno a debates religiosos y la Iglesia declaró que ninguno de los tres candidatos era el suyo propio. Dejó a los católicos a que se decidieran según los dictados de su conciencia, confiada en que ninguno de los candidatos ponía en su Programa intenciones contrarias a la libertad religiosa y a sus legítimos derechos. Así lo expresó también el candidato elegido y, *si bien las fuerzas políticas que lo apoyaron se inspiran en el marxismo, no han hecho del ateísmo y la lucha antirreligiosa un móvil y una meta de su campaña. . .*«[128].

Apresurado llamamiento éste si se toma en cuenta que el Episcopado Nacional, incluyendo a Monseñor Hourton, había enfatizado »días antes del 4 de septiembre«, a manera de compromiso de honor: »Los Obispos declaramos que visitaríamos únicamente al candidato que hubiese alcanzado la mayoría absoluta: en caso contrario *esperaríamos el término del proceso constitucional*«[129].

MUERTE DE LA IGLESIA JOVEN

Por último, el 18 de octubre de 1970 la »Iglesia Joven«, junto con finalizar su Primer Encuentro Nacional en Padre Hurtado, hizo una declaración que por momentos, resultó profética:

»Convocados bajo el signo de Cristo, Camilo Torres y el Che, los cristianos revolucionarios de Chile que nos hemos reunido en el Primer Encuentro Nacional de Iglesia Joven. . . (concluimos):

»La legitimidad de nuestra existencia como organización, en la medida que la Iglesia en sus niveles y jerarquías siga en la práctica ligada a los ricos y

---

[128] »El Mercurio«, 12 de septiembre de 1970.

[129] Ibid., 26 de septiembre de 1970.

poderosos. Nuestra legitimidad, en la medida que en la sociedad chilena se mantenga la división entre opresores y oprimidos, es decir, que exista el capitalismo.

El Movimiento Iglesia Joven se extinguirá cuando toda la Iglesia esté comprometida con el pueblo y el proletariado sea plenamente poder...«[130].

La »Iglesia Joven« nunca más hizo noticia.

Ya no era necesaria; podía extinguirse tranquilamente. El compromiso cristiano-marxista entraba de lleno en su mayoría de edad.

---

[130] »Los Cristianos y la Revolución, un debate abierto en América Latina«. Editora Nacional Quimantú, 1972. 396 pp. (p. 143).

NUEVAS ANDANZAS DE LA »IGLESIA JOVEN«

La »Iglesia Joven« protagonizó un papel de adolescencia en la vía chilena hacia el cristianismo marxista.

Cuando Salvador Allende se hizo cargo del país, la »Iglesia Joven« desapareció como por encanto. Su misión estaba cumplida.

El escándalo de la consagración episcopal

Nada hacía presagiar una violenta irrupción de la Iglesia Joven en la Parroquia del Sagrado Corazón de El Bosque, para oponerse a la ceremonia de la consagración episcopal de Monseñor Errázuriz.

A las 19.30 hrs. en punto llegaron para interrumpir la lectura de la bula papal relativa al nombramiento del Obispo Auxiliar.

EL MERCURIO

FUNDADO POR AGUSTIN EDWARDS

Ni Joven Ni Iglesia

La interrupción del acto solemne en que se consagraba al Obispo auxiliar de la Arquidiócesis de Santiago, Monseñor Ismael Errázuriz, es una nueva página de la historia lamentable del pequeño grupo que actúa bajo el impropio título de Iglesia Joven.

Elegir el momento en que se consagra a un Obispo para criticar públicamente la forma y procedencia de su elección no parece la conducta más comprensiva para con el interesado. No sólo el espíritu cristiano sino un sentido elemental de humanidad habría aconsejado buscar otra ocasión para el correspondiente discurso de protesta.

Si la ruptura de un acto especialmente significativo para el señor Obispo auxiliar no habla bien de la generosidad de la Iglesia Joven, tampoco resulta adecuado que un grupo de cristianos que se dicen vinculados orgánicamente al catolicismo exhiban su falta de respeto por el templo y por el clero y fieles en él congregados.

Es obvio que el propósito del incidente no era la discusión franca de un tema de disciplina eclesiástica sino más bien un afán publicitario. Sabían los protagonistas del desorden que, por mucha que fuese la disposición para escuchar sus atolondradas razones "en contra de los designios autoritarios del Papado", la fiesta consagratoria de un Obispo tenía otro fin y no podía desnaturalizarse con disputas.

Estos predicadores de la fraternidad cristiana y humana mostraron un sentido belicoso y violento, al interrumpir con una querella la alegre celebración a que se habían entregado sus hermanos en la fe.

El fanatismo puede explicar actitudes deplorables como esas, aunque no por ello dejen de merecer censura. Pero en el incidente que comentamos hubo más que fanatismo apasionado: hubo cálculo, premeditación y concierto de maniobras. No sólo el grupo del desorden concurrió al templo con la mira de provocarlo, sino que tuvo tiempo de citar a ciertos medios de difusión a fin de que los ciudadanos católicos y no católicos se sorprendieran con este nuevo espectáculo más político que religioso, promovido no tanto por la juventud, sino por el ánimo turbulento de personas de distintas edades y cuya discon-

formidad consigo mismas se ha transformado explosivamente en rencores y en secretos afanes publicitarios.

La opinión pública, al ser informada de estos tristes hechos, ha comprendido que los inquietos tiempos en que vivimos se prestan para el afloramiento de todos los desequilibrios psicológicos y de todas las fuerzas del caos.

El escándalo es también una buena herramienta subversiva. Se trata de derribar las respetabilidades, de desquiciar las instituciones y de desafiar las normas. Desde este punto de vista, el grupillo que pretende constituir la Iglesia Joven sigue las aguas de un movimiento amplio de rebeldía espiritual y social que tiene sus maestros, sus estrategas y sus agitadores. Tal vez sin saber lo que hay en el fondo de los atropellos a la autoridad legítima de la jerarquía católica, se suman de buena fe y con alguna necia vanidad a un proceso destructivo que los sobrepasa. Actuando como lo hacen son dignos de compasión y de que se use con ellos de la humanidad que no fueron capaces de tener con sus hermanos de religión.

Los Obispos de Chile, bajo la firma del presidente de la Comisión Episcopal, Monseñor José Manuel Santos, han expuesto en declaración oficial su firme y permanente voluntad de oír a sus fieles, pero al mismo tiempo han reprobado lo que calificaron de "bochornoso incidente". A su vez, como un desagravio público, manifestaron su adhesión al Sumo Pontífice y su cordial solidaridad con el nuevo Obispo Errázuriz.

Aunque este último haya visto entristecido el día de su solemne consagración, tal vez pueda haber tenido el consuelo de pensar que la inmensa mayoría de los chilenos ha participado de una manera especial en la entrega de su cayado de Obispo al sentir como una ofensa común el acto que se perpetró el domingo. Y esas injurias y esas ofensas pueden ser tal vez el mejor ornato de su dignidad de pastor cristiano y un verdadero símbolo de la dura tarea que le corresponderá asumir en la Iglesia Católica de Chile, no amenazada tanto como otras por crisis internas, sino por el vendaval externo de las preocupaciones mundanas en torno al poder y a la política.

En la sede del Círculo de Periodistas, la Iglesia Joven »ofrecía una conferencia de prensa«, a cargo de »los compañeros« (así se llamaban unos a otros). De izquierda a derecha: Hugo Cancino, M. Antonieta Saa, Leonardo Jeffs y José María Arrieta. El diálogo dio para mimeografiar 32 carillas tamaño oficio, con afirmaciones de este tipo:

»Nosotros no queremos irnos de la Iglesia. No. No nos vamos a ir de la Iglesia«.

La visita de Helder Camara.

Helder Camara, el revolucionario Obispo de Recife, Brasil, aterrizó en Chile el 14 de abril de 1969.
Venía invitado por la Universidad Católica de Castillo Velasco, porque »para la nueva universidad y el espíritu de la reforma la presencia de Monseñor Helder Camara representa una voz que guía y ratifica posiciones; una voz que respalda a quienes entienden a la universidad comprometida con el pueblo«.

Capítulo VIII

LA JERARQUIA ECLESIASTICA CHILENA

Basándonos en un estudio hecho en Chile por el profesor de Estudios Religiosos de la Brown University (USA), Thomas G. Sanders, tratamos de dar a conocer un tanto a los Obispos chilenos, integrantes de la Conferencia Episcopal.

»NO TENEMOS DERECHO A CALLAR«
(Declaración de la Conferencia Episcopal de Chile,
4 de octubre de 1968)[131].

En 1968 Thomas G. Sanders, profesor de Estudios Religiosos de la Brown University de los Estados Unidos, vino a Chile para realizar un estudio que más tarde titularía »The Chilean Episcopate —an institution in transition«. (El Episcopado chileno— una institución en transición)[132].

Sanders entrevistó a 23 de los 29 prelados que integraban la Conferencia Episcopal chilena. (Los NO entrevistados fueron: Mons. Ramón Salas (Arica), José del Valle (Iquique), Emilio Tagle (Valparaíso), Gabriel Larraín (auxiliar Santiago), Alejandro Durán (Los Angeles) y Bernardo Cazzaro (Puerto Aisén).

Este trabajo ilumina sobre la personalidad e inclinaciones de los hombres que forman la jerarquía eclesiástica y sobre el peso que cada cual añade o sustrae a la balanza.

Para comenzar, Sanders cita una frase de la pastoral titulada »Chile Voluntad de Ser« (1968): »El grado de violencia depende de la resistencia que los grupos privilegiados opongan al hecho de compartir esos beneficios que hoy en día sólo ellos disfrutan, puesto que cada derecho usurpado es una forma de violencia que engendrará su represalia«[133].

---

[131] »El Diario Ilustrado«, 5 de octubre de 1968.

[132] »The Chilean Episcopate, an Institution in Transition«. Thomas G. Sanders. American Universities Field Staff. August 1968. 30 pp.

[133] Ibid. (p. 8).

Esta frase del todo progresista, especialmente para esa época, hizo contraste, ante el profesor norteamericano, con la mentalidad más bien tranquila que descubrió en varios obispos chilenos. Sacó la siguiente conclusión:

»Muchos Obispos se interesan poco en estos temas... y simplemente firman los documentos que otros escriben. Antes de 1960, Monseñor Manuel Larraín escribió, personalmente, muchas de las pastorales y sus colegas, que lo respetaban, las firmaron luego de leves revisiones. Pero más adelante *los documentos episcopales emanan de equipos de especialistas, como los jesuitas del Centro Belarmino* «[134].

Sanders formuló 14 preguntas iguales a los 23 obispos entrevistados. Destaca la número 12 que dice textualmente:

»Entre muchos católicos chilenos, especialmente jóvenes, encontramos actualmente un deseo de cooperar con o de participar en organizaciones marxistas. ¿Piensa usted que esto constituye un problema o es una legítima expresión de la acción política de los católicos?«[135]

Muchos Obispos insistieron, al responder, en las diferencias que ellos veían, en Chile, entre socialismo y comunismo. Diez prelados no se hacían problema de la cooperación ni de la militancia católico-marxista; más aún, la veían como un acto concienzudo y aceptable por parte de los católicos. Otros seis opinaron afirmativamente por la cooperación pero negativamente por la militancia. Sólo cinco se opusieron a todo compromiso.

Basado en las respuestas a otra pregunta suya, Sanders llegó a la conclusión que las decisiones internas del Episcopado chileno se toman, mayoritariamente, bajo la influencia de Monseñor Bernardino Piñera, Obispo de Temuco. En segundo lugar pesan las ideas del Cardenal Silva Henríquez y, en tercer término, las de Monseñor Carlos González, Obispo de Talca.

Monseñor Piñera, según Sanders, suele ser más progresista que el resto de sus colegas pero, como está dotado de gran poder de persuasión y extraordinaria capacidad de síntesis, finalmente hasta los obispos más »integristas« suelen aceptar sus planteamientos.

»Monseñor Piñera —dice Sanders— está sólidamente al día en el último pensamiento de la Iglesia«. Luego añade: »Si el Cardenal Silva es el hombre fuerte del Episcopado, Monseñor Piñera es el hombre de las ideas«[136].

Del Cardenal Silva Henríquez, Sanders opina: »Es un extraordinario y eficiente administrador; the right man for the right job«[137].

En resumen, Sanders considera que los Obispos chilenos más avanzados en cuestiones de pastoral son: Bernardino Piñera y Carlos González, y en menor grado Enrique Alvear, Fernando Ariztía, Carlos Camus, Sergio Contreras y, probablemente, Orozimbo Fuenzalida.

Esta es, más o menos, la misma Conferencia Episcopal que, bajo la presidencia de Monseñor José Manuel Santos, Obispo de Valdivia, terminaba su

[134] Ibid. (p. 9).
[135] Ibid. (p. 12).
[136] Ibid. (p. 22).
[137] Ibid. (p. 13).

reunión anual en La Florida, el 4 de octubre de 1968, declarando entre otras cosas:

»*No tenemos derecho a callar.* Por eso hablamos, con la seguridad de que el Espíritu Santo nos asiste porque estamos cumpliendo con nuestro deber...

»La Iglesia de Cristo es la iglesia de los pobres y es la iglesia de los jóvenes, porque Cristo quiso que fuera así. Los pobres y los jóvenes son los más. Son el futuro. Pero, no por eso vamos a permitir que sean marginados de la iglesia, o se hallen incómodos en ellas los que no son tan pobres ni tan jóvenes. La iglesia es de todos y cada cual tiene algo valioso que aportar a ella...

»En un punto queremos expresarnos con absoluta claridad, *una cosa es la justicia y otra es el marxismo.* No decimos que todo el marxismo sea errado o sea malo. Pero sí decimos, respaldados por la experiencia de medio siglo de comunismo, que la filosofía marxista, a la cual es esencial el ateísmo, la moral marxista y en particular su moral política, y en general la mentalidad marxista, *son incompatibles* con la fe cristiana, con la moral del Evangelio y con la conducta política que de ella se desprende...

»Tenemos que saber respetarnos pero al mismo tiempo distinguirnos. *Los marxistas saben que no se puede ser a la vez un buen marxista y un buen cristiano.* Nosotros en esto estamos de acuerdo con ellos y queremos decirlo con absoluta claridad. Los cristianos tenemos nuestros propios planteamientos y nuestro propio estilo.

»*Desaprobamos ciertas actitudes de algunos dirigentes estudiantiles de la Universidad Católica. Desaprobamos ciertos artículos publicados en* »*Mensaje*«. *Son extremistas y no sentimos pasar por ellos el hálito del amor, del amor cristiano a los hombres, hecho de respeto y de humilde servicio*«[138].

Estas últimas palabras pusieron el dedo en más de una llaga. »Hemos optado por el socialismo«, enfatizaron ciertos estudiantes y egresados de la Universidad Católica en una filípica dirigida a la Conferencia Episcopal, con fecha 9 de octubre de 1968. A continuación hicieron suyo un Manifiesto de los Obispos (revolucionarios) del Tercer Mundo, diciendo: »No queremos que algunos confundan Dios y la religión con los opresores del mundo de los pobres y de los trabajadores que son, en efecto, el feudalismo, el capitalismo y el imperialismo«[139].

Terminaban prometiendo: »...asumimos hoy nuestra cuota de responsabilidad y *entregamos nuestro esfuerzo solidario en la construcción del socialismo...*«. Firmaron la carta, entre otros, *Juan Gabriel Valdés Soublette* (secretario general FEUC 1968), *Miguel Angel Solar* (presidente FEUC 1967), *Carlos Eugenio Beca* (presidente FEUC 1965) y *José Joaquín Brünner* (presidente UFUCH 1968)[140].

---

[138] »El Diario Ilustrado«, 5 de octubre de 1968.
[139] »El Mercurio«, 16 de octubre de 1968.
[140] Ibid.

Capítulo IX

COLABORADORES AL TRIUNFO DE ALLENDE

A través de una noticiosa cronología del año 1970, surgen los sacerdotes y laicos que ingenua o malintencionadamente contribuyeron al triunfo electoral de un gobernante marxista en Chile.

Mientras los sectores democráticos del país luchaban como leones por advertir a la ciudadanía de los peligros que encarnaba un potencial triunfo de Salvador Allende, en las elecciones de 1970; mientras esta campaña refrescante de memorias sobre las fechorías del comunismo internacional, era llamada por democratacristianos —compañeros de ruta del marxismo, como Bernardo Leighton— »Campaña del Terror«; mientras los ciudadanos flotantes, aquellos que nunca saben a quién dar su voto en las urnas o aquellos que juegan a ganador, vivían en el más absoluto desconcierto; mientras tanto, personeros de la Iglesia, personeros importantes, personeros-líderes, personeros que todos creían responsables, andaban consagrados a pavimentarle el triunfo a la Unidad Popular.

Una somera cronología ilustrará hasta qué punto la Iglesia Católica, a través de su material humano, colaboró con el advenimiento para Chile de su peor desgracia: los tres años en que el marxismo nos corroyó hasta la médula.

Pero antes, un paréntesis. Un paréntesis de Jacques Maritain, aplicable a todas las crisis eclesiales que ha soportado el mundo; aplicable especialmente al momento dramático que vivió Chile a las puertas de Salvador Allende, cuando tantos católicos chilenos debieron contemplar, con pasmo, el trabajo de zapa o el silencio cooperador de muchos representantes de su Iglesia. Un paréntesis para deslindar, bien claramente, las responsabilidades y las culpas:

»La Iglesia, sin mancha ni arruga, es, sin embargo, penitente... Esta Iglesia se acusa continuamente a sí misma, en términos muy duros a menudo; llora sus faltas, suplica ser purificada, no se cansa de pedir perdón; suele gritar desde el fondo del abismo, como grita desde lo profundo de su angustia aquel que va a ser reprobado.

»Aprovechar para darnos grandes golpes de pecho *en el pecho de Ella,* cuando hablamos en realidad de los pecados de la jerarquía o de las miserias tantas veces atroces del mundo cristiano, es una villanía...«[141].

Vale decir: la Iglesia como institución de Jesucristo —como Esposa suya, sin mancha ni arruga—, aquella contra la cual no prevalecerán los poderes del Infierno, es absolutamente inocente de cuanta herejía digan sus ministros, de cuanta cobardía sumerja a sus jerarcas, de cuanto escándalo promuevan sus fieles o sus sacerdotes. Por desgracia, quienes no creen en la Iglesia identifican su rostro sacrosanto a la mueca que presenta del cristianismo cada uno de nosotros, católicos, que somos pecadores.

Pasado el paréntesis viene la cronología de los colaboradores al triunfo de Salvador Allende. *Año 1970:*

El Partido Comunista ordena grandes festividades para conmemorar el Centenario del nacimiento de Lenin *(18 de abril)*. El párroco de la Iglesia de Santa Catalina, en la población Salvador Cruz Gana (Ñuñoa) colabora con creces, organizando un homenaje público en su Parroquia[142].

Mientras tanto, para celebrar el mismo acontecimiento, el padre Hernán Larraín describe a Lenin en »Mensaje« como »un auténtico comunista, con ideas a la medida de la humanidad«[143].

El Partido Demócrata Cristiano también aplaude. *Antonio Cavalla Rojas,* presidente de la Juventud y, más tarde, pasado a la Izquierda Cristiana, mira embelesado a Lenin y lo presenta como »un ejemplo casi inaccesible«. Y *Máximo Pacheco,* Ministro de Educación del gobierno de Frei, exulta en la revista »Fuerza Nueva« (Madrid, 16 de mayo): »Creo que Lenin es el hombre político más eminente de nuestra época y que no sólo pertenece a la Unión Soviética sino al mundo entero. He organizado una comisión aneja al Ministerio de Educación, para que redacte un programa de fiestas con ocasión de esta fecha. Estoy convencido que es deber de los intelectuales chilenos tomar parte en lo que se hará para conmemorar el Centenario del nacimiento de Lenin«[144].

El diario »La Religión« de Caracas *(9 de junio)* informó que en Santiago de Chile un grupo de »cristianos de izquierda« (religiosos, sacerdotes y laicos) había fundado el »Centro Medellín«, destinado a dar apoyo y directivas a los católicos »que están por la opción revolucionaria«. Uno de los miembros del nuevo centro era el padre *Pablo Fontaine* ss.cc., asesor de la Parroquia Universitaria de Santiago, quien declaró: »el cristiano de izquierda, el que se compromete realmente en una acción revolucionaria, sufre hoy una verdadera crisis de su fe. Esta crisis se presenta como un combate del que puede resultar una purificación de su fe o su desaparición«[145]. El padre Fontaine reafirmaba más tarde sus ideas diciendo: »el cristianismo marxista es hoy una realidad en Chile... y la posición de tales cristianos marxistas

[141] »Le paysan de la Garonne«. Jacques Maritain. Desclée de Brouwer. Paris, 1967. 406 pp. (p. 270-271).
[142] »Este y Oeste«, junio de 1971.
[143] Ibid.
[144] Ibid.
[145] Ibid.

significa para la Iglesia una manera de llevar los valores y una presencia del Evangelio en la construcción del socialismo«[146].

Por su parte el jesuita *Manuel Ossa,* subdirector de »Mensaje«, colaboró en esos mismos días cruciales para el destino de Chile, con el siguiente grano de arena: »es necesario que los cristianos comprendan cuál es su aportación a la revolución y trabajen por ella como cristianos. Tal es el fin del Centro Medellín« (Diario »La Religión«, *9 de junio)*[147].

El Arzobispo de Valparaíso, Monseñor Emilio Tagle, desautorizó la actuación política de un sacerdote porteño que participó, como »oyente«, en la última concentración del candidato presidencial Salvador Allende (»El Mercurio«, *3-7-1970).*

El sacerdote *Pedro Dupouis* fue ubicado por Allende entre los principales dirigentes de su campaña al anunciarse su presencia en dicha concentración.

En su discurso, Allende rindió homenaje al sacerdote Dupouis, señalando que »su presencia en el escenario confirmaba el profundo proceso de cambios que existe en la Iglesia«[148].

»*Yo no veo ninguna razón que pudiera impedir que un católico vote por un marxista*«, dijo el padre *Hernán Larraín,* jesuita, director de la Revista »Mensaje«, contestando a las preguntas de »Reunión de Prensa«, programa del Canal 9 TV, en vísperas de la elección presidencial. »El Siglo« publicó estas palabras con fecha *4 de julio*[149].

»El Siglo« *(7 de agosto)* también consignaba triunfalmente que el padre *Juan Ochagavía,* Decano de la Facultad de Teología de la Universidad Católica y más adelante Provincial de los jesuitas, venía llegando de Cuba con un grupo de catedráticos de la misma Universidad y, en sus maletas, traía propaganda del régimen castrista y la mostraba a través del Canal 13 TV[150].

»La lucha de clases es un camino de liberación para los oprimidos«, declara el sacerdote *Darío Marcotti* al diario »La Estrella«, con fecha *3 de octubre.* Confiesa que se sentiría encantado si existiera una ley para expropiar todos los bienes de la Iglesia, pues sólo así la Iglesia haría »su propia revolución proletaria«. A su juicio, el triunfo (relativo) de Allende fue celebrado con demasiada tibieza por los Obispos chilenos. También considera que el sacerdote debe ser un trabajador empeñado en la revolución[151].

En medio de tanto candor —candor que tanto benefició a la confusión de ideas en el pueblo cristiano—, una de las pocas voces que se alzaron fue la de Monseñor Carlos Oviedo, Obispo Auxiliar de Concepción y Secretario General de la Conferencia Episcopal. Lamentablemente sus palabras quedaron estampadas en Caracas. Dijo así, el 22 de abril y al diario »La Religión«:

[146] Ibid., noviembre-diciembre de 1971.

[147] Ibid., junio de 1971.

[148] »El Mercurio«, 3 de julio de 1970.

[149] »El Siglo«, 4 de julio de 1970.

[150] Ibid., 7 de agosto de 1970.

[151] »La Estrella«. Valparaíso, 3 de octubre de 1970.

*»Frente a una doctrina como el marxismo un católico no puede comprometer-
se con ella«*[152].

Parece inverosímil que el peligro inminente de derrumbe de todos los
valores, especialmente cristianos, que acarrearía consigo un triunfo de Allende, lo vieran estratos de la sociedad con tan pocos estudios como las dueñas de
casa. Ellas, por intuición, supieron calibrar el riesgo, mientras cientos de sacerdotes, doctores en Teología y en Filosofía, estaban ciegos. Vino quizás a cumplirse, en el Chile de 1970, aquello que Cristo dijo con un hondo suspiro: »Yo
te bendigo, Padre, porque revelaste estas cosas a los pequeños e ignorantes y
las ocultaste a los sabios y poderosos«[153].

El anecdotario anterior da la pauta de por qué Allende mostraba tanto
aplomo cuando declaró al »The New York Times« (4-10-1970):

*»Estoy seguro de que la Iglesia no será factor de oposición al Gobierno
de la Unidad Popular. Por el contrario, será un elemento a nuestro favor«*[154].

[152] »La Religión«, Caracas, 22 de abril de 1970.

[153] Mt. 11, 25.

[154] »The New York Times«, 4 de octubre de 1970.

Capítulo X

EL ARTE DE »SUBIRSE AL CARRO«

Apenas despuntaba el triunfo de Allende, sectores clericales de izquierda cantaron victoria. También se aborda en este capítulo el drama de la Democracia Cristiana chilena que, fascinada por la Vía No Capitalista de Desarrollo (cuyas consignas venían de Moscú), a través de un diálogo permanente con los sectores marxistas, se vio desmembrar en facciones que luego pasaron a la Unidad Popular.

Apenas despuntaba el triunfo de Allende cuando ya nutridos sectores sacerdotales, religiosos y laicos daban rienda suelta a su fervor. La »liberación« del pueblo había llegado y al nuevo Mesías debía rendírsele culto.

En septiembre, 20 sacerdotes obreros visitaron a Salvador Allende para, mucho antes de la decisión del Congreso Pleno, felicitarlo por su »elección« (»*El Siglo*«, 14 de abril 1971)[155].

»El programa de la UP, conocido por todos vosotros, fija algunas metas que podríamos considerar auténticamente cristianas...«. Así exhortaba a sus subordinados el padre *Manuel Segura,* Provincial chileno de la Compañía de Jesús[156].

Esta carta, publicada en »The Table« (Londres), (19 al 26 de diciembre de 1970) y en la prensa chilena del 30 de diciembre, continuaba de la siguiente manera:

»Debe ser para nosotros motivo de profunda alegría el hecho de que un grupo, que obtuvo la mayoría en las urnas, prometa trabajar por el pueblo y por los pobres... Nuestra actitud sincera debe ser de colaboración leal en todo lo que signifique el bien de los pobres y la creación de una sociedad más justa. De ninguna manera debemos aparecer como aliados de aquellos que se opongan a estas transformaciones, muchas veces en defensa de sus intereses personales...«[157].

---

[155] »El Siglo«, 14 de abril de 1971.
[156] »The Table«. Londres, 19-26 de diciembre de 1970.
[157] Ibid.

Aquí conviene apuntar un juicio emitido por la Sociedad Chilena de Defensa de la Tradición, Familia y Propiedad (TPF), en febrero de 1973: »Constituye un hecho histórico que la actitud del clero chileno, considerado en su conjunto, tuvo y tiene un papel preponderante en el proceso de izquierdización de Chile, que llevó al marxismo al poder y en él lo sustenta«[158].

Otra voz, muy ajena al ámbito nacional, la de Iván Vallier en su ensayo »Elites en Latinoamérica« (Oxford University Press 1967), había profetizado este drama chileno de fines de 1970:

»El momento presente es uno de los más delicados de la historia de Chile. Gran parte de la capacidad del país para sortear este período depende de lo que suceda en la Iglesia. Existe... la posibilidad de que nuevas élites católicas se enamoren tanto de la influencia que detentan, que traten de indicarle al país cómo crecer. Si esto sucede, las viejas tentaciones eclesiásticas de influir directamente en política pueden emerger nuevamente... A mi juicio, esta actitud provocará el desastre para ambos: para la Iglesia, y para Chile como país en desarrollo«[159].

La Vía No Capitalista

Este problema de las élites de formación religiosa se vivió a fondo en el país cuando, llevada por el propio peso de sus errores, la Democracia Cristiana se desfondó para dar a luz el MAPU (Movimiento de Acción Popular Unitaria) y, más tarde, la Izquierda Cristiana (nacida el 16 de agosto de 1971). A esta última tienda política pasaron, desde el MAPU, Jacques Chonchol, Alberto Jerez, Rafael Agustín Gumucio, Julio Silva Solar y muchos otros.

Es decir, se vivió el desastre de las élites de formación religiosa cuando los cuervos con tanta ternura criados por la DC le arrancaron de cuajo los ojos, formando un frente común con el marxismo y embalsamando al gobierno de Allende con nubes de incienso que arrastraban a grandes sectores de masa católica incauta.

Estos fueron los resultados de la famosa »Vía No Capitalista de Desarrollo«, incubada desde 1966 en el nido de la DC chilena, pero cuyos verdaderos gérmenes venían de Moscú. Tal vía fue, ni más ni menos, el harakiri de la Democracia Cristiana en Chile.

Por desgracia, cuando un partido político lleva apellido confesional despeña consigo al abismo la reputación de la confesión religiosa que apadrina. Si gran parte del triunfo de Allende se lo debemos al gobierno de Frei, un inmenso caudal de la infiltración marxista en la Iglesia Católica chilena —drama mucho más doloroso que el del triunfo allendista— pudo ser gracias a las »élites« marxistas que la Democracia Cristiana crió para Chile.

Batallones de sacerdotes y laicos y hasta de obispos DC se fueron colocando cada vez más a la izquierda. Con su liderazgo sirvieron de excepcional

[158] »La Tercera de La hora«, 27 de febrero de 1973.
[159] »The Chilean Episcopate, an Institution in Transition«. Thomas G. Sanders. American Universities Field Staff. August 1968. 30 pp. (p. 28).

caballo de Troya para los partidos marxistas. Bajo el amparo DC éstos hicieron su entrada por las puertas anchas de la Iglesia y, una vez adentro, bastardearon cuanto quisieron.

En este país lo más grave fue que no hubo persecución religiosa sino contubernio católico-marxista, a todo lo largo y ancho (y profundo) del escalafón religioso.

El primer gran cisma de la Democracia Cristiana chilena tuvo lugar en mayo de 1969, cuando cuatro prohombres de sus filas firmaron una carta renuncia que decía: »No nos iremos a otro Partido ni cambiaremos nuestra inspiración doctrinaria fundamental que siempre ha sido la que viene *del cristianismo*«[160]. Con estas palabras de Alberto Jerez, Jacques Chonchol, Julio Silva Solar y Vicente Sota, el MAPU estaba a punto de nacer y con él comenzaba un masivo vuelco »a sinistra« de la DC.

»La originalidad del MAPU —diría más tarde el jesuita mapucista Gonzalo Arroyo—, en el cual militan conjuntamente muchos cristianos y muchos marxistas, es la experiencia real de una colaboración fecunda entre unos y otros«[161].

Los preparativos para este contubernio —ingenuidad demócrata cristiana más cantos de sirena marxista— venían de muy atrás. Estaban, por ejemplo, los »diálogos« famosos (sistema que se mantuvo hasta la víspera de la caída de Allende, siempre entre marxistas y democratacristianos).

Julio Silva Solar, en 1968, aparece como campeón del arte de dialogar.

Con fecha 1° de mayo, en su edición especial para el Día del Trabajo, 1968, el vocero comunista »El Siglo« trae a página entera un intercambio verbal entre Jorge Insunza, miembro de la Comisión Política del PC y director de »El Siglo«, y Julio Silva Solar (DC). Lo titula: »Católicos y Comunistas: Diálogo para Cambiar el Mundo«. Aparte la presunción del título, las ideas de ambos interlocutores son muy esclarecedoras.

Dice Insunza: »De hecho hay diferencias más profundas entre determinados católicos que aquellas que existen entre un comunista y un católico también determinado. Es decir, nosotros no planteamos esta posibilidad del diálogo y de la acción común respecto de los católicos en su totalidad...

»Durante mucho tiempo la jerarquía eclesiástica desarrolló fundamentalmente, o casi exclusivamente, aquel aspecto que pretende trasladar los problemas de la tierra a problemas del cielo, y que transforma, entonces, la religión en un instrumento del proceso de dominación de clases...

»(Ahora) la pastoral, y nosotros nos alegramos de ello, hace una definición, en mi opinión extraordinariamente valiente. Dice: »El evangelio no está ligado a ningún partido ni sistema determinado de organización de la sociedad... Pasa de hecho al anatema anticomunista al *diálogo* y nosotros consideramos que esto, insisto, es *un paso extraordinariamente positivo*...

---

[160]Copia de la carta-renuncia al PDC, fechada 9 de mayo de 1969. Firman: Alberto Jerez, Jacques Chonchol, Julio Silva S. y Vicente Sota B.

[161]»Coup d'Etat au Chili«. Gonzalo Arroyo. Les Editions du Cerf. Paris, 1974. 102 pp. (p. 66).

»(Pero) *nosotros,* debemos puntualizar, *entramos en este diálogo con nuestras concepciones filosóficas y sin renunciar a ellas...*

»Hoy día entre los católicos chilenos se observa un serio intento de encontrar en sus propios principios religiosos un impulso revolucionario. Y eso, desde el punto de vista de nosotros, comunistas, es un hecho positivo...«[162].

Dice Silva Solar: »Se ha pasado del anatema al diálogo...

»(Ahora) se plantea claramente la colaboración de los creyentes con los ateos, la colaboración de los creyentes con los comunistas...

»Si nosotros tomamos el documento de los Obispos del Tercer Mundo, encabezados por el Obispo brasileño Helder Camara, encontramos una serie de referencias en el sentido de considerar que el socialismo es un sistema que de alguna manera sirve mejor al bien común...

»Tengo aquí un folleto del PC italiano, en el cual se señala cómo la conciencia cristiana puede ser un estímulo para la conducción al socialismo. O sea, ya no es un opio sino un estímulo...

»Yo no veo por qué, por ejemplo, un cristiano tenga que preferir una sociedad dividida, basada de cualquier manera en la explotación del hombre, a una sociedad sin clases, en que la fraternidad pueda realizarse de una manera más plena en el sentido en que se establece una estructura que favorece esa fraternidad. Para llegar a una sociedad de compañeros, si pudiéramos decir...«[163].

Consigna »El Siglo« que en este diálogo precursor de la sociedad de compañeros (sociedad que llegó finalmente dos años después) también participaba el diputado democratacristiano Fernando Sanhueza, quien nunca pasó a la izquierda como Silva Solar: siempre fue democratacristiano.

Gracias también a »El Siglo« (12 de diciembre de 1968) tenemos el testimonio de otro entendimiento. Fue el fruto de un foro realizado durante el Seminario de Derecho Público de la Escuela de Derecho de la Universidad de Chile (»La posibilidad de un diálogo entre cristianos y marxistas«), en el que participaron *Jaime Castillo,* Ministro de Justicia (DC), y *Orlando Millas,* Diputado (PC). En el segundo round dialogaron *Clodomiro Almeyda* (PS) y, como siempre, *Julio Silva Solar* (DC).

Dijo Almeyda: »La otra función de la religión, de estímulo a un mundo mejor, se afirma, cobra realidad ante la posibilidad concreta del mundo del futuro que ahora se hace posible; es la sociedad comunista...

»En este sentido, si estimula la lucha de los pueblos, la Iglesia se seculariza, adquiriendo nueva fuerza e influencia. *Es la búsqueda del cielo que ahora se ubica en la Tierra*«[164].

Los planteamientos de Silva Solar fueron resumidos en un titular rojo que decía: »*El ideal de los católicos es el socialismo*«.

Dijo el democratacristiano Silva Solar: »En el campo del comunismo hay también un cambio que se va produciendo en la misma época (segunda post guerra), en que se va abandonando la concepción de la religión como opio

---

[162] »El Siglo«, 1° de mayo de 1968.
[163] Ibid.
[164] Ibid., 12 de diciembre de 1968.

y se levanta la concepción de la religión como acicate para la lucha social. Este cambio en el campo comunista ayuda mucho al diálogo...

»Por parte de los comunistas se plantea también una concepción pluralista del gobierno y de la democracia... se concibe ahora por los comunistas la existencia de diversos partidos, incluso partidos de oposición en la nueva sociedad...

»La perspectiva de los cristianos es construir una nueva sociedad sin clases, comunitaria. Este es el mismo objetivo de los comunistas, la sociedad comunitaria...

»*En gran medida, el contenido del pensamiento católico y marxista corresponden, aunque su origen sea diverso...*«[165].

La estrategia del canto de sirena, tan amorosamente correspondida por tantos democratacristianos, sufrió momentáneo revés en 1968 (octubre) cuando la Conferencia Episcopal emitió aquella pastoral que decía: »Los marxistas saben que no se puede ser a la vez un buen marxista y un buen cristiano«[166].

»El Siglo« echó al vuelo las campanas de su escándalo. Y arremetió contra la jerarquía en tono rebuscadamente farisaico: »¡Esa no es nuestra posición! ¡Cómo desearían (los Obispos) que nosotros, marxistas chilenos, cayéramos en tales posiciones sectarias y dogmáticas! Al contrario, ante esta *recaída reaccionaria de los Obispos* corresponde a nosotros profundizar mucho más nuestro análisis teórico sobre el significado de la Iglesia Joven y de la Iglesia Junto al Pueblo y elevar a un nuevo plano la acción común con todas las fuerzas renovadoras del país«[167].

Ese mismo año 1968 el Partido Comunista de Chile transmitía continuamente sobre »diálogos«, a través de su órgano teórico llamado »Principios«, publicación que se vendía en todos los quioscos de diarios del país. Sin embargo, muchos democratacristianos nunca se dieron el trabajo de leerla. Por lo cual siguieron dialogando. Mientras los DC pensaban en los vuelcos amistosos del comunismo hacia el cristianismo, »Principios« N° 127 (de 1968) aclaraba: »estas coincidencias (diálogos) reflejan la aproximación de sectores católicos al *único socialismo auténtico,* al socialismo científico de Marx y Lenin«[168].

En »Principios« N° 113 el PC preconizaba una »ofensiva en el plano de las ideas... que obligue a una revisión a todo aquel que postule a una posición diferente del marxismo«[169].

Comentando todas estas cosas, el sovietólogo Juraj Domic escribió en »El Mercurio« (2 de mayo de 1969): »Una de las finalidades del diálogo es transformar la conciencia de los católicos progresistas haciéndolos pasar de la rebeldía a la deserción«[170].

---

[165] Ibid.
[166] »El Diario Ilustrado«, 5 de octubre de 1968.
[167] »El Siglo«, 20 de octubre de 1968.
[168] »Principios«, 1968. N° 127.
[169] Ibid., 1966. N° 113.
[170] »El Mercurio«, 2 de mayo de 1969.

Juraj Domic había denunciado los alcances nefastos de la Vía No Capitalista de Desarrollo en »El Mercurio« del 8 de diciembre de 1968. La mayoría hizo oídos sordos.

Pero así fue. Así, —dialogando— tantos y tantos cristianos se abandonaron voluntariamente al lavado de cerebro y, lo que es peor, contribuyeron valiosamente a la catástrofe del país que, en parte gracias a ellos, penetró en su larga noche marxista.

Estrategia del Diálogo

En los medios católicos se advierte cierta confusión en torno a la cuestión del diálogo y la colaboración práctica entre marxistas y cristianos. Una breve exposición de los planteamientos comunistas y de sus derivaciones políticas contribuirá al esclarecimiento del problema.

Como lo estableció el XIII Congreso (1965) del PC y lo ratificó hace unos días el Pleno del Comité Central, los comunistas tratan de llegar al gobierno mediante la formación de un frente único con otras fuerzas "progresistas y populares", y con ese objetivo plantean la necesidad de emprender acciones comunes de todo tipo con esas agrupaciones. A la acción común, que se desarrolla en la práctica, corresponde el diálogo en el plano teórico ("Principios", N.o 113, 1966). Como expresión teórica de la acción común, el diálogo puede ser causa y efecto, al mismo tiempo, de esta colaboración práctica. El diálogo sería, entonces, por una parte, el encuentro de fuerzas distintas y, por la otra, representaría un proceso mediante el cual se iría elaborando una justificación ideológica de esta acción común entre comunistas y otras fuerzas políticas y sociales.

Hasta ahora en Chile el diálogo se ha desarrollado principalmente en el plano político, limitándose casi exclusivamente a las relaciones entre los comunistas y un sector de la democracia cristiana. Ambos grupos parecen coincidir en la finalidad última del diálogo, considerado como "motivo de una estrategia democrática que desemboque en el socialismo" ("Principios", N.o 113, 1966). Los comunistas subrayan que no se trata aquí de un utópico "socialismo cristiano", sino que "estas coincidencias reflejan la aproximación de sectores católicos al único socialismo auténtico, el socialismo científico de Marx y Lenin" (Principios, N.o 127, 1968).

En el sector rebelde de la democracia cristiana se ha llegado incluso a elaborar ideológicamente esta línea de convergencia con los comunistas propiciando la tesis de la vía no capitalista de desarrollo hacia el socialismo. Uno de sus autores, el destacado dirigente DC don Julio Silva Solar, ha señalado (Siglo, 12-XII-68) que el diálogo "es necesario para efectuar un trabajo común, para elaborar un programa común" con los comunistas, afirmando que "la perspectiva de los cristianos es construir una nueva sociedad sin clases, comunitaria. Este es el mismo objetivo de los comunistas, la sociedad comunista". Este dirigente DC fundamenta sus ilusiones unitarias en un supuesto "cambio en el campo comunista que ayuda mucho al diálogo", cambio que sería el producto de un presunto "proceso de deshielo y destalinización". El argumento principal para la colaboración reside, en todo caso, en el hecho de que por parte de los comunistas "se plantea una concepción pluralista del gobierno y de la democracia. Se concibe ahora por los comunistas la existencia de diversos partidos, incluso partidos de oposición en la nueva sociedad".

Al parecer, el señor Silva ignora que el planteamiento de la pluralidad de partidos en el socialismo no es algo nuevo en la doctrina comunista. En realidad, se trata de una vieja táctica. Como lo señalaba a principios del año pasado el órgano teórico de los comunistas chilenos, el pluralismo político en el socialismo es una idea de origen leninista, y recordaba que el mismo Lenin escribía en noviembre de 1917: "Nosotros hemos invitado a todo el mundo a participar en el gobierno" (Principios, N.o 124, 1968). Es cierto que Lenin hacía estas invitaciones antes de la Revolución de Octubre de 1917 y que las repitió un mes después, cuando su gobierno atravesaba por una dura crisis. Pero lo que interesa son los hechos, no las palabras ni las proposiciones tácticas. Tal vez la historia todavía pueda enseñar algo a los dialoguistas y colaboracionistas rebeldes demócratacristianos.

En 1920, tres años después de su llamado a colaborar, y cuando ya se afirmaba la dictadura del Partido Comunista, Lenin podía confesar cínicamente: "Si ayer hablábamos de legalizar los partidos pequeñoburgueses y hoy encarcelamos a los mencheviques y socialrevolucionarios, eso quiere decir que en estas oscilaciones procedemos de acuerdo con un sistema perfectamente determinado. A través de estas oscilaciones, la línea es siempre una e inflexible..." (Lenin, Obras Escogidas, Tomo IV, Moscú 1944). Siguiendo esta línea, Lenin liquidó todos los partidos de oposición. El primero en caer fue el Partido Constitucional Demócrata, de tipo liberal; a fines de noviembre de 1917 fue arrestado todo su comité central y en enero del año siguiente comenzó la destrucción física con el fusilamiento de dos de sus dirigentes. Los partidos socialistas y de izquierda no tuvieron mejor suerte. Después de octubre, los socialistas revolucionarios se dividieron en dos alas: mientras unos eran perseguidos y fusilados, los otros trataban de colaborar con los bolcheviques; en 1921, sin embargo, ya se había fusilado a 26 dirigentes socialrevolucionarios de izquierda y al año siguiente se liquidaba el resto. El Partido de los Mencheviques (socialdemócratas), dividido en Activistas y Centristas de Izquierda, fue cruelmente destrozado bajo la acusación de sabotaje y espionaje. Finalmente, el Partido Anarquista, acusado de contrarrevolucionario, "obligó a las autoridades soviéticas a tomar medidas decisivas en abril de 1918 para liquidar el grupo anarquista. Todos sus dirigentes fueron fusilados" (Gran Enciclopedia Soviética, 1.a ed., Vol. II, Moscú 1926).

En las democracias populares se procedió exactamente en la misma forma, utilizando lo que el dirigente comunista húngaro Matyas Rakosi llamó la "táctica del salame", es decir, la liquidación progresiva y sistemática, uno detrás de otro, de todos los partidos de oposición. En estos países existen, es cierto, "partidos" que colaboran con los comunistas en el gobierno, otorgándole a éste un carácter supuestamente pluripartidista. Pero lo hacen a costa de la pérdida de su personalidad política y de su subordinación al Partido Comunista. Si algún partido quiere colaborar con los comunistas debe "renunciar a la ideología anticientífica" que tiene, debe "liberarse de las ilusiones sobre la posibilidad de construir una sociedad justa sin atentar contra las bases del régimen capitalista", debe "aceptar los principios de la lucha de clases y el programa de construcción de la sociedad socialista", debe "reconocer la función de vanguardia de la clase obrera y el papel dirigente que la historia asigna al Partido Comunista en la vida política del país" (Problemas de la Paz y del Socialismo, N.o 92, 1966). En estas condiciones, es una extrema ingenuidad creer que en un régimen socialista sería posible la existencia de partidos de oposición. Como lo expresó categóricamente A. Rumiantsev, miembro del comité central del PC de la URSS: "en nuestros países no hay oposición, en nuestros países la oposición no es posible, porque nadie la necesita" (Conferencia Internacional sobre los Comunistas y la Democracia, Problemas, N.o 59, 1963).

Hace unos días, en su último pleno, los comunistas reafirmaron su condición de fieles discípulos de Lenin, "el más grande estratega de la revolución". La línea doctrinaria de los comunistas es invariable, desde Lenin hasta nuestros días. Son los otros quienes deben cambiar, particularmente los que participan en los "encuentros teóricos" con los comunistas, pues, siendo el diálogo una confrontación con otras doctrinas, se presenta la necesidad de la lucha ideológica, de una "ofensiva en el plano de las ideas", "que obligue a una revisión a todo aquel que postule a una posición diferente del marxismo" (Principios, N.o 113). Situándose en esta perspectiva, Orlando Millas, dirigente comunista especializado en el diálogo con los católicos, sostiene que "nunca como ahora había tenido tanta importancia la lucha por ganar la conciencia de los hombres" (Intervención en el XIII Congreso del PC, Siglo, 16-X-65). Justamente, una de las finalidades del diálogo es transformar la conciencia de los católicos progresistas haciéndolos pasar de la rebeldía a la deserción.

Juray Domic K.

EL ARTE DE »SUBIRSE AL CARRO«

En Principios N° 113 el PC preconizaba una »ofensiva en el plano de las ideas... que obligue a una revisión a todo aquel que postule a una posición diferente del marxismo«.

Comentando todas estas cosas, el sovietólogo Juraj Domic escribió en El Mercurio (2 de mayo de 1969): »Una de las finalidades del diálogo es transformar la conciencia de los católicos progresistas haciéndolos pasar de la rebeldía a la deserción«.

Así —dialogando—, tantos y tantos cristianos se abandonaron voluntariamente al lavado de cerebro y, lo que es peor, contribuyeron valiosamente a la catástrofe del país que, en parte gracias a ellos, penetró en su larga Noche Marxista.

Sacerdotes quieren diálogo y colaboración con los marxistas

Dice Silva Solar: »Se ha pasado del anatema al diá
go...

»(Ahora) se plantea claramente la colaboración de
creyentes con los ateos, la colaboración de los creyer
con los comunistas...

»Si nosotros tomamos el documento de los obispos
Tercer Mundo, encabezados por el obispo brasil
Helder Camara, encontramos una serie de referen
en el sentido de considerar que el socialismo es un
tema que de alguna manera sirve mejor al bien
mún...«

Capítulo XI

LA VOZ DE LOS OBISPOS

Documentos episcopales de 1962, 1969 y 1970 indican las diversas actitudes de la Jerarquía frente al proceso político chileno. En el intertanto, las directivas comunistas de Li-Wei-Han (»La Iglesia Católica y Cuba, Programa de Acción«) van cumpliéndose en Chile.

Antes de entrar de lleno a tan larga noche, parece procedente revisar ciertos documentos emanados de la Conferencia Episcopal chilena durante el período preparatorio a la Unidad Popular. Conviene también remontarse algo más allá en el tiempo y recordar aquella pastoral de 1962, titulada: »El deber social y político«, firmada por, entre otros, los siguientes Obispos: Monseñor Raúl Silva Henríquez, Monseñor Manuel Larraín, Monseñor José Manuel Santos y Monseñor Bernardino Piñera.

Advertía en algunos párrafos:

»*El comunismo se opone diametralmente al cristianismo...*

»*El comunismo, en los países democráticos, oculta su verdadera faz; no se presenta de inmediato con todas sus exigencias...*

»El comunismo jamás se ha impuesto por la convicción, por el valor de su doctrina; siempre se ha valido de las debilidades de los Estados y partidos llamados democráticos, y ha escalado el poder para constituirse después en amo implacable de todos los que no piensan como él, comenzando por aquellos mismos que han hecho posible su ascensión. *Del triunfo del comunismo en Chile, la Iglesia y todos sus hijos no pueden esperar sino persecución, lágrimas y sangre...*

»S. S. Pío XII dice: »Rechazamos igualmente la opinión de que el cristiano deba hoy ver al comunismo como un fenómeno o una etapa en el curso de la historia, como necesario »momento« evolutivo de la misma, y, por consiguiente, aceptarlo como decretado por la Providencia Divina«.

»En 1956, decía S. S. Pío XII: »Con profunda amargura tenemos a este propósito que lamentar el apoyo prestado por algunos católicos a la táctica del comunismo, para obtener un efecto por ellos mismos no querido. ¿A qué fin, por lo demás, razonar sin un lenguaje común, o cómo será posible encontrarse si los caminos son divergentes; esto es, si una de las partes obstinadamente rechaza y niega los comunes valores absolutos haciendo, por lo mismo, irrealizable toda coexistencia en la verdad?...

»Quienes siempre se benefician con esta situación (alianza cristiano-marxista), como la historia lo ha demostrado en múltiples y dolorosos casos, continúan los Obispos, son las habilísimas y muy bien organizadas huestes comunistas...

»No debe pues causar extrañeza que la Iglesia declare que quienes traicionan los sagrados derechos de Dios, de la Patria y del hombre, colaborando en una acción que va dirigida directamente contra estos grandes valores fundamentales y base de toda la civilización cristiana, no estén en comunión con Ella...

»Los que tal hacen, con dolor lo decimos, son hijos que se han apartado de la casa paterna«[171].

Premonitoria pastoral que anunció, a la letra, los tiempos venideros. Solamente falló en su pronóstico al decir: »Del triunfo del comunismo en Chile, la Iglesia y todos sus hijos no pueden esperar sino persecución, lágrimas y sangre«. Sólo hubo lágrimas, secretas muchas veces, al comprobar cómo la médula de la Iglesia Católica estaba siendo socavada por aquellos que no perseguían ni mataban: únicamente dialogaban.

SINIESTRO PLAN COMUNISTA

Es que poco a poco —pero inexorablemente— se había puesto en práctica la nueva medicina decretada por el comunismo internacional: *demoler a la Iglesia por infiltración*.

En 1959, en las Ediciones en Lenguas Extranjeras de Pekín, aparecía un opúsculo escrito por Li-Wei-Han y titulado »La Iglesia Católica y Cuba, Programa de Acción«. Ilustraba meridianamente sobre el caso chileno (el caso cubano fue infructuoso pues, dada la resistencia abierta al castrismo por parte de la jerarquía, los sacerdotes y los laicos, allá el marxismo cobró mártires y no compañeros de ruta como acá).

Dice Li-Wei-Han »Hay que *evitar que se conviertan en mártires* los líderes de las actividades contrarrevolucionarias de la Iglesia. La línea de acción contra la Iglesia es la de instruir, educar, persuadir, convencer y poco a poco despertar y desarrollar plenamente la conciencia política de los católicos por medio de su participación en actividades políticas...

»Por medio de los activistas debemos emprender la lucha dialéctica en el seno de la religión...

»Progresivamente reemplazaremos al elemento religioso con el elemento marxista. *Gradualmente transformaremos la conciencia falsa en conciencia verídica, de manera que los católicos eventualmente destruyan, por su propia voluntad y cuenta, las imágenes divinas que ellos mismos se crearon...*

[171] Ibid., 30 de septiembre de 1970.

»Cuando llegue el momento en que los puestos de responsabilidad en el clero sean de los nuestros y sometidos al gobierno popular, se procederá a erradicar paulatinamente los elementos de la liturgia incompatibles con el gobierno popular...

»Cuando la práctica de la religión se convierte en responsabilidad individual, se sabe que lentamente la religión se olvida. Las nuevas generaciones reemplazarán a las pasadas y la religión será un episodio del pasado digno de ser tratado en las historias escritas sobre el movimiento comunista mundial«[172].

Diabólica conclusión para un plan asimismo diabólico. »Pero ya nadie cree en el diablo ni en los ángeles malos«, escribió Maritain. Y por eso estamos como estamos.

Obispos no son políticos

Volviendo a los documentos episcopales, cabe destacar el análisis que, sobre la situación del país, hicieran los Obispos luego de su Asamblea Plenaria realizada a fines de julio de 1969, un año antes de hallarse Chile al borde del abismo. Ciertos párrafos de esta pastoral advertían:

»Hay también entre algunos católicos una sensibilidad agudizada por ideales nuevos a veces ambiguos, expresados por consignas revolucionarias que impulsan incluso a la violencia como único recurso para lograr cambios sociales...

»Hay también problemas que tocan más particularmente a los cristianos:... una »secularización« mal entendida y erigida en doctrina que *sustituye la misión evangelizadora por una mera estrategia de promoción social y toma incluso el vocabulario y los métodos de ideologías abiertamente ateas*...

»*No nos dejemos instrumentalizar* por quienes nos llaman a unirnos a ellos en la empresa de liberar al hombre por caminos que pasan por el odio, el ateísmo y la reducción del cristianismo a mera ideología o »alienación«...«[173].

Llegó para el país su hora crucial. Y, con las elecciones de 1970, el destino de Chile sufrió un vuelco en extremo peligroso. Peligroso para todos los valores cristianos, tan hondamente arraigados en su pueblo. La Conferencia Episcopal se pronunció veinte días después de acaecido el proceso electoral, subrayando:

»Días antes del 4 de septiembre, cuando aún no se podía prever cuál de los tres candidatos obtendrían la mayoría, los Obispos declaramos que visitaríamos únicamente al candidato que hubiese alcanzado la mayoría absoluta: en caso contrario, esperaríamos el término del proceso constitucional...

»*No nos corresponde, ni queremos, asumir atribuciones que son propias de los políticos y no nuestras. Nadie en Chile quiere ver al Episcopado o al clero actuando en política. Nosotros tampoco*«[174].

---

[172] »La Iglesia Católica y Cuba. Programa de acción«. Li-Wei-Han. Ediciones en lenguas extranjeras. Pekín 1959.
[173] »El Mercurio«, 10 de agosto de 1969.
[174] »Documentos del Episcopado. Chile 1970-1973«. Mons. Carlos Oviedo Cavada. Ediciones Mundo. Santiago, 1974. 239 pp. (p. 28).

Capítulo XII

LA VOZ DEL CARDENAL

Confirmado Salvador Allende por el Congreso Pleno, el Cardenal-Arzobispo de Santiago lo visita y le regala una Biblia. Allende pide un Tedéum ecuménico para celebrar su ascensión al poder. El Cardenal describe a Salvador Allende, ante la prensa cubana, como »un político leal y honesto que ha luchado durante toda su vida por un ideal y que en estos momentos está en condiciones de poderlo realizar«.

Ratificado Allende por el Congreso Pleno como Presidente de la República, el Cardenal Raúl Silva Henríquez le hizo una visita, »durante la cual —dice la revista marxista »Víspera« de Montevideo (noviembre-diciembre 1970)— tuvo la feliz idea de regalarle un ejemplar de la versión en castellano de la Biblia de Jerusalén«. El Cardenal estampó la siguiente dedicatoria sobre la Biblia: »Dedico con todo afecto y respeto el libro por excelencia al Excelentísimo señor Presidente don Salvador Allende«[175].

»Al agradecer, el marxista masón —continúa »Víspera«— señaló que a pesar de lo que se pensara, él había dedicado buenas horas de su existencia a releer partes del libro santo«[176].

»Cuente conmigo, señor Presidente«, dijo el Cardenal al despedirse de Allende. »Esto significa —explicó después el Cardenal a otros interlocutores— que la Iglesia de Chile, la Iglesia de Santiago desde luego, está dispuesta a ayudar en todo al Presidente de la República. Todos debemos servir a la causa de nuestro pueblo y aceptar la voluntad de la nación expresada por los medios constitucionales, como ha sido en este caso. Creo que la labor del Presidente, como él mismo me lo ha dicho aquí, es muy seria. »Otra cosa es con guitarra«, dijo él, y debemos apoyarlo en toda esta labor de bien común. Porque todos los chilenos podemos hacer que los grandes ideales de bien público, los grandes ideales de redención social defendidos por el Presidente, sean una realidad«[177].

[175] »Víspera« N° 19/20. Montevideo, octubre-diciembre de 1970.
[176] Ibid.
[177] Ibid.

El Tedéum que tuvo lugar en la Catedral, con motivo de la ascensión de Allende al poder, también viene descrito en »Víspera«, revista que se cataloga a sí misma como »un servicio para América Latina del Movimiento Internacional de Estudiantes Católicos«, y entre cuyos redactores se cuentan Gonzalo Arroyo, jesuita revolucionario chileno, y Ernesto Cardenal, poeta-sacerdote revolucionario nicaragüense. Dice así la publicación uruguaya:

»En la acción de gracias ecuménica enalteció el Cardenal »el delicado respeto por los valores religiosos del pueblo de Chile«, que implicaba la venida del Presidente hasta el templo«[178].

Luego cita parte de la Homilía del Cardenal: »Nuestra alegría de hoy es la alegría sobria y muy serena, la alegría también muy pura del que construye una obra bella. Nosotros —todos— somos constructores de la obra más bella: la Patria. La Patria terrena que prefigura y prepara la Patria sin fronteras«[179].

»Víspera«, jubilosa, añadía: »un límpido nacionalismo cobraba de golpe dimensión escatológica al dar un signo de la tierra nueva«[180].

No eran del mismo parecer cientos de miles de chilenos que, puertas afuera de la Catedral, presentían claramente lo que significaba tener a un marxista en el poder.

Con fecha 10 de noviembre de 1970 llegó a nuestro país un despacho desde La Habana, enviado por la France Press. Su publicación, al día siguiente, en diversos diarios, informó a la opinión pública chilena que: Monseñor Raúl Silva Henríquez, »Jefe de la Iglesia Católica de Chile«, expresó que las reformas básicas contenidas en el programa de la Unidad Popular son apoyadas por la Iglesia chilena...

»La declaración fue formulada en una conferencia de prensa concedida (por el Cardenal) a periodistas cubanos que viajaron a Santiago para la investidura presidencial de Salvador Allende...

»El prelado chileno expresó que el socialismo tiene »enormes valores cristianos y que, bajo muchos puntos de vista, es muy superior al capitalismo...

»El Cardenal Silva Henríquez dijo que si en el camino de las reformas que se propone poner en práctica el nuevo gobierno se cometen errores, »tenemos que comprender y saber cuál es la finalidad que se persigue, cuál es la recta y honesta intención que se tiene, y esto debemos apoyarlo...«.

»Finalmente, invocando a Dios para que Salvador Allende »pueda realizar todo el bien que anhela para su patria«, el Jefe de la Iglesia chilena describió al flamante Presidente como »un político leal y honesto que ha luchado durante toda su vida por un ideal y que en estos momentos está en condiciones de poderlo realizar«[181].

[178] Ibid.
[179] Ibid.
[180] Ibid.
[181] »El Mercurio«, 11 de noviembre de 1970.

LA VOZ DEL CARDENAL

MONSEÑOR RAUL SILVA HENRIQUEZ

»*El prelado chileno expresó que el socialismo tiene enormes valores cristianos y que, bajo muchos puntos de vista, es muy superior al capitalismo . . .*«

»*El Cardenal Silva Henríquez dijo que si en el camino de las reformas que se propone poner en práctica el nuevo gobierno se cometen errores,* »*tenemos que comprender y saber cuál es la finalidad que se persigue, cuál es la recta y honesta intención que se tiene, y esto debemos apoyarlo . . .*«

»*Finalmente, invocando a Dios para que Salvador Allende* »*pueda realizar todo el bien que anhela para su patria*«*, el Jefe de la Iglesia chilena describió al flamante Presidente como* »*un político leal y honesto que ha luchado durante toda su vida por un ideal y que en estos momentos está en condiciones de poderlo realizar*« «*.*

El Cardenal Raúl Silva Henríquez se dirige al salón VIP *de Pudahuel después de dejar el avión que le trajo desde Nueva York. Le acompaña su secretario privado, el padre Luis Antonio Díaz.*

... y »el chino (Díaz)« salió de la (toma de la) Catedral para, contrito y absuelto por el Cardenal Silva, ingresar a su servicio como su Secretario, su Familiar y su Vicario Episcopal.
(Padre ROBERTO VEGA BLANLOT. Entre Cristo y Marx. *Ediciones Universitarias de Valparaíso, 1975).*

Capítulo XIII

TEITELBOIM Y LOS JESUITAS

Volodia Teitelboim, miembro del Comité Central del Partido Comunista de Chile, revela las conversaciones de su colectividad con diversos sacerdotes, especialmente jesuitas, y aplaude la nueva actitud de la Iglesia frente al comunismo. Algunos sacerdotes, por su parte, van mostrando públicamente su »encanto« frente al valor ético que está subyacente en la concepción socialista«.

Comienza la Era de Salvador Allende. Ciertos sectores de la Iglesia Católica —por desgracia muy representativos— protagonizarán durante tres años los hechos más increíbles. El pueblo cristiano —escandalizado— no sabrá si odiarlos o compadecerlos. Y la Iglesia irá madurando al calor de sus heridas.

En esos años hubo un personero del Partido Comunista *Volodia Teitelboim,* que fue provisto de un par de alas simbólicas para vestirse de ángel. Con ellas, con el tono sacerdotal de su monserga y con altas dosis de hipocresía que ponía en el mensaje, convenció a más de un incauto.

Es interesante cuanto Teitelboim reveló a la revista »Víspera« (informe »La Vía Chilena«) pocos días después del triunfo definitivo de Allende:

»La Iglesia evolucionó mucho después del Vaticano II. Antes era sanción moral de la reacción chilena, ahora ya no. En el 64 apoyó a Frei con una participación activa, y un jesuita, el padre Vekemans, muy inteligente, muy vivaz, creyó en la »promoción popular« profetizando una era democratacristiana para todo Chile que se extendería, en sus cálculos, hasta el año 2.000.

»El P. Vekemans acaba de irse del país después de perder influencia sobre los sacerdotes y los jóvenes.

»Por nuestra parte, *nosotros tuvimos conversaciones con sacerdotes, sobre todo con los jesuitas, que tienen un alto coeficiente intelectual y publican una revista de gran nivel, »Mensaje«. Son muy abiertos.*

»La prohibición pontificia que declara al comunismo intrínsecamente perverso no jugó aquí, no fue un muro; la Iglesia reconoció la libertad de los votantes, incluso los miembros de la jerarquía eclesiástica aunque en el fondo son PDC.

»*Muchos sacerdotes votaron por Allende. En general, podemos decir pues que la Iglesia, en estas últimas elecciones, ha tomado una posición muy positiva y que tenemos muy buenas relaciones con ella y con los sacerdotes.* El Tedéum (de la investidura con Allende) vino a reconocer todo esto«[182].

La alabanza de Teitelboim a los jesuitas tenía respuestas concretas, por todos lados. Justamente »Mensaje« les servía de vocero para mostrar su predilección por el marxismo.

El padre *Arturo Gaete* s. j., por ejemplo, escribía en dicha revista, en 1971, que lamentablemente —y pese a la buena voluntad mostrada por ambas partes— todavía existían dificultades en el diálogo entre católicos y marxistas. Más aún, el padre Gaete quisiera traspasar las fronteras del diálogo y llegar a una *total colaboración* entre marxismo y catolicismo, para que de allí resulte la *síntesis* de ambas filosofías.

Llevado por la vehemencia de su nueva fe, el padre Gaete aboga por liquidar la doctrina de Santo Tomás de Aquino pues, a su juicio, el tomismo es el único impedimento: sólo el tomismo vuelve impermeables a los católicos para aceptar el marxismo.

Luego, el vacío que deje Santo Tomás al partir, según Gaete, habrá que rellenarlo con Kant y Hegel. En resumidas cuentas, este jesuita recomienda *la adaptación del pensamiento cristiano al pensamiento marxista.* Es decir, una conversión en toda la línea; pero conversión desde la religión católica hacia el marxismo. (Ver »¿Por qué el marxismo combate al tomismo?« Miguel Poradowski. Semana Tomista, Valparaíso 10-15 de julio de 1974)[183].

Siempre en »Mensaje« (enero-febrero 1971) el padre Gaete regaló a sus lectores con un artículo sobre »Eucaristía y lucha de clases«. El veía un »enriquecimiento mutuo« (entre la lucha de clases y la Eucaristía) y, a renglón seguido, aseguraba:

»El hombre que tiene una experiencia real de luchas de liberación tendrá una visión menos abstracta de lo que significa la reconciliación operada por Cristo. Su Eucaristía se enriquecerá y también su lucha. Estas luchas (de clase) son utópicas y están abiertas a graves crisis de esperanza... La muerte, la resurrección y la venida de Cristo les aportan la seguridad de que la utopía es verdadera«[184].

Arturo Gaete s. j. es en 1971 profesor de filosofía en la Universidad Católica de Santiago, ex Vice-Rector de la Universidad Católica de Valparaíso y subdirector de »Mensaje«. Ahora (1975) es profesor de la Universidad de Chile.

En enero de 1971 (día 25) declaró a »El Mercurio«: »Antes, los cristianos (...) descartaban a priori la lucha de clases. (Pero) el encuentro pasa por esta lucha, por el conflicto«[185].

[182] »Víspera«, N° 19-20. Montevideo, octubre-diciembre de 1970.

[183] »¿Por qué el marxismo combate al tomismo?«. Miguel Poradowski. Speiro 1974. (Ponencia desarrollada en la Semana Tomista celebrada en la Universidad Católica de Valparaíso, 10-15 de junio de 1974). 12 pp.

[184] »Mensaje«, enero-febrero de 1971.

[185] »El Mercurio«, 25 de enero de 1971.

No sólo entre los jesuitas hervía la caldera. Otros ambientes de la Iglesia Católica, especialmente a nivel de juventudes, también viraban hacia la izquierda, desesperadamente.

El padre *Pablo Fontaine* ss. cc., asesor nacional del movimiento de estudiantes católicos chilenos (»Parroquia Universitaria« en Santiago, AUC y MUC en provincias), ilustró a la revista »Víspera« sobre la realidad de los universitarios a su cargo, a fines de 1970:

»Desde antes de este proceso electoral, en el movimiento se fue produciendo una mayor politización y una radicalización hacia la izquierda...

»Sobre todo un compromiso con el MAPU...

»Llegada la elección misma se produjo una alegría serena, casi cautelosa, y así ha venido toda una reflexión sobre cómo estar presente en este proceso de modo crítico. Incluso diría que inmediatamente después de la elección el temor se había apoderado de algunos de estos mismos jóvenes radicalizados; estaban un poco serios, en parte por el hecho de que muchos de ellos son de familias burguesas y dentro de ellas había una conmoción muy fuerte, que los afectó personalmente. Era una cosa de clima, simplemente...

»En cambio después he empezado a ver a la gente trabajando en comités de la Unidad Popular, un poco con el entusiasmo de construir algo nuevo...

Pregunta: »¿Cómo se explica entonces que en la Universidad Católica haya triunfado, en las elecciones estudiantiles, la derecha?

Respuesta: »En primer lugar hay una baja en la izquierda, sencillamente porque no estuvo presente *el gran líder Miguel Angel Solar,* que ya dejó el trabajo directo en la Universidad, supongo que para recibirse y prepararse para la política extrauniversitaria...

Pregunta: »¿Hay miembros del movimiento que militen en el Partido Socialista y en el Comunista?

Respuesta: »No. Los hay sí en el MIR y en el Partido Comunista Revolucionario...

»Tengo la impresión de que la mayoría del MAPU es cristiana. En seguida, que una parte muy importante, cuyo peso no alcanzo a valorar, ha perdido la fe, son antiguos cristianos. Todos estos tienen un análisis claramente marxista y ellos son los que están en la directiva. De manera que en este momento, al salir Chonchol (por decisión del Primer Congreso Nacional del MAPU, celebrado en Santiago el fin de semana previo al ascenso al poder de la UP, fue elegido nuevo secretario general del MAPU Rodrigo Ambrosio, mientras Chonchol asumía el Ministerio de Agricultura) la directiva es claramente no cristiana...

»Los que se reúnen en el movimiento nuestro tienen muy claro que en ellos *su fe lleva a un compromiso político...*

Pregunta: »¿En qué fecha podría decirse que comenzó a desgajarse la militancia política de los miembros del movimiento (estudiantes universitarios católicos) de aquella casi general identificación con la Democracia Cristiana?

Respuesta: »Hasta el 64 ó 65 puede decirse que hubo un predominio democratacristiano en el movimiento, a tal punto que los dirigentes de la Federación de Estudiantes de la Católica y aun los de la Universidad de Chile brotaban un poco de lo que se llamaba AUC: Solar, Rodrigo Ambrosio... De hecho, con la desilusión democratacristiana (durante el gobierno de Frei) se empezó a producir una mapucización de los miembros del movimiento«[186].

EL GUSTO INFANTIL DE LA NOVEDAD

Los sacerdotes-asesores de la Parroquia Universitaria emitieron, en noviembre de 1970, un comunicado que titularon »El presente de Chile y el Evangelio« (»Mensaje« enero-febrero 1971). En él confesaban que adherían a la experiencia socialista, »no por el gusto infantil de la novedad, (sino porque) lo que nos *encanta* es el valor ético que está subyacente en la concepción socialista«.

Luego añadían: »Tal vez *muchos nos llamarán ingenuos si decimos que estamos entusiasmados con la posibilidad de que se establezca el socialismo en Chile*«[187].

Al acusarse y excusarse de infantilismo e ingenuidad, resultaron absolutamente sinceros.

Entre los firmantes de ese comunicado destaca el padre Fontaine, quien en diciembre de 1971 aceptaba otra vez ser interrogado por »Víspera« y declaraba:

»Se trata de estar por los oprimidos, y esto se llama aquí en Latinoamérica estar contra el imperialismo y las minorías capitalistas«[188].

La revista »Tierra Nueva« del Centro de Estudios para el Desarrollo e Integración de América Latina (CEDIAL), obra del padre Vekemans, asegura en su número de octubre de 1973 que el padre Fontaine no sólo firmó —en abril de 1971— la histórica »Declaración de los Ochenta« (de los ochenta sacerdotes que discurrieron transformarse en »Cristianos por el Socialismo«), sino que fue, además, uno de los ideólogos más importantes de aquella jornada sobre »La Colaboración de los Cristianos en la Construcción del Socialismo«, tristemente célebre dentro de la bitácora de la infiltración marxista en la Iglesia Católica chilena[189].

Siempre para »Víspera« (abril 1971), el padre Fontaine declara, refiriéndose a los Ochenta: »Convencidos de que el movimiento socialista mundial, a pesar de todos sus defectos, lleva consigo importantes valores evángelicos; considerando que este movimiento, representado por los partidos de izquierda, hace un análisis de la sociedad que es válido en sus grandes rasgos y que no es necesario que los cristianos inventen su proyecto propio de la sociedad, (los Ochenta) optan por la transformación profunda de las estructuras, en la forma concreta en que ésta se está dando« (por el socialismo)[190].

Para conocer el estado de ánimo actual (después del pronunciamiento militar) de tantos cristianos, especialmente clérigos, que adhirieron al régi-

[186] »Víspera«, N° 19-20. Montevideo, octubre-diciembre de 1970.
[187] »Mensaje«, enero-febrero de 1971.
[188] »Víspera«, N° 24-25. Montevideo, octubre-diciembre de 1971.
[189] »Tierra Nueva«, octubre de 1973.
[190] »Víspera«, N° 23. Montevideo, abril de 1971.

men de la Unidad Popular, parece interesante reproducir, en parte, el análisis titulado »Algunos aspectos de la Iglesia chilena de hoy« que, justamente, bajo la firma de Pablo Fontaine A. ss.cc., apareció en la revista »Mensaje« (junio de 1975).

»Quiero detenerme en el caso de los de izquierda —dice el padre Fontaine—, porque su evolución es tal vez uno de los fenómenos más nuevos y positivos de nuestra Iglesia. Lo que ellos tuvieron de valioso permanece...

»Para la mayoría de estos cristianos, el pronunciamiento militar fue la conmoción más honda de sus vidas. El esfuerzo por instaurar el socialismo había llegado a ser la meta y el sentido último de su acción. Al desmoronarse ese sueño, se producía el vacío de la existencia. La revolución había llegado a ser una auténtica »fe«. Ahora el dios desaparecía y la vida perdía su razón de ser...

»Sin que cambiaran las líneas generales del análisis político, un sentimiento íntimo de indigencia los llevó a relativizar esa opción y algo de la antigua fe empezó a revalorizarse...

»Este mismo cristiano de que hablamos viene también de vuelta de una crítica despiadada de la Iglesia. Su peso institucional (el de la Iglesia), el hecho de que su voz tenga eco en el país, en suma el poder de su palabra, cosas todas que habían sido criticadas como no evangélicas, como un compromiso con el mundo, empiezan a ser miradas con otra óptica...

»Se ve bueno que exista una realidad institucional con suficiente fuerza como para constituirse en voz y amparo de los más débiles, y como un espacio de libertad verdadera...

»(Los cristianos de izquierda) llegaron a concluir que lo político lo envuelve *todo*, a tal punto que los contornos de las cosas empezaron a desdibujarse; la realidad se hizo gris y homogénea. No había otro quehacer importante fuera de la toma del poder para el pueblo. Así se menospreciaron muchas realidades de la vida, la más gratuitas, el arte, el pensamiento, el amor, también el Evangelio...

»Ahora, en cambio, la brusca supresión de la actividad, la forzosa meditación, la sensación de vacío, el sufrimiento hondo, ampliaron el horizonte y purificaron los ojos...

»Que (estos cristianos, ahora), sin importarles trabajar lento y en la oscuridad, (consideren que) este es un tiempo de cavar y poner cimientos más sólidos para una construcción futura...

»Que vivan el conflicto de la sociedad sin magnificarlo ni despreciar las líneas de convergencia, pero siendo a la vez críticos frente a las consignas fáciles de paz, exigiendo que estos llamados tomen en cuenta las condiciones reales de la estructura social...«.[191]

[191] »Mensaje«, junio de 1975.

Capítulo XIV

CRISTIANOS POR EL SOCIALISMO

Con una gran jornada sobre »La Colaboración de los Cristianos en la Construcción del Socialismo« (año 1971), ochenta sacerdotes capitaneados por el jesuita Gonzalo Arroyo inician su abierta militancia marxista, pero dejando bien sentado que no abandonan ni la Iglesia ni el Ministerio sacerdotal. Invitan a Gustavo Gutiérrez, sacerdote peruano y prohombre de la Teología de la Liberación. Los »Ochenta« que, más adelante, se autodenominarán »Cristianos por el Socialismo« y luego incrementarán sus huestes hasta el punto de transformarse en los »Doscientos«, se suman vehementemente al proceso de la Unidad Popular. Doce profesores de la Facultad de Teología de la Universidad Católica de Chile los aplauden a través de una carta. Otros sacerdotes discrepan también por escrito. La Conferencia Episcopal amonesta a los »Ochenta«.

Exactamente en los mismos días de la Asamblea Anual de la Conferencia Episcopal chilena, realizada en Temuco del 15 al 22 de abril de 1971, en el local de la calle Rosario Santa Fe N° 9164 (Gran Avenida, Santiago) se desarrollaba uno de los hechos más espectaculares del historial católico-marxista de Chile. Ochenta sacerdotes, nacionales y extranjeros, se reunieron en una jornada que titularon »La Colaboración de los Cristianos en la Construcción del Socialismo«.

Según »El Siglo« (14 de abril), »la iniciativa nació de un grupo de veinte sacerdotes de poblaciones marginales santiaguinas que, en septiembre pasado, llegaron hasta la casa del Presidente Allende para felicitarlo por su elección«[192]. »Las Noticias de Ultima Hora« (14 de abril) añadió: »En esa oportunidad (visita a Salvador Allende) le entregaron un documento que señalaba que ellos »como pastores« querían »contribuir a la tranquilización de nuestras comunidades atemorizadas por las nuevas formas de la campaña del terror«[193].

Luego, el vespertino izquierdista abundaba en nuevos antecedentes:

---

[192] »El Siglo«, 14 de abril de 1971.
[193] »Las Noticias de Ultima Hora«, 14 de abril de 1971.

»Estos sacerdotes se reunieron en noviembre (1970), llegando a la conclusión de que su interés era »trabajar por la liberación del hombre, la cual no se hace de una manera individual ni abstracta, sino social. Nos definimos —dijeron— por el sistema social que refleja y permite vivir con más facilidad valores de justicia, solidaridad, igualdad, fraternidad y unidad; valores que están más cerca del hombre y del Evangelio. Estos valores, nos parece, se realizan mejor en el socialismo«[194].

La preparación remota de las Jornadas estuvo a cargo de doce sacerdotes, la mayoría de ellos extranjeros —según anota »La Prensa«, diario demócrata-cristiano—. Estos doce enviaron una carta a diferentes religiosos católicos, insertando en ella el documento-base del encuentro, redactado por Rodrigo Ambrosio, secretario general del MAPU, y por ellos mismos[195].

La carta-invitación y el documento de trabajo indicaban que, para cualquier tipo de respuesta, los interesados deberían dirigirse a los »compañeros sacerdotes del Comité Organizador«.

A continuación, un extracto de este documento que, »cae de su peso, no está destinado a la publicidad«:

»Hay un peligro que acecha a los cristianos que comienzan a actuar en política. Puede darse el caso de una radicalización que se hace, no a partir de un contacto con la clase trabajadora, su explotación, su lucha y sufrimientos, sino de inquietudes intelectuales a menudo provenientes de círculos universitarios burgueses y pequeñoburgueses. Esto puede llevar a posiciones políticas terriblemente abstractas y, por lo tanto, ineficaces. Es lo que, por ejemplo, ha sucedido con la Iglesia Joven que, motivada por un deseo de autenticidad, quiere comprometerse en la liberación de América Latina y dar testimonio personal, por lo cual fomentan posiciones políticas abstractas, políticamente ineficaces para la liberación de Chile...

»Desde un punto de vista de fe hay que respetar el misterio de la Iglesia, a la cual pertenecen también los Obispos. Pero *lo interesante, políticamente hablando, es que el Cardenal, Obispos, Sacerdotes y Cristianos, se vinculen y comprometan con la revolución que, en este momento, pasa por la Unidad Popular.*

»La actitud práctica debe ser de no preocuparse si el socialismo sirve para el Reino (de los cielos) o viceversa. *Yo, al hacer socialismo, construyo el Reino. Este llegará hoy a través del socialismo y del gobierno popular...«*[196].

Conviene aquí aplicar las palabras del padre François Francou s.j., sacerdote-obrero francés de larga permanencia en nuestro país (6 años), buen testigo —por tanto— del proceso »cristiano-marxista«.

Un trabajo suyo publicado por Cahiers de L'Actualité Religieuse et Sociale y titulado »Le Chili, le socialisme et L'Eglise« (Chile, el socialismo y la Iglesia) apunta: »En el fondo de las actuales posiciones (católicas), ¿no habrá... una *teología insuficiente* de las relaciones entre »ciudad terrestre y ciudad eclesial«?... ¿No se llega... hasta reducir inconscientemente el Reino de Dios

---

[194] Ibid.
[195] »La Prensa«, 15 de abril de 1971.
[196] Ibid.

a su dimensión social y terrena...? A nuestro entender, el peligro consiste más bien en cierto *confusionismo de vocabulario y de pensamiento* que mezcla en aparentes equivalencias al lenguaje cristiano y el lenguaje marxista sin el rigor necesario«[197].

El jesuita *Gonzalo Arroyo*, profesor de la Universidad Católica de Chile, es indudablemente el cerebro de las Jornadas y a él, según »El Siglo«, debían dirigirse quienes precisaran de mayores informes sobre tal »ciclo de estudios«.

Secundando al padre Arroyo, el Comité Organizador, compuesto por los siguientes sacerdotes:

Santiago Thijssen y Renato Giavio (de la Población Victoria), *Esteban Gumucio* (de la Joao Goulart), *Alfonso Baeza* (del Movimiento Obrero de Acción Catolica-MOAC), *Nelson Soucy* (de la Población Mussa), *José Arellano* (de la San Joaquín), *Hernán Leenrijsse* (de San Bernardo) y otros.

A la reunión, que duró diez días, fueron invitados clérigos de Santiago, Valparaíso, Antofagasta, Curicó, Talca y Concepción. El temario contempló: »Evolución del Movimiento Popular en Chile«, a cargo de Oscar Torres; »Análisis del Programa de Gobierno de la Unidad Popular«, por Oscar Garretón (Subsecretario de Economía del Gobierno de Allende); »Iglesia, sacerdotes y política«, por Gonzalo Arroyo; »Marxismo y Cristianismo en América Latina«, por el teólogo peruano *Gustavo Gutiérrez*, y »Cristianismo y Socialismo en América Latina«; por *Franz Hinkelammert,* profesor e investigador estable del Centro de Estudios de la Realidad Nacional (CEREN)de la Universidad Católica.

LA »TEOLOGÍA« DEL PADRE GUTIÉRREZ

La personalidad del sacerdote peruano, padre Gustavo Gutiérrez, merece destacarse por ser él uno de los más auténticos representantes mundiales de la »Teología Marxista de la Liberación«. Esta nueva »teología« pretende »que la Iglesia cambie voluntariamente y a sabiendas de posición ante la revolución marxista, que deje de ser una enemiga de esta revolución (como lo es desde el pontificado de Pío IX hasta el pontificado de Paulo VI) y se convierta en su protectora. La Iglesia debería entender los »signos de los tiempos« —como dicen los »teólogos« marxistas—, debería tomar conciencia de la nueva situación histórica y con entusiasmo comprometerse con la revolución marxista, pues solamente de esta manera podrá cumplir fielmente la voluntad de Cristo« (Miguel Poradowski)[198].

El padre Gutiérrez vino en otra oportunidad a Chile, invitado por el Cardenal Silva Henríquez, para dictar un retiro al clero en Padre Hurtado, en la Casa de Ejercicios de los jesuitas.

Gutiérrez editó en Lima-Perú, en 1971, su libro de casi 400 páginas titu-

---

[197]Cahiers de l'Actualité Religieuse et Sociale. N° 28-36. Año 1972.
[198]»Sobre la teología de la Liberación«. Miguel Poradowski. Editora Nacional Gabriela Mistral. Enero 1975. 46 pp. (p. 21).

lado »Teología de la Liberación«. Este libro se vendió en la Librería »Manantial« (Santiago), cuya Fundación propietaria era presidida por el Cardenal. En febrero de 1975 el Gobierno chileno prohibió la circulación de esta obra.

Siempre según el padre Poradowski, »el libro de Gustavo Gutiérrez es un claro y decisivo acto de comprometerse con la revolución marxista, guardando cuidadosamente todas las apariencias de fidelidad a la teología tradicional y a la enseñanza oficial de la Iglesia«[199]. Su peligrosidad, pues, resulta evidente.

El libro del padre Gutiérrez mereció posteriormente sendos elogios de parte de la revista »Teología y Vida« (N° 3, 1972), órgano oficial de la Facultad de Teología de la Universidad Católica de Chile, y naturalmente de »Mensaje« (N° 208). Ambas publicaciones lo consideraron una contribución al desarrollo de la teología.

COMPROMETIDOS CON ALLENDE

El padre Arroyo en parte de su intervención, durante las Jornadas, dijo algunas cosas de interés: »Creemos que el socialismo es el único medio de escapar al subdesarrollo«; *»el marxismo y el cristianismo pueden unificar su acción«*; »(su aparente incompatibilidad se desprende de) una concepción preconciliar«; »(para justificar el compromiso sacerdotal) partimos de la base teológica según la cual *la fe no puede ser abstracta sino comprometida, comprometida, desde luego, en la acción revolucionaria al lado de los marxistas*«[200].

Con fecha 16 de abril, los »Ochenta« discurrieron hacer una solemne declaración pública dando por terminado el famoso encuentro. En parte decía:

»Un grupo de 80 sacerdotes que convivimos en la clase trabajadora nos hemos reunido para analizar el proceso actual que vive Chile al iniciar la construcción del socialismo.

»La clase trabajadora permanece todavía en condiciones de explotación, que implican desnutrición, falta de vivienda, cesantía y escasas posibilidades de acceder a la cultura. Hay una causa clara y precisa de esta situación: el sistema capitalista, producto de la dominación del imperialismo extranjero y mantenido por las clases dominantes del país...

»Una situación tal no puede tolerarse por más tiempo. Constatamos la esperanza que significa para las masas trabajadoras la llegada al poder del Gobierno Popular y su acción decidida en favor de la construcción del socialismo. Esta intuición del pueblo no es errada...

»Nos sentimos comprometidos en este proceso en marcha y queremos contribuir a su éxito. *La razón profunda de este compromiso es nuestra fe en Jesucristo,* que se ahonda, renueva y toma cuerpo según las circunstancias históricas. Ser cristiano es ser solidario. Ser solidario en estos momentos, en Chile, es participar en el proyecto histórico que su pueblo se ha trazado.

»*Como cristianos no vemos incompatibilidad entre cristianismo y*

[199] Ibid., (p. 22).
[200] »Este y Oeste«, noviembre-diciembre de 1971.

socialismo. *Todo lo contrario. Como dijo el Cardenal de Santiago en noviembre pasado, »en el socialismo hay más valores evangélicos que en el capitalismo«...*

»Es necesario destruir todos los prejuicios y las desconfianzas que existen entre cristianos y marxistas...«[201].

Esta declaración levantó —como era de esperar— intensa polvareda. El mayor terral fue a favor, porque las cosas ya estaban muy descompuestas en círculos católicos chilenos. Y los marxistas aplaudían a todo vapor, a través de toda su prensa y sus personeros. Hasta en el extranjero tuvieron resonancia los »Ochenta«.

La agencia yugoslava »Tanjug«, por ejemplo, se apresuró a consignar con fecha 17 de abril que las Jornadas y su fruto eran un apoyo valioso para Salvador Allende, digno de encomio, y recordó, de paso, que este acontecimiento era la resultante del ejemplo dado por el Cardenal Silva Henríquez cuando afirmó que Allende trabajaba por la justicia[202].

Los profesores de teología

Por su parte, 12 profesores de la Facultad de Teología de la Universidad Católica de Chile *(Pablo Richard G., Fernando Castillo L., Carlos Welsch, Eugenio Rodríguez F., Cristián Johansson, Gloria Wormald, Diego Irarrázaval G., Antonio Bentué, Juan Bulnes A., Francisco López F., Theo Hansen* (subdirector de la Escuela de Teología) y otro (cuyo nombre no ha sido dado a la publicidad), enviaron una carta de apoyo a los »Ochenta«. Decían:

»Hemos recibido con gran satisfacción la declaración publicada por ustedes después de las Jornadas sobre »La participación de los cristianos en la construcción del socialismo en Chile«... (Ambas cosas) constituyen un hecho de significación altamente positivo...

»No podemos sino estar de acuerdo en que las condiciones de explotación en que viven las clases trabajadoras y que adquieren dramática realidad en la cesantía, desnutrición y miseria de obreros y campesinos, son el resultado del sistema capitalista dependiente que existe en Chile...

»El proceso de construcción del socialismo es la vía concreta y real que hoy se da en la historia de nuestra sociedad para superar la injusticia y la miseria. Por otra parte, no puede negarse que tal proyecto está encabezado por partidos de orientación marxista. *Esto hace que sea obvia la necesidad para los cristianos de colaborar con los marxistas...*

»Pensamos que la declaración de ustedes es significativa porque afirman que »la razón profunda de este compromiso es la fe en Jesucristo...

»El amor cristiano fiel al Evangelio es una fuerza política liberadora. Debe liberar al pobre de su miseria y su dependencia...«[203].

Dos de los profesores que firman esta carta merecen destacarse. La única mujer, *Gloria Wormald,* ha sostenido en su tesis, titulada »Alienación, Reli-

---

[201] »Los Cristianos y la Revolución, un debate abierto en América Latina«, Editora Nacional Quimantú, 1972. 396 pp. (pp. 175-176).

[202] »Este y Oeste«, noviembre-diciembre de 1971.

[203] »El Mercurio«, 25 de abril de 1971.

gión y Cristianismo, una introducción al problema de la fe«, que la teología fundamental está rebasada y que la nueva teología no debe fundarse sobre principios rígidos y abstractos, sino sobre la realidad del mundo actual[204].

Es decir, antropocentrismo. Es decir, la esencia de la »teología« de la liberación.

Pablo Richard Guzmán, por su parte, es un apasionado revolucionario. Durante este amargo período del contubernio marxista-cristiano en el seno de la Iglesia Católica chilena, prolíficamente gestado y crecido en el ambiente propicio de la Unidad Popular, vemos al »teólogo« Richard emergiendo por todos los rincones, vociferando, arrasando, casándose públicamente con el compromiso político izquierdista más espectacular.

En »El Siglo« del 25 de abril, a raíz de las Jornadas, en compañía de otro profesor de la Facultad de Teología de la Universidad Católica, Fernando Castillo L., afirmaba que »el socialismo es la vía para superar la injusticia«[205].

Richard perteneció a un grupo de doce sacerdotes chilenos que viajaron a Cuba en febrero de 1972, a los cuales los Obispos ofrecieron públicamente la opción entre sus compromisos políticos y la continuación de su ministerio sacerdotal (»Tierra Nueva«, octubre 1973)[206].

En 1972, Richard se presta para prologar el libro titulado »Los Cristianos y la Revolución«, publicado por la Editorial marxista »Quimantú«, y consistente en un triste vademecum de los documentos que publicaron y de las gracias que hicieron, durante la Unidad Popular, los cristianos entregados al marxismo.

En 1973, Richard es redactor habitual de la publicación del Partido Socialista »Punto Final« (PF). Allí da rienda suelta a su virulencia. Con mucha razón »Tierra Nueva« lo tilda de »sórdido«[207].

Vale la pena consignar algunos aciertos del padre Richard, producidos para »Punto Final« en las postrimerías de la Unidad Popular.

Luego de titular »La burguesía se refugia en la Iglesia«, con fecha 24 de abril de 1973, Richard autocriticaba: »La izquierda da muchas veces argumentos a la burguesía para que ésta reduzca el enfrentamiento *social* a un enfrentamiento religioso. Se atacó demasiado, por ejemplo al *cura* Raúl Hasbún. Se atacó su carácter de *sacerdote,* cuando *Hasbún* no estaba actuando como *sacerdote,* sino lisa y llanamente como un representante fiel de la burguesía chilena.

»Al proletariado no le interesa atacar al cristianismo o a la Iglesia. Al proletariado le interesa atacar la estructura social capitalista, le interesa atacar al poder burgués. Si en un momento debe atacar a cristianos o curas reaccionarios, no los ataca en cuanto son cristianos o curas, sino en cuanto son reaccionarios. Estos curas o cristianos ciertamente buscarán por todos los medios sentirse víctimas o mártires de una persecución religiosa.

---

[204] »Punto Final«, 11 de mayo de 1971.

[205] »El Siglo«, 25 de abril de 1971.

[206] »Documentos del Episcopado. Chile 1970-1973«. Mons. Carlos Oviedo Cavada. Ediciones Mundo. Santiago, 1974. 239 pp. (p. 133).

[207] »Tierra Nueva«, octubre de 1973.

»No pretendemos con estas observaciones hacer una defensa oportunista del cristianismo...

»*El cristianismo choca con el marxismo en la medida que se traiciona a sí mismo y termina identificándose con la ideología (burguesa) dominante*«[208].

En el artículo titulado »Ateísmo anti-imperialista: camino para cristianos« (PF 5-6-73), bajo un extensísimo epígrafe de Federico Engels, Richard asegura que »a partir de la lucha de clases, los cristianos redescubren el significado político de su fe. *Su fe en Cristo implica necesariamente la destrucción de los falsos dioses del capitalismo. Los cristianos se afirman como cristianos en la guerra a muerte contra el orden y el poder burgués*...«[209].

No deja de ser sorprendente un enfoque »teológico« tan novedoso. En realidad Dios, Cristo, la Santísima Trinidad, »no tienen ninguna vela en este entierro«. Están de más, puesto que un nuevo Dios —llamado Marxismo— acaba de nacer en el fervor de un sacerdote profesor de la Facultad de Teología de la Pontificia Universidad Católica de Chile.

Un tercer artículo de Richard se llama »Los Obispos y la prédica de la pequeña burguesía« (PF 3-7-73). En él critica con entusiasmo la Carta Pastoral que, día antes, emitieran los Obispos de la provincia eclesiásticas de Santiago. Advirtió Pablo Richard: »Cristo dividió claramente a sus oyentes. Un grupo lo siguió y otro grupo lo asesinó... nos preocupa el documento de los Obispos. Marca un camino demasiado peligroso. Es un camino que va contra la historia, contra los cambios revolucionarios, contra los pobres explotados«[210].

»Punto Final« ilustró esta contribución de su redactor-sacerdote con una caricatura impagable: un Obispo de casulla con el Corazón de Jesús bordado y con una suástica en medio del Corazón de Jesús. Mientras el Obispo acciona con su mano derecha donde reluce el anillo episcopal o esposa, que es un inmenso brillante »solitario«, la leyenda, por su boca, predica: »Y odiaos los unos a los otros... ¡Loado sea Dios«[211].

Por último, en un artículo que debió aparecer en »Punto Final« del 11 de septiembre de 1973, el padre Richard arremete contra la Armada Nacional. En honor a la verdad, debe felicitársele porque, por fin, ha dejado de mezclar a Dios en su verborrea política y se dedica plenamente a la pretensión de corroer a las Fuerzas Armadas. Un poco tardía su determinación.

En mayo de 1972, Richard alcanzó a tener su público en el extranjero. El diario »El Catolicismo« de México (28 de mayo) estampaba lo siguiente, bajo el título de »Crece fermento socialista en el clero chileno«: »En esta capital se ha dado a conocer la postura del sacerdote Pablo Richard... Señaló la necesidad de una Iglesia comprometida que *conduzca* la revolución socialista en América Latina«. »Para el triunfo de la misma —agregó— aunque condenamos la violencia, *si es necesario habrá que tomar la metralleta o el fusil*, para quitar el poder o acabar con los privilegios del imperialismo y del capitalismo...«[212].

[208] »Punto Final«, 24 de abril de 1973.
[209] Ibid., 5 de junio de 1973.
[210] Ibid., 3 de julio de 1973.
[211] Ibid.
[212] »El Catolicismo«, México, 28 de mayo de 1972.

A tales alturas uno, que sólo es un modesto tornillo del pueblo de Dios, se sorprende por la calidad de profesores de teología que tuvo la Universidad Católica de Chile.

POLÉMICAS ALREDEDOR DEL REINO

Otra reacción que trajo consigo la declaración de los »Ochenta« provino de Beltrán Villegas SS. CC., también profesor de la Facultad de Teología UC. Fue una carta pública que, en algunos párrafos, decía:

»Estoy plenamente de acuerdo con ustedes en que el régimen capitalista es inhumano y execrable, y en que un régimen socialista puede ser más respetuoso de la dignidad humana, e incluso, si se quiere, más »evangélico« por su preocupación preferencial por los »humildes y ofendidos«...

»Insisto: me parece *posible* (aunque harto riesgoso) optar por la transformación social vía la lucha de clases, y yo les respeto la opción que ustedes parecen haber tomado. *Pero digan claramente que se trata de una opción política y que ella no puede proponerse como una necesaria proyección del Evangelio en el terreno de la acción política*...

»*Confieso sentir envidia por el candor que se transparenta en estas afirmaciones*...

»¿Qué maldición pesa sobre nosotros los curas para que creamos siempre que todos los cristianos tienen que compartir nuestra manera de ver las cosas?...

»*Creo que han incurrido ustedes en un pecado de clericalismo*«[213].

»El Siglo« (19-4-71) expandió su gran corazón comunista para congratularse, a todo lo largo de un editorial, de las Jornadas y la declaración de los »Ochenta«.

En su mejor estilo beato, el vocero PC sermoneó:

»Seguramente para el pueblo chileno, comprometido consigo mismo, comprometido con su propio destino y, en lo religioso, mayoritariamente católico, esta declaración de un grupo de sus sacerdotes significa una especie de reencuentro con su propia religión o, mejor dicho, con la institución que la personifica, con su Iglesia...

»Al pronunciarse por el socialismo, el pueblo de Chile no ha abandonado sus creencias religiosas, manifestadas preferentemente por los caminos diversos por los que transita en Chile la fe en Cristo...

»*El diálogo entre marxistas y cristianos está abierto*«[214].

»¿De qué marxismo nos hablan?«, tituló su carta al director de »El Mercurio«, publicada el 24 de abril, Eduardo Kinnen, sacerdote, profesor de Filosofía Social de la Universidad Católica. Analizaba en ella la declaración de los »Ochenta«. Su análisis parece bastante valioso para poner los puntos sobre las íes de la »teología« de la liberación que ya estaba haciendo furor en Chile.

[213] »El Mercurio«, 19 de abril de 1971.
[214] »El Siglo«, 19 de abril de 1971.

Aclaró el presbítero Kinnen: »Se nos dice que el socialismo es »más conforme a Jesucristo que vino a liberar a todas las servidumbres«. *Esto suena mucho a una interpretación marxista del Evangelio,* como si Cristo hubiese prometido liberarnos de »todas las alienaciones« y, principalmente, de la »enajenación económica«...

»Jesús se presenta allí (en el Evangelio) como el salvador prometido por los profetas, pero como salvador »de los pecados«, y se opone terminantemente a que se le dé a su misión un significado temporal...

»No promete la liberación de la pobreza, sino que, todo lo contrario, exalta la pobreza como »bienaventuranza«; no incita a la lucha de clases contra los ricos, sino exige de los que poseen bienes temporales que ejerzan la *caridad,* en todas las formas de la misericordia corporal y espiritual...

»En una palabra, y como Jesús mismo lo dijo delante de Pilatos, en su hora »crucial«: su Reino no es de este mundo...

»*Esta teología de la lucha de clases, en su forma marxista y comunista, es inaceptable para el cristiano por el principio de violencia en el cual se basa y por el odio que genera inevitablemente*«[215].

Gonzalo Arroyo, s.j. y Esteban Gumucio, ss. cc. se apresuraron a contestar, con gran publicidad, al contendor Beltrán Villegas, ss. cc. Arroyo hizo una sólida declaración de principios:

»El cristiano y, por lo tanto, el sacerdote, debe comprometerse en una acción que permita acelerar el advenimiento de una sociedad que se asemeje más al reino cuya construcción se empieza a realizar desde ya en esta misma acción...

»Para que nuestro compromiso sea auténtico no puede quedarse a medias tintas y *debe asumir conscientemente el riesgo de ser ambiguo, aun a costa de crear desconciertos en muchos de buena fe,* pero no suficientemente desprendidos de una imagen tradicional de una Iglesia más preocupada de las almas que de los hombres de carne y hueso, insertados en una historia que tristemente ha sido de explotación de unos por otros...

»*Nuestro análisis es sociológico* y al hablar de lucha de clases queremos depurarnos de elementos ideológicos de nuestra cultura burguesa que ligan este concepto al odio, a la violencia y a la traición que provendrían del pueblo, ocultando la realidad de que es este último quien sufre la lucha de clases de parte de los capitalistas...«[216].

Lo mejor de la carta de Arroyo es su confesión de »fidelidad« a la Iglesia. El, como todos los cultores de la nueva »teología«, está decidido, a cualquier precio, a permanecer sacerdote, católico, apostólico, romano, etc. Nunca estará de más repetir que lo más desgraciado y lo más demoniaco de la herejía del siglo xx es su empecinamiento por permanecer, como un cáncer, dentro de la institución a la cual destruye...

»... *nos sentimos en comunión con la Jerarquía y no pensamos formar un Movimiento dentro de la Iglesia...*«, insistió el padre Arroyo[217].

---

[215] »El Mercurio«, 24 de abril de 1971.
[216] Ibid.
[217] Ibid.

Por su parte, Gumucio (Esteban), siendo más sentimental y menos cerebral que Arroyo, afirma:

»En definitiva, queremos que el amor triunfe y para ello es importante que los oprimidos, dondequiera que estén, ideológica o económicamente dominados, abran los ojos y tomen conciencia de su situación...

»*Creo mi deber contribuir lo más eficazmente que pueda a la construcción de un régimen socialista* en que la fraternidad y la democracia no sean meras teorías, en que la dignidad humana sea igualmente respetada para todos y en que se rompan las estructuras injustas que hacen ilusoria la libertad de los oprimidos, especialmente de los más pobres, a cuyo servicio me he consagrado...«[218].

El padre Gumucio, auténtico hasta la saciedad, vivía en la Población Joao Goulart, desde hacía nueve años. Ahí oficiaba de párroco pero, genuinamente hablando, era el »compañero Gumucio« y el »cura choro«, autodenominado »párroco en el ambiente popular«, bigotudo, despeinado, descamisado.

Ahí lo entrevistó en 1972 el periodista Nano Cabrera, logrando un enjundioso »perfil humano« del ex Maestro de Novicios y ex Provincial de los Padres Franceses.

El »compañero Gumucio« manifestó a Nano Cabrera su opinión acerca del cura-poeta nicaragüense Ernesto Cardenal, cuya imagen de boina y mariposa bordada en la espalda de la camisa, no lograba borrarse del ambiente santiaguino. Cardenal, invitado a Chile por la Universidad Católica, seguía produciendo fuerte impacto en los círculos cristiano-marxistas de la intelectualidad de Santiago.

Gumucio, a propósito de Cardenal, se internó por el dilema marxismo-cristianismo, discrepando:

»Me parece que es como mucho cuando él (Cardenal) afirma: »el marxismo me parece esencial para los cristianos«. Es ir demasiado lejos... No por eso soy un antimarxista. Ni tampoco discuto que exista un cristiano marxista. No podría hacerlo, porque yo sé que los hay: son convencidos marxistas y convencidos cristianos... Pero de allí que sea intrínseco o necesario al sistema marxista profesar el ateísmo, me parece que hay una diferencia fundamental. Yo, personalmente, no lo creo«[219].

Luego la conversación versó alrededor del »compromiso«. Gumucio declaró: »Yo entiendo perfectamente a Camilo Torres, aunque yo no soy como él ni me convence su manera total de actuar. El no es yo. Yo no soy él...«[220].

Como ex profesor de una de las congregaciones religiosas más elitistas de Chile, el padre Gumucio discurrió hacer un examen de conciencia, acompañado del correspondiente mea culpa, delante del periodista popular:

»No soy duro para juzgar a otros porque ahora a mí se me hace muy crítico pensar lo que fui en otra época, lo que hice en otra época. He cometido errores gruesos, a lo largo de toda mi vida, aunque de buena fe. Por ejemplo, cómo una acción de un grupo de cristianos, o un grupo de religiosos o de sacerdotes, o la iglesia, en materia educacional esté favoreciendo a una diferencia clasista. Con

---

[218] Ibid.
[219] »La Nación Dominical«, 31 de diciembre de 1972.
[220] Ibid.

buena o mala intención, no los juzgo, están realizando una acción que yo no puedo aceptar y lucharé por que no sea así[221].

»Todo esto lo digo comprendiendo que yo mismo he estado metido en el juego y de muy buena fe. En ese tiempo me decía: bueno Esteban, pero estas son personas a quienes yo les presto un servicio, los educo, los formo y les doy a conocer el Evangelio, sin tener la sensibilidad de que estaba contribuyendo a formar privilegiados...«.

El problema de los colegios católicos »para ricos« ha sido una de las mejores zancadillas propinadas al clero y a las monjas —propinadas por ese demonio en el que ya nadie cree— para hacerles dar vuelcos verdaderamente folklóricos hacia la izquierda, a nombre de la fe, en la segunda mitad de nuestro siglo. Una súbita y masiva vergüenza ha hecho presa de tales educadores de las clases dirigentes y ahora, para recuperar el tiempo »perdido«, se lanzan a vivir la aventura de la población, con resultados más bien demagógicos que espirituales.

Esteban Gumucio le contó además al periodista Cabrera entretelones de los »Ochenta« o »Cristianos por el Socialismo«:

»El origen de esto —dijo— ha sido crear un secretariado, no un movimiento organizado ni un partido paralelo, en el cual están, de partida, algunos sacerdotes que teníamos esta opción por el socialismo, y concretamente, muchos de aquellos que se integran al proceso que se está realizando en Chile y, por lo tanto, están con el Gobierno...

»*Se creó una muy viva conciencia de que es importante que los sacerdotes se comprometan públicamente, influyendo en forma abierta en la balanza en favor de esta opción por el socialismo.*

»Todo esto lo hacemos lealmente, porque lo sentimos así, además del amor y el cariño que sentimos por la Iglesia misma, que aquí en Chile ha tenido una línea bastante buena y clara. Una línea que ha querido tener y mantener un pluralismo.

»Para que este pluralismo sea efectivo, es necesario que haya grupos de sacerdotes y cristianos como el nuestro que, públicamente, levanten una voz que está por la Revolución...

»Fricciones y problemas con la Jerarquía eclesiástica han existido y seguirán existiendo, pero en definitiva creo que nuestro grupo ha sido aceptado y respetado«[222].

Este es el mismo padre Gumucio, que, después del pronunciamiento militar, organizaba en 1975 una »Marcha del Hambre« sobre el centro de la capital, para »celebrar« un discurso del Ministro de Hacienda sobre nuevas medidas anti-inflacionarias y para mostrar el escándalo de los pobres que, sólo hoy, no tienen un pan para llevarse a la boca.

Demasiado absorto estaba el padre Gumucio en su noviazgo con la Revolución: durante los tres años de la Unidad Popular seguramente no vio el desabastecimiento, el hambre y el caos, cuya herencia el pueblo chileno aún está pagando.

[221] Ibid
[222] Ibid.

El hermano del padre Gumucio —senador Rafael Agustín, ex democrata-cristiano, mapucista y a punto de convertirse a la Izquierda Cristiana por entonces—, latamente se extendía en su discurso de abril del 71, pronunciado en el Senado, sobre las maravillas de los »Ochenta«. El, como católico de tomo y lomo, luego de criticar con saña a su Madre, la Iglesia, afirmaba:

»*Es valiosa la actitud de sacerdotes que tratan de liberar a su Iglesia de un pasado alienante*«...

Luego añadió: »parece sospechoso el afán casi morboso de los que quieren situar el análisis cristiano únicamente en el campo de la metafísica«[223].

La revista »Mensaje« puso un broche de oro a los comentarios despertados por la declaración de los »Ochenta«. En su publicación correspondiente al mes de mayo y bajo la responsabilidad de las iniciales F.J.C., los jesuitas comentaban:

»... una Declaración impactante, tajante y hasta desafiante respecto a la Jerarquía (por aquellos días silenciosamente congregada en Temuco)...

»Veamos entonces algunos *pilares* de la fundación teológica y pastoral en que ellos (los Ochenta) apoyan su opción política y justifican la declaración que ha escandalizado a tanta gente.

»Al respecto el P. Pablo Fontaine, uno de los ideólogos de las Jornadas junto con el peruano Gustavo Gutiérrez y otros, extrae argumentos derivados del Evangelio, del último Concilio y de las conclusiones de Medellín...

»Hay una sola historia —argumenta Pablo Fontaine— dentro de la cual Dios va realizando la liberación de su pueblo. Según esto, para muchos cristianos hoy día, la liberación de Cristo, aquella por la cual murió, pasa concretamente por el movimiento liberador del Tercer Mundo, aunque no se agote en él...

»Esta visión de la fe-compromiso político concreto está presente en grupos cada vez más amplios de cristianos latinoamericanos. Estos consideran que la historia de nuestro continente y estudios muy serios sobre la materia muestran que esta liberación no puede hacerse por un camino capitalista o neocapitalista. Convencidos de que el movimiento socialista mundial, a pesar de todos sus defectos, lleva consigo importantes valores evangélicos; considerando que este movimiento, representado por los partidos de izquierda, hace un análisis de la sociedad que es válido en sus grandes rasgos y que no es necesario que los cristianos inventen *su* proyecto propio de la sociedad, (los Ochenta) optan por la transformación profunda de las estructuras, en la forma concreta que ésta se está dando (por el socialismo)...

»Si hay cristianos que no piensan así, la Declaración los respeta, pero piensa simplemente que están equivocados...

»... *nuestros países sólo podrán emerger y ser libres cuando den un paso hacia el socialismo y lo digan, no en abstracto, sino a propósito de un caso concreto*«. (Hasta aquí el padre Fontaine).

Mensaje llegó a la siguiente conclusión: »*Estos 80 sacerdotes prestan su apoyo decidido al proceso que encabeza el socialismo en Chile, porque lo consideran en este momento histórico como la ruta más viable y más coherente con esa liberación del hombre que vino a realizar Cristo...*«[224].

[223] »El Mercurio«, 1° de mayo de 1971.
[224] »Mensaje«, mayo de 1971.

OBISPOS VERSUS »OCHENTA«

Los Obispos que, a juicio de los jesuitas, se hallaban »silenciosamente congregados« en Temuco, no estaban tan silenciosos. Desde Temuco precisamente y antes de concluir su Asamblea Plenaria anual, la Conferencia Episcopal emitió una »declaración rápida y sintética«, a causa de »acontecimientos de todos conocidos«.

La Jerarquía hizo un análisis del documento final de los »Ochenta« y expreso su opinión al respecto diciendo: »Una opción por un socialismo de inspiración marxista plantea legítimos interrogantes. Se trata de un sistema que tiene ya realizaciones históricas. Derechos fundamentales de la persona humana han sido, en ellas, conculcados en forma análoga y tan condenablemente como en sistemas de inspiración capitalista. A la Iglesia, enviada por Dios para servir y liberar al hombre, esto no la puede dejar indiferente...

»La opción política del sacerdote, si se presenta, como en este caso, a modo de lógica e ineludible consecuencia de su fe cristiana, condena implícitamente cualquiera otra opción y atenta contra la libertad de los otros cristianos...«[225].

Estas palabras sonaron a declaración de guerra. Por ello, cuando la Conferencia Episcopal emitió a renglón seguido su Documento de Trabajo titulado »Evangelio, política y socialismos«, los Ochenta saltaron como mordidos por una víbora y se insolentaron con el Episcopado nacional.

Los Obispos desearon expresamente que su extensa pastoral, de 91 páginas, fuesen un »documento de trabajo«. Es decir, »una orientación doctrinal destinada a iluminar y estimular las reflexiones y el compromiso personal y de grupo de los cristianos«. Por ello lo catalogaron como »documento interno de la Iglesia y dedicado, especialmente, a los sacerdotes, a los religiosos y a todos los laicos que tienen cargos directivos en la acción pastoral«. Para los Obispos, la pastoral de Temuco responde »a las exigencias de compromiso lúcido y responsable y, por lo mismo, de claridad doctrinal, que las actuales circunstancias de la vida nacional reclaman de los católicos«[226].

Luego de analizar en un primer capítulo el papel de los cristianos en la Historia, comenzando por el papel que cupo al mismo Cristo, el Episcopado abordó »el desafío (chileno) del momento presente«. Es decir, el modus operandi de la Iglesia Católica frente al Gobierno de Allende instalado en Chile y frente a la famosa »Vía Chilena hacia el Socialismo«.

Primero, un detallado discriminar entre capitalismo y socialismo; luego, ver de qué socialismo se trata; por fin, hasta qué punto los cristianos pueden o deben colaborar con él.

En el número 26 del Documento, dicen los Obispos: »Los peligros del socialismo se originan en forma contraria a los del capitalismo. El sistema tiende a acumular un inmenso poder económico en manos del Estado, poder que, si no se contrapesa y limita de alguna manera, puede abrir la puerta a todo tipo de

---

[225] »Documentos del Episcopado«. Chile 1970-1973. Mons. Carlos Oviedo Cavada. Ediciones Mundo, Santiago, 1974. 239 pp. (pp. 56-57).

[226] »Evangelio, política y socialismos«. Documento de Trabajo de la Conferencia Episcopal de Chile. Ediciones Paulinas, mayo de 1971, 91 pp. (pp. 5-6).

opresión, manipulación y discriminación de las personas y de los grupos por motivos de orden político, haciendo así ilusoria la democracia, la igualdad y la participación que en principio se proclama. Ello equivaldría a pasar de la opresión egoísta por parte de muchos capitalistas privilegiados a la opresión incontrolable por parte de un capitalismo estatal omnipotente, ante el cual los trabajadores se encontrarían aún más indefensos: Este »simple cambio de amos« o paso de muchos patrones a un único y más despótico patrón, que toma él solo todas las decisiones, no beneficiaría a nadie...«[227].

En el párrafo 32, se trata de clarificar en profundidad la opción que debe hacer el cristiano chileno frente al socialismo que se le presenta como sistema de gobierno: »Lo que aquí se quiere es más bien iluminar los criterios para la opción... Para ello, es necesario conocer bien los riesgos *objetivos* que la colaboración con el marxismo puede implicar, tanto para los cristianos que en ella participen como para el país entero. *Quienes crean no poder superar esos riesgos, no pueden, en conciencia, colaborar. Sí, pueden,* en cambio, quienes se sientan en condiciones no sólo de contrarrestar esos peligros para sí mismos sino, también, de disminuirlos para el país entero, precisamente a través de esa colaboración que se supone impregnada de espíritu evangélico...«[228].

Advierte el párrafo 35: »... *las divergencias señaladas son muy graves y establecen, a nivel de la doctrina, importantes incompatibilidades entre marxismo y cristianismo.* Un cristiano que desea vivir su fe, *no puede,* en su anhelo de colaboración política, llegar a adherir a la visión marxista del universo y del hombre o, como dice Paulo VI, »a su materialismo ateo, a su dialéctica de la violencia y a la manera como ella entiende la libertad individual dentro de la colectividad, negando al mismo tiempo toda trascendencia al hombre y a su historia personal y colectiva«[229].

En el párrafo 36, advierten los Obispos: »*Nos preocupa seriamente la posibilidad de llegar en Chile a un socialismo que, por ser marcadamente marxista, resulte también un socialismo activamente ateo*«[230].

La preocupación de ahonda en el párrafo 42: »El método marxista nos parece conducir al hombre —directamente— a un ateísmo *práctico, vital,* de tipo *moral,* que resulta mucho más grave«[231].

El párrafo 51 parece dar consejos a la tienda contraria: »*En esto anhelamos un cambio profundo en el marxismo: deseamos que permanezca fiel a su declarado amor al hombre —que compartimos plenamente— y que no lo sacrifique en aras de la eficiencia económica y política que busca su método. Si no, tememos sinceramente que el esfuerzo por construir el socialismo en Chile corra el peligro de terminar —independientemente de los logros que pudieran obtenerse en el plano de la justicia económica— volviéndose contra el hombre en muchos aspectos de vital importancia*«[232].

---

[227] Ibid., (pp. 34-35).
[228] Ibid., (pp. 39-40).
[229] Ibid., (p. 43).
[230] Ibid., (p. 44).
[231] Ibid., (p. 48).
[232] Ibid., (p. 57).

Por último, pese a todo, alienta una esperanza (párrafo 54): »Sin embargo, el caso chileno ofrece particularidades propias que podrían favorecer una evolución diferente«[233].

Todo este lenguaje cauteloso de los Obispos —estas premoniciones que, con pleno derecho, se hacían frente al futuro del país— molestó sobremanera a los »Ochenta«. Ellos, encandilados como estaban, veían al marxismo »sin mancha ni arruga«, con el mismo enamoramiento con que antes vieran »sin mancha ni arruga« a la Iglesia Católica en la cual se habían enrolado para servir al prójimo.

Los »Cristianos por el Socialismo« se lanzaron al ataque con un folleto que llamaron »El compromiso político de los cristianos« y que consideraron un »aporte« al documento de trabajo episcopal. Ya que la Jerarquía solicitaba »diálogo« alrededor de su »Iglesia, política y socialismos«, los rebeldes salían al aire con las primeras críticas.

De la extensa diatriba, mimeografiada y encuadernada por la Fundación Obispo Manuel Larraín, vale la pena destacar muy pocas cosas. El resto es palabrería. Dicen los »Ochenta«:

»El texto (episcopal) señala —en más de sesenta ocasiones— los riesgos, peligros y cautelas que, a juicio de los redactores, implica una opción por el socialismo marxista. Reconocemos los errores en que han caído algunos socialismos marxistas de otros continentes y sabemos que hay riesgos en la construcción del socialismo chileno. No negamos la objetividad de estos errores que, por lo demás, son criticados por los mismos socialistas.

»Pero en el Documento se llega a afirmar como algo casi necesario el vínculo entre socialismo y totalitarismo, socialismo y estatismo, socialismo y pérdida de libertad de pensamiento y de prensa, socialismo y opresión de los cristianos, socialismo e inmolación de las personas, todo esto en »aras de la eficacia económica y política«. Todos estos juicios se hacen en base a los estereotipos de los medios de comunicación.

»Recordemos que estamos en un continente en la órbita del imperialismo capitalista. Las desviaciones fascistas y totalitarias del capitalismo dependiente son más de temer en Chile que los posibles totalitarismos de un socialismo desviado. Por lo demás, un totalitarismo socialista, si bien puede considerarse un peligro, no se compadece con la trayectoria política de nuestro país, de su movimiento obrero y de los partidos que lo representan...

»La Iglesia no está llamada a luchar por valores burgueses. Creemos por el contrario en la vocación fraternal de participar en la tarea de la liberación popular. Tampoco nos sentimos llamados a reformar el sistema injusto que domina en Chile, sino a construir una sociedad nueva...

»*Los Obispos hablan de materias que desconocen; deberían pedir asesoría de personas competentes...*«[234].

[233] Ibid., (p. 60).
[234] »El compromiso político de los cristianos«. 1er aporte al documento de los Obispos de Chile, »Iglesia, política y socialismos«. Fundación Obispo Manuel Larraín. Talca, julio de 1971. 21 pp.

Por fin, el golpe de gracia: »*Nos parece que la interpretación que el Documento (episcopal) hace del Evangelio podría llevar a un debilitamiento de la fe*«[235].

Este tipo de lenguaje pareciera ir más allá de lo tolerable. Así lo consideró el Cardenal Silva Henríquez quien, con fecha 4 de septiembre, envió una filípica a los »reverendos Padres Gonzalo Arroyo, Alfonso Baeza, Esteban Gumucio, Martín Gárate y demás compañeros del Comité Coordinador de las Jornadas sobre participación de los cristianos en la construcción del socialismo«.

En ella analiza, una a una, las palabras de los »Ochenta« quienes, a su vez, analizaban una a una las palabras de los Obispos.

Objeta el Cardenal: »El *mismo* concepto —como »libertad, liberación, dignidad, fraternidad«— es, despectivamente, un »valor burgués«, un lema utilizado por el »neocapitalismo«, cuando lo escriben los Obispos; pero se transforma automáticamente en objeto de fe (»creemos en la vocación fraterna«) bajo la pluma del Comité Coordinador de las Jornadas...

»Tratándose, como en este Documento de Trabajo, de un acto de magisterio episcopal, la actitud del Comité es *científicamente insostenible* y pastoralmente rayana en la temeridad...

»Es curioso, sin embargo, que los autores de »Reflexiones sobre el Documento de Trabajo Evangelio, política y socialismos« se hayan sentido más concernidos por estas críticas al socialismo marxista que por la legitimación que los Obispos hacen de la búsqueda de otros modelos socialistas compatibles con el cristianismo.

»*Al señalar los peligros... no queremos establecer que en el caso concreto de Chile estemos cayendo en ellos...*

»El método marxista, *tal como se utiliza en el marxismo,* con ese exclusivismo, *no les es lícito emplearlo a los cristianos* que se sienten llamados a colaborar en la construcción común del socialismo chileno: *la mentalidad absolutizadora de lo económico que tal método supone e imprime, aparece incompatible con el cristianismo y como destructiva del hombre...*

»Debe constatarse que el razonamiento de los Obispos sobre riesgo y opción política es simple. Representa, por lo demás el raciocinio espontáneo del sentido común ante una decisión importante: conocer el peligro, ser capaz de superarlo y proporcionar el riesgo a lo que se quiere alcanzar arriesgando. La clase trabajadora tiene la suficiente inteligencia para comprenderlo y de hecho lo comprende y aplica en su vida práctica. La referencia va dirigida más bien a *ciertos intelectuales, demasiado inclinados a sacrificar ideas y personas en aras de sus apriorismos ideológicos y emocionales...*

»Los autores de »Reflexiones...« desnudan una *conmovedora incompetencia* en la disciplina *científica* más propia de su ministerio: la *teología*«...[236]

De bien poco sirvió esta reconvención episcopal. En julio de 1971 los »Ochenta« fundaron a los »Doscientos« y procedieron a meditar en conjunto

---

[235] Ibid.
[236] Texto mimeografiado de »Comentario a reflexiones sobre el Documento de trabajo evangelio, política y socialismos«. Santiago, agosto de 1971, 17 pp.

sobre el Sínodo de los Obispos próximo a realizarse. La Jornada de los Doscientos tuvo lugar en Santiago, del 16 al 18 de julio.

Monseñor Carlos Oviedo, secretario general de la Conferencia Episcopal de Chile, en carta fechada 12 de enero de 1972 y dirigida a las demás conferencias episcopales de América latina, ilustra sobre este nuevo paso de los curas rebeldes.

»La reflexión que resultó de esa reunión (de los »Ochenta« convertidos en »Doscientos«) —dice monseñor Oviedo— tenía elementos valiosos, que el Episcopado chileno acogió, y el documento de los Doscientos fue incorporado como anexo, como testimonio de lo que piensa un grupo de sacerdotes, a la documentación que el Episcopado chileno presentó al Sínodo de los Obispos«[237].

»Este grupo de los Doscientos —opina monseñor Oviedo— trata de distinguirse de los Ochenta porque su objetivo no es directamente político, sino el de hacer presión interna en la Iglesia para conseguir ciertas reformas, aunque parece que últimamente tendría en revisión su propia finalidad«[238].

En noviembre del 71 circuló un documento titulado »Reflexiones sobre el grupo sacerdotal »Los Doscientos«, cuya paternidad pertenece al sacerdote *Sergio Torres*[239]. Este documento era desconocido para monseñor Oviedo cuando escribió su carta. Si lo hubiese conocido, habría reaccionado con menos contemplaciones.

Así le sucedió al Cardenal Silva Henríquez, quien montó en cólera y escribió »a los señores *Roberto Bolton, Mariano Puga, Sergio Torres* y demás dirigentes del grupo de los »Doscientos«, para decirles:

»Me parece imprescindible que se sepa qué es lo que ustedes pretenden; que nos dejemos de ambigüedades y de declaraciones de amor que no corresponden a una realidad...

(Ustedes) creen estar en comunión con la Jerarquía, pero la Jerarquía... cree que ustedes no están en comunión con los Obispos«[240].

El documento de los Doscientos postulaba, sin más, que »*es necesario contribuir a formar una opinión pública dentro de la Iglesia que quite el monopolio a los Obispos*«[241]

El Cardenal replica: »La Iglesia Católica trata de mantener lo que ustedes tratan de destruir. *No se puede, pues, decir que ustedes están en comunión con esa Iglesia*«[242].

Los Doscientos propugnan »*prestar una ayuda inteligente para minar por dentro el clero*«, y el Cardenal afirma: (esto) »me parece una deslealtad y una traición«[243].

---

[237] »Documentos del Episcopado«. Chile 1970-1973. Monseñor Carlos Oviedo Cavada. Ediciones Mundo. Santiago, 1974. 239 pp (p. 123).
[238] Ibid.
[239] »Tierra Nueva«, octubre de 1973. (P. 45).
[240] Ibid.
[241] Ibid.
[242] Ibid.
[243] Ibid.

El padre Gumucio, auténtico hasta la saciedad, vivía en la población Joao Goulart, desde hacía 9 años. Ahí oficiaba de párroco, pero, genuinamente hablando, era el »compañero Gumucio« y el »cura choro«, autodenominado »párroco en el ambiente popular«, bigotudo, despeinado, descamisado.

Este es el mismo padre Gumucio, que, después del pronunciamiento militar, organizaba en 1975 una »Marcha del Hambre« sobre el centro de la capital para responder así al Ministro de Hacienda. (Ver documento de página siguiente).

No sólo en la población Joao Goulart se vivían las convulsiones producidas por la Iglesia Joven.

UNIDAD VECINAL 55-56
POBLACION JOAO GOULART
PERS. JUR. 493 DE 2 DE ABRIL 1970
SAN MIGUEL

La directiva de la Unidad Vecinal 55-56, población Joao Goulart San Miguel, acordó certifucar los siguientes hechos que fueron puestos en conocimiento de las autoridades de Gobierno oportunamente para evitar situaciones que pudiesen afectar a los pobladores de esta Unidad Vecinal de los cuales somos responsables como directiva.

1.- Con anterioridad al 1º de Mayo de este año se tuvo conocimiento que en la Parroquia San Pedro y San Pablo, ubicada a escasos metros de la Sede Social de esta Unidad Vecinal, se estaba organizando una marcha denominada "marcha del hambre" para llevarla a efecto el día del trabajo.

2.- Una noche se presentó la señora Berta Martínez, que era en ese tiempo secretaria de la Junta de Vecinos, a informar que en una sala de la Parroquia había visto carteles con leyenda sobre hambre y otras alusiones que de llevarla a cabo podrían acarrear problemas con las autoridades y era necesario hacer algo para evitarlo.

3.- Se hizo presente esta situación a las autoridades en forma telefónica, ya que no existía ninguna posibilidad de hacer desistir a estos sacerdotes organizadores, por cuanto existe clara conciencia en la población de la política militante que han seguido estos sacerdotes desde hace años y que aún ahora se valen de la santa misa para servir a sus propósitos políticos al extremo que durante la realización de una misa una pobladora, la señora Hilda Vergara, increpó por su prédica política al que la oficiaba.

4.- Como líder de los sacerdotes politizados es bien reconocido por los pobladores, el cura Esteban Gumucio.

5.- Esta directiva ha estado permanentemente informando a las autoridades de estas situaciones, ya que es nuestro deber responsable agotar todos los medios antes que se produzcan situaciones que altere la tranquilidad de los pobladores.

San Miguel, 10 de Noviembre de 1975.

....
Luis Montecinos M.
Vice-presidente

....
María Risel de Gaete
Presidenta

....
Juan Merino B.
Secretario

....
Juan Gaete P.
Tesorero

....
Marta Campos P.
Pro-tesorera

....
Margarita Alvarado D.
1era. Directora

....
Adriana Galvardo G.
2a. Directora

230.

Capítulo XV

CRONOLOGIA 1971

Diversos acontecimientos van configurando el drama de la Iglesia Católica chilena, muchos de cuyos miembros se enamoran del marxismo gobernante y van claudicando de sus principios religiosos a cambio del brebaje revolucionario.

La polémica Obispos-Ochenta y Doscientos hizo avanzar este relato hasta muy entrado el año 1971 y hasta comienzos del 72. Antes y paralelamente pasaron otras cosas dignas de mención.

»El Siglo« del *12 de marzo* (1971) anunció, que como consecuencia de una reunión entre el subsecretario de Economía y los representantes de las congregaciones religiosas, éstas habían aceptado ceder a los Bancos socialistas las acciones y los valores que habían colocado en los Bancos privados[244]. Al día siguiente, el Arzobispado publicó un comunicado puntualizando que el Ministro de Economía se había entrevistado con el Cardenal Raúl Silva Henríquez para solicitarle —en nombre del Presidente Allende— su colaboración a fin de que las instituciones eclesiásticas vendieran sus acciones bancarias.

El Arzobispo de Santiago y el Capítulo Metropolitano vendieron al Estado sus 12.241 acciones del Banco de Chile y del Banco de Concepción.

El comunicado arzobispal explicitaba, eso sí, que »el Arzobispado de Santiago no es la Iglesia chilena y sus acciones no representan más que un porcentaje muy reducido en relación a las 2.096.973 acciones retenidas bajo diferentes formas por las autoridades católicas«. (»Este y Oeste«, junio 1971)[245].

El 1° de mayo, Día del Trabajo, la ciudadanía católica del país contempló al cardenal Silva Henríquez sentado junto a Salvador Allende, en un acto de masas organizado por la Central Unica de Trabajadores (CUT), cuyo predominio marxista no era secreto para nadie. El Cardenal Arzobispo de Santiago diri-

---

[244] »El Siglo«, 12 de marzo de 1971.
[245] »Este y Oeste«, junio de 1971.

gió un mensaje al presidente de la CUT y luego marchó junto a la Juventud Obrera Católica en una de las columnas de la concentración (»El Siglo« 2 - 5 - 71)[246].

Salvador Allende agradeció este gesto, declarando públicamente: »El Cardenal tiene conciencia de que en el Gobierno del Pueblo se han respetado y se respetarán todas las creencias y que, siendo mayoritaria, la Iglesia cristiana recibe el homenaje popular porque su palabra está cada vez más cerca del pensamiento de Cristo«[247].

En el mes de mayo circuló un »mediocre panfleto propagandístico« (opinión de »Tierra Nueva«) titulado »Los Cristianos frente al Socialismo«, escrito por *Carlos Condamines (sacerdote), R. Santelices y Sergio Torres (sacerdote),* e impreso por la Fundación Obispo Manuel Larraín. »Tierra Nueva«, de paso, explica que la »la Fundación Obispo Manuel Larraín es como una editorial informal de los »Ochenta« y Sergio Torres es uno de los prohombres de los Cristianos por el Socialismo«[248].

Del »mediocre panfleto propagandístico« sólo vale la pena consignar el último párrafo, al cual se llega con alivio después de una lectura fatigosa.

»Honradamente —dicen los tres autores— creemos que, ante la actual situación histórica, la actitud que cabe a un cristiano es la de jugarse de hecho, con entereza y dignidad; con su palabra y testimonio en una cruzada en la que trabaja unido a quienes no comparten su fe, pero si comparten su anhelo de justicia. *Jugarse así, no es oportunismo, ni entrega, ni ingenuidad.* Por el contrario, es decisión responsable, crítica y razonada que lleva envuelta una *conversión interior,* una actitud generosa y humilde pero a la vez profundamente esperanzada. Se tiene conciencia que la historia se hace sólo cuando el hombre acepta el desafío; que nada valedero existirá si sólo actuamos cuando tenemos la certeza del éxito, de no equivocarnos. Como cristianos, por lo demás, *no podemos olvidar que en esta lucha por hacer realidad la voluntad de Dios, no estamos solos; pues sabemos que el Señor está obrando con nosotros en el mundo*«[249].

La Fundación Manuel Larraín E., »que es una institución creada para continuar el espíritu y la obra de ese gran chileno«, decía en su prólogo un opúsculo aparecido en *julio del 71.* (Podría tratarse de un alcance de nombres con la Fundación aludida más arriba). Contenía este opúsculo una carta del Obispo de Talca, monseñor Carlos González C., »a sus sacerdotes«. Se titulaba »Reflexionando sobre Iglesia, política y socialismos, a los cinco años de la muerte de don Manuel Larraín«.

Monseñor Carlos González ocupa una posición preeminente en la Conferencia Episcopal Chilena; al menos así lo aseguraba el profesor Thomas G. Sanders en su trabajo titulado »The Chilean Episcopate«. Preeminente por tres razones (siempre según Sanders, en 1968): 1. »En el grupo (de Obispos) es el que más se asemeja a un teólogo profesional. 2. Es extremadamente claro, conciso y persuasivo en la presentación de sus ideas. 3. Ha definido, incluso en

---

[246] »El Siglo«, 2 de mayo de 1971.
[247] »Tierra Nueva«, octubre de 1973. (pp. 31-32).
[248] »Los cristianos frente al socialismo«. Antecedentes históricos. C. Condamines, R. Santelices, S. Torres. 2ª edición. Talca, Fundación Obispo Manuel Larraín. Julio 1971. 36 pp. mimeo.
[249] Ibid., (p. 36).

forma más cuidadosa que monseñor Piñera, la dirección pastoral que los Obispos de la Iglesia chilena deberán adoptar«[250].

De todo lo cual se desprende la importancia de escuchar los conceptos de monseñor González sobre socialismo, especialmente en tiempos de Unidad Popular. El Pastor de la Diócesis de Talca decía a sus sacerdotes, en ciertos párrafos cruciales de aquella carta:

»*Un sacerdote no debe olvidar que el compromiso político inmediato le corresponde por prioridad a los laicos*...«[251].

»No pretendo dar una palabra única o exclusiva; pero creo posible afirmar que Chile va hacia una línea de izquierda socialista. Entiendo básicamente por socialismo un sistema basado en la propiedad social de los medios de producción y en el que la mayoría organizada participe efectivamente en la conducción del proceso histórico...[252].

»Creo legítimo para un cristiano apoyar la construcción del socialismo en Chile y más aún, creo que ese aporte será valioso porque pondrá valores cristianos fundamentales: Cristo, la dignidad del hombre, la base familiar, la solidaridad, la participación, el deseo de igualdad[253].

»Pienso que *un cristiano no debe temer la palabra* »*socialismo*«. Es útil recordar lo difícil que fue la entrada en el lenguaje de la Iglesia de las palabras como democracia, participación, etc...[254].

»Al mismo tiempo, es mi opinión personal que un socialismo estatista total, sin un margen de iniciativa particular, sería dañino para Chile...«[255].

Durante la *segunda mitad de 1971* (los informantes de »Los Cristianos y la Revolución« —Quimantú— no precisan fechas) se reunió periódicamente un grupo de asesores del MOAC (Movimiento Obrero de Acción Católica) »junto con otros que también realizan una evangelización en el ambiente obrero«.

Los asesores fueron: *Alfonso Baeza, J. Menard, Roberto Quevillón, Pedro Dubois, Guillermo van Zeeland, Mariano Puga, Martín Gárate, Diego Irarrázaval y L. Ollarburu.*

»Los Cristianos y la Revolución« encabeza el relato de estos encuentros con un epígrafe folklórico: »¿Religión y política? ¡Na que ver! Así parece sentir la mayoría del pueblo. Por eso muchos se preguntan qué hay del Evangelio liberador«.

Los padres del MOAC estudiaron varias cosas, a la luz de experiencias vividas en terreno. Por ejemplo:

»Cuando con los grupos cristianos se reflexiona en base a hechos de la vida obrera y el mensaje de la Biblia, se puede despertar la dimensión liberadora de la fe. Se puede indicar el caso de una enfermera del Hospital Barros Luco. Se

[250] »The Chilean Episcopate, an Institution in Transition«. Thomas G. Sanders. American Universities Field Staff. August 1968, 30 pp. (P. 22).

[251] »Reflexionando sobre Iglesia, política y socialismos, a los 5 años de la muerte de don Manuel Larraín« (Carta del Obispo de Talca, Monseñor Carlos González C., a sus sacerdotes). Fundación »Manuel Larraín E.«, Talca, julio de 1971. 14 pp. (p. 11).

[252] Ibid., (p. 12).
[253] Ibid., (p. 12).
[254] Ibid., (pp. 12-13).
[255] Ibid., (p. 14).

consideraba »muy católica«, rezaba el rosario y hacía mandas. En su población comenzó a participar en un grupo que analizaba la realidad de la población y la relacionaba con textos de la Biblia. Descubrió una fe diferente y dejó sus prácticas tradicionales. Dice: »ya no puedo rezar el rosario«. Su fe es ahora un impulso a la acción social. Atiende gratuitamente a los enfermos de su población y es dirigente vecinal. Así, en grupos o en comunidades de base en que se escucha la palabra del pueblo que lucha junto con la palabra de Dios, hay un canal inicial para la evangelización ...«[256].

La receta es infalible: el culto del cristiano a Dios se transformará, por obra y gracia de los predicadores »cristiano-marxistas«, en culto exclusivo del hombre; en sociología pura. Esta es —rediviva— la »Teología« de la Liberación.

Los padres del MOAC ahondaron más en este terreno: »Al dar gracias a Dios que impulsa la lucha por una sociedad mejor, se da una nueva experiencia del cristianismo. Así la relación con Dios empieza a ocurrir en la acción histórica... Muchos de los militantes (del MOAC) ejercen un ministerio profético en la Iglesia y para el mundo, es decir, *viven la fe en la lucha de liberación*. En nuestro país, el movimiento de liberación se hace a través del movimiento obrero con sus organizaciones, partidos y luchas...

»La revolución tiene que ser hecha para y por los trabajadores y su futuro es el Cristo-pueblo... Un hombre de fe no puede estar desapegado de la lucha del pueblo por su liberación. El que no está comprometido, no tiene fe... *En los cristianos revolucionarios, la fe es una práctica de liberación histórica*... Cristo es el Señor de la Historia, de los oprimidos, y el que la impulsa hacia un mundo feliz. Es decir, hay esperanza en el cielo y la tierra nueva que será obra de Dios y obra de los revolucionarios...

»¡Porque llegará un día en que los trabajadores serán los agentes de la política y también serán los agentes de la evangelización!«[257].

Lirismo tan conmovedor trae a la memoria, nuevamente ciertos pasajes de Maritain en »El Campesino del Garona«:

»El prurito de los oídos es la enfermedad anunciada por San Pablo para los tiempos que vendrán, pero de la cual ninguna época parece haber quedado indemne. Aunque ciertamente nuestros días baten brillantemente el record (en esta materia).

»Cabe destacar que San Pablo adjudica a los profesores un papel central en la propagación de esta enfermedad: »Vendrá tiempo en que no sufrirán la sana doctrina; antes bien, por el prurito de oír doctrinas que lisonjeen sus pasiones, recurrirán a una cátedra de doctores (de maestros) y apartarán sus oídos de la verdad para aplicarlos a las fábulas« (2 Timoteo, 4, 3).

»En otras palabras, esta enfermedad, muy contagiosa por lo que se ve, tendrá su asiento entre los profesores y los expertos. Y la picazón de oídos se generalizará tanto que nadie podrá nunca más, escuchar la verdad y todos se volverán hacia la fábula, hacia los mitos. ¡He aquí los mitos que tanto consumi-

[256] »Los cristianos y la Revolución, un debate abierto en América Latina«. Editora Nacional Quimantú, 1972. 396 pp. (p. 196).
[257] Ibid., (pp. 197-200).

148

mos en el día de hoy! Sí, pero no aquellos grandes mitos venerables de la juventud de la humanidad; nuestros pruritos tienen que ver con los mitos de la decrepitud, con mitos infecundos y prefabricados (por los profesores)...«[258].

Esta estupidez generalizada que inunda el material humano de la Iglesia —esta estupidez tan evidente que quienes no creen en el mismo Cristo no logran hallarle explicación, proviniendo como proviene de cerebros pensantes, de profesores, expertos, maestros; de teólogos—, tiene un aspecto práctico que Maritain satiriza en forma deliciosa.

»En grandes sectores del clero y del laicado —dice—, pero especialmente del clero porque el clero da el ejemplo, apenas la palabra »mundo« se pronuncia, un fulgor de éxtasis ilumina los ojos del auditorio. Inmediatamente vienen los entusiasmos, los compromisos, los fervores comunitarios, las »presencias«, las »aperturas« y sus consiguientes regocijos. Todo aquello que arriesgase recordar la idea de ascetismo, de mortificación o de penitencia se deja a un lado naturalmente...«[259].

Porque la crisis actual, que se manifiesta de mil maneras, es un generalizado »ESTAR DE RODILLAS ANTE EL MUNDO« (principalmente por parte del clero).

Ante el mundo y toda novedad que traiga consigo: la revolución izquierdista, en primer lugar, porque es la que está de moda. Allá, donde el canto de sirena de la Revolución los llame, allá irán los curas de nuevo cuño, porque en el fondo de sus almas ya no ilumina la fe: necesitan alimento terrenal —prurito de las orejas— porque por dentro están vacíos; porque Dios ya no les llena.

El *10 de septiembre*, algunos sacerdotes militantes del grupo »Cristianos por el Socialismo« —*Gonzalo Arroyo, Martín Gárate, Esteban Gumucio y Pablo Richard*— ofrecieron una conferencia de prensa, para anunciar que se creaba el Secretariado Sacerdotal de dicho conglomerado. Sería presidido por el párroco *Guillermo Redington* y tendría su sede en una población de San Bernardo.

De paso, los cuatro sacerdotes aprovecharon para solidarizar públicamente »con muchos hermanos de países latinoamericanos que, en este momento, sufren la represión, la cárcel y la tortura«[260].

Pero el meollo de la reunión era mostrar un apoyo incondicional de los »Ochenta« a los provinciales padre *Manuel Segura* (de los jesuitas) y padre *Mario Illanes* (de los Sagrados Corazones); los apoyaban en sus deseos de entregar en comodato al Estado tres de sus Colegios.

El padre Gumucio explicitó que los establecimientos educacionales quedarían, así, sujetos por cinco años al financiamiento y *a los planes educacionales del Estado*. El padre Gumucio añadió que la estructura de esos colegios católicos pagados amparaba la discriminación y el clasismo[261].

[258] »Le paysan de la Garonne«. Jacques Maritain. Desclée de Brouwer. París, 1967. 406 pp. (p. 25-26).
[259] Ibid., (p. 86).
[260] »El Mercurio«, 11 de septiembre de 1971.
[261] Ibid.

En seguida, en declaración oficial, los »Cristianos por el Socialismo«, luego de considerar la entrega de colegios al Estado como »un gesto verdaderamente profético«, afirmaron:

»Creemos que el Estado debe ser verdaderamente chileno« (ni ateo ni religioso). »En cuanto tal debe respetar la pluralidad de experiencias pedagógicas y el derecho de las diferentes comunidades espirituales a aportar su colaboración propia en la formación de la juventud, que permita al país superar el subdesarrollo, desterrar definitivamente el capitalismo y crear una nueva sociedad.

»*Si la Iglesia de Chile,* en su tarea educadora a través de estructuras propias o fuera de ellas *se ajusta a este criterio no tiene por qué temer. Se hará respetar,* no sólo en virtud de derechos abstractos, sino *por su colaboración sincera en la gran tarea de la Liberación«* [262].

Entreguismo sorprendente de los hijos que, buscando la esclavitud de la Madre, le recetan el comportamiento a observar —cómo agachar mejor la cerviz— para, habiendo claudicado de todos sus principios, ser aceptada sin molestias por parte del Estado marxista.

Dos meses después »El Siglo« editorializaba diciendo: »Muchos cristianos se sienten desorientados por el apoyo que la Iglesia está empezando a dar al socialismo. Creen que es oportunismo y traición. Están equivocados. Pues un socialismo auténtico crea condiciones más favorables que sistemas anteriores para recibir a Cristo, porque solamente los que se consideran como hermanos de todos pueden llegar a creer en Dios« [263].

El Partido Comunista de Chile hacía obra de predicador y cosechaba seguramente buenos frutos en la tierra que le iban arando, abonando y desmalezando sus colaboradores: ochenta o más sacerdotes católicos.

Con fecha *17 de octubre de 1971,* en Forestal Alto (Viña del Mar), nació otra cofradía de católicos comprometidos. Se llamó »Comunidad de Cristianos Revolucionarios« y su objetivo era »vivir la fe en Cristo desde el seno de la revolución chilena«.

Interesa consignar ciertos capítulos de su »Primera Declaración de Principios« (nunca se oyó decir de una segunda):

»Para participar en esta Comunidad se exigen dos condiciones: ser cristianos y ser revolucionario o, por lo menos, estar abierto a ambas realidades.

»A diferencia de otras Comunidades Cristianas, ésta no es una comunidad indiscriminada, lo que significa que nadie podrá participar en ella sin previa aceptación de los miembros existentes.

»Establecida esta selección, la Comunidad está abierta a todos los hombres y aspira a transformarse en un factor decisivo en la reforma de toda la Iglesia, en vistas a constituir la *verdadera* Iglesia del futuro, es decir, una Iglesia habitada por revolucionarios...

»Los miembros de la Comunidad se comprometen a conceder primera prioridad a la reunión mensual, visibilizando con ello *su fe en la absoluta pri-*

---

[262] Ibíd.
[263] »El Siglo«, 12 de diciembre de 1971.

macía del reino de Dios que adviene en cada acto revolucionario. En caso de no poder con dicho compromiso, deberá notificarse con anticipación a alguno de los miembros del Comité Responsable, el cual hará las veces de Tribunal Revolucionario. De considerarse injustificada la inasistencia, el miembro podrá ser expulsado de la Comunidad...

»...Sólo una disciplina revolucionaria nos puede llevar a una moral revolucionaria. Sólo una moral revolucionaria nos puede llevar a un cristianismo revolucionario. Sólo un cristianismo revolucionario puede ayudar a la liberación del hombre...

¡NI UN PASO ATRAS!
¡LIBERACION O MUERTE!«[264]

---

[264] »Los Cristianos y la Revolución, un debate abierto en América Latina«. Editora Nacional Quimantú, 1972. 396 pp. (pp. 201-203).

CRONOLOGIA 1971

El 1° de mayo, Día del Trabajo, la ciudadanía católica del país sufrió severo impacto al ver al Cardenal Silva Henríquez sentado junto a Salvador Allende, en un acto de masas organizado por la Central Unica de Trabajadores (CUT), *cuyo predominio marxista no era secreto para nadie. El Cardenal Arzobispo de Santiago dirigió un mensaje al presidente de la* CUT *y luego marchó junto a la juventud obrera católica en una de las columnas de la concentración.*

El 10 de septiembre, algunos sacerdotes militantes del grupo »Cristianos por el Socialismo« —Gonzalo Arroyo, Martín Gárate, Esteban Gumucio y Pablo Richards— ofrecieron una conferencia de prensa para anunciar que se creaba el Secretariado Sacerdotal de dicho conglomerado.

El meollo de la reunión era mostrar un apoyo incondicional de los »ochenta« a los provinciales padre Manuel Segura (de los jesuitas) y padre Mario Illanes (de los grados Corazones); los apoyaban en deseos de entregar en comodato al Es tres de sus colegios.

El padre Gumucio explicó que los esta cimientos educacionales quedarían, sujetos por cinco años al financiamien a los planes educacionales del Estado padre Gumucio añadió que la estru de esos colegios católicos pagados amp ba la discriminación y el clasismo.

Capítulo XVI

EL COMPAÑERO FIDEL

Fidel Castro, Primer Ministro de Cuba, visitó Chile y los »Ochenta« aprovecharon para organizar un »diálogo« con él; entre otras cosas le pidieron recetas sobre cómo practicar un auténtico cristianismo... Castro visitó al Cardenal Silva Henríquez e invitó a doce sacerdotes chilenos a su país. Estos regresaron absolutamente convertidos al castrismo.

»De rodillas ante el mundo«... (Le paysan de la Garonne, Maritain). Así estaban los nuevos curas en Santiago, el 30 de noviembre de 1971, haciendo el ridículo frente a Fidel Castro. De rodillas ante el gran Doctor de la fábula.

»Durante dos horas —relata Javier Darío Restrepo, de »El Tiempo« de Bogotá— durante dos horas el Primer Ministro cubano respondió las preguntas que un grupo de más de 80 sacerdotes le hizo en el curso de una de las más curiosas entrevistas realizadas con motivo de su prolongada visita a Chile«[265].

Mientras el pueblo chileno mostraba como podía la herida, la humillación, la burla que Allende le infligía con los eternos 25 días de permanencia de un tirano en el suelo digno de este país, ochenta curas embobados, sucumbían al embrujo de un charlatán. Ellos eran los teólogos; el pueblo... eran los sencillos: (»Yo te alabo, Padre, Señor del cielo y de la tierra, porque has ocultado estas cosas a los sabios y prudentes del siglo y las has descubierto a los humildes y sencillos«)[266]. Así lo había dicho Cristo.

De acuerdo al relato de Restrepo, los 80 curas »rodearon al comandante cubano en los jardines de la embajada de Cuba en Santiago... Fidel, por su parte, no disimuló su sorpresa ante los atuendos nada convencionales de los sacerdotes. Según su expresión, más que curas parecían los integrantes del conjunto (folklórico marxista) »Quilapayún«... Las fotos de la reunión muestran, en efecto, a un *Fidel Castro sentado en una silla versallesca y rodeado de sacerdotes que lo escuchan sentados en el suelo o de pie y vestidos todos informalmente«.*

---

[265] »El Tiempo«. Bogotá, 26 de marzo de 1972.

— Me siento aliado de ustedes —comentó Fidel—. El Che dijo que el día en que los cristianos tomaran conciencia de la Revolución sería para ésta un día de importancia decisiva.

— *Felizmente los sacerdotes* —añadió Fidel— *han evolucionado muy rápido. Hacen las cosas que nosotros queremos que hagan los comunistas.*

—Cuando se busque —continuó Fidel— las similitudes entre los objetivos del marxismo y los preceptos más bellos del cristianismo, se verá cuántos son los puntos de coincidencia... se verá cómo es posible la alianza estratégica entre marxistas revolucionarios y cristianos revolucionarios[267].

Javier Darío Restrepo termina su crónica destacando que »el grupo de los 80 sacerdotes no disimuló su entusiasmo cuando Fidel concluyó con esta síntesis del ideal revolucionario... Interrogado por los periodistas, uno de los sacerdotes que había dialogado con Fidel resumió su impresión diciendo: »Cuando habla se transparenta en el comandante cubano *una convicción despojada de toda retórica demagógica*«[268].

El Comité Coordinador del diálogo Fidel-Ochenta estuvo integrado por los siguientes sacerdotes: *Gonzalo Arroyo, Sergio Torres, Ignacio Pujadas, Antonio Mondelaers, Santiago Thijssen, Alfonso Baeza, Pablo Richard, Mariano Puga, Juan Martín, Martín Gárate, Diego Irarrázaval* (diácono por entonces), *Roberto Quevillón* y *Guillermo Redington*.

En el libro »Los Cristianos y la Revolución« (Editora Nacional Quimantú) figuran otros aspectos del famoso encuentro. Porque los Ochenta llevaban todo un temario para tratar con Fidel. Querían, entre otras cosas: »Saludar al líder de la revolución cubana... Señalarle que estamos conscientes de que los cristianos no hemos siempre participado activamente en esta lucha de liberación de los trabajadores contra el imperialismo y el capitalismo... Indicar que hemos escuchado con interés las declaraciones del compañero Fidel sobre la participación de los cristianos en el proceso político latinoamericano, no sólo como aliados tácticos sino como aliados estratégicos, etc.«. Los curas iban en serio, pero Fidel nunca se apeaba de la burla. Les dijo:

—Les voy a contar lo que me pasó: llego a la Universidad Técnica, voy subiendo por una escalera, veo allí cuatro tipos y me imagino que son curas, con unos vestidos largos; los saludo, les he mirado la cara y... era el conjunto de los Quilapayún... Me tienen ustedes confundidos; déjenme decirles que si me dicen que ustedes son el grupo de los curas rebeldes, yo no los conozco... Ahora no les veo ninguna sotana...

Uno de los curas, tímidamente, replicó: »El hábito no hace al monje«. Fidel prosiguió:

—Me reuní con una o dos autoridades eclesiásticas. Me reuní con el Cardenal. El encuentro fue muy bueno; él un poco martirizado todavía por las presiones... Me preguntó por los efectos que podría causar la entrevista; le

---

[266] Mt. 11, 25.
[267] »El Tiempo«. Bogotá, 26 de marzo de 1972.
[268] Ibid.

expliqué en primer lugar que a él se le apreciaba así, mucho, en el país; que se consideraba inexcusable una visita a él . . . [269].

El Cardenal, en realidad, recibió a Fidel Castro en el aeropuerto de Pudahuel y, después de asistir en La Moneda a un coctel en su honor, le acogió en el Arzobispado, regalándole una Biblia. En esta entrevista, de cuya cordialidad dan fe las fotos de la época, estaban presentes otros Obispos de la Diócesis de Santiago. Luego Fidel visitó, en su minuciosa gira chilena, a los Obispos de Puerto Montt y Punta Arenas y a los Arzobispos de Antofagasta y Concepción.

Fidel dio en el clavo, dio en médula del grupo de los Ochenta curas. al brindarles esta clase magistral de teología:

—La religión es para el hombre y tiene como objeto el hombre; el centro es el hombre... hay más coincidencia del comunismo con el cristianismo, que la que puede haber con el capitalismo... Hay un gran punto de comunidad entre los objetivos que ustedes buscan y los que buscamos nosotros... *somos exactamente lo mismo...* [270].

Una pregunta de sacerdote: »Comandante, ¿se podría decir o se podría afirmar que para amar universalmente (o sea, para ser cristiano) es necesario o se debe ser marxista?«[271].

Fidel contestó un sin fin de vaguedades. El sacerdote se quedó, como Pilatos, sin saber qué es realmente »la verdad«. Pero, por fin los Ochenta se fueron felices a sus casas, maravillados de »aquel comandante cubano que, cuando habla, transparenta una convicción despojada de toda retórica demagógica« (palabras de sacerdote revolucionario).

Las cosas que los cristianos chilenos debieron soportar durante los tres años de la Unidad Popular (y antes también, en los »preparativos« operados por sexenio anterior), sólo Dios las sabe. Pero con la visita de Fidel Castro, la confusión, la desesperación y el abandono, superaron lo imaginable.

Fidel sembró por todos lados su palabra y ésta siempre fue de confraternidad con la Iglesia Católica. Y los cristianos revolucionarios, como carneros, escuchando, dándose golpes de pecho por no haberse convertido antes al marxismo, aprendiendo y poniendo en práctica las lecciones del Maestro cubano.

Hacían lo que ordenó cierta vez el Che Guevara: »*Los cristianos no pueden pretender, en la lucha revolucionaria, imponer sus propios dogmas ni hacer proselitismos para sus Iglesias; deben venir (a la Revolución) sin la pretensión de evangelizar a los marxistas y sin la cobardía de ocultar su fe para asimilarse a ellos*«[272].

Es decir, todo que perder y nada que ganar. Es decir, de rodillas ante el mundo. Es decir, un monumento acabado al entreguismo.

Cuando Fidel Castro, por fin, decidió partir, Allende le organizó una gran despedida en el Estadio Nacional. Allí, en su discurso, Fidel recalcó sus logros para la integración de los cristianos chilenos al seno materno del marxismo. Dijo:

[269] »Los Cristianos y la Revolución, un debate abierto en América Latina«. Editora Nacional Quimantú, 1972. 396 pp. (pp. 243-247).
[270] Ibid., (pp. 250-251).
[271] Ibid., (p. 260).
[272] Ibid., (p. 227).

»Hemos sostenido entrevista con el Cardenal de Chile (aplausos) nos hemos reunido con más de cien sacerdotes progresistas que constituyen un impresionante movimiento (aplausos)...

»Puede decirse realmente que si alguien compitió o emuló conmigo en materia de recibir insultos (de parte de los reaccionarios), fue precisamente el Cardenal...

»Con los sacerdotes examinamos los enormes puntos de coincidencia que puede haber entre los preceptos más puros del cristianismo y los objetivos del marxismo...

»Cuando se busquen todas las similitudes, se verá cómo es realmente posible la alianza estratégica entre marxistas revolucionarios y cristianos revolucionarios (aplausos)...«[273].

La visita de Fidel provocó un Mensaje de cristianos cubanos a cristianos chilenos. Decía así:

»Como cubanos, cristianos y revolucionarios apoyamos los pronunciamientos de nuestro Primer Ministro. Vemos con extraordinaria simpatía sus encuentros con el Cardenal Silva Henríquez, con el Movimiento de »Cristianos por el Socialismo«, la Izquierda Cristiana y otros grupos cristianos de avanzada...

»En esta hora crítica para la historia de los pueblos, reafirmamos nuestra convicción de que es necesario librar, junto con los marxistas y demás hombres de avanzada, la batalla final por »los pobres de la tierra«. Creemos que esa es la única estrategia válida para hacer realidad nuestro compromiso cristiano, nuestra verdadera dimensión ecuménica, en el más recto sentido de esta palabra«...[274].

Meses más tarde, 12 curas partían a Cuba. Así, daba fruto abundante el paso profético de Fidel por tierra chilena. Los propios viajeros relatan su aventura:

»Un grupo de 12 sacerdotes, del movimiento »Cristianos por el Socialismo«, estuvimos en Cuba invitados por el Comandante Fidel Castro, entre el 14 de febrero y el 3 de marzo de 1972. El Instituto Cubano de Amistad con los Pueblos (ICAP) y el Partido Comunista de Cuba (PCC) nos acogieron y nos facilitaron todos los contactos y visitas que nosotros deseábamos...

»Cabe destacar nuestra participación en una asamblea de trabajadores textiles titulada »Los Mejores al Partido«. La Asamblea elegía los mejores compañeros para ingresar al PC...

»La Universidad cubana ha generado un nuevo tipo de profesional y con su experiencia ya acumulada ha roto definitivamente el mito burgués del »apoliticismo universitario« y la »autonomía de la Universidad«. El Rector resumió esta problemática con la siguiente frase: »Politizar al máximo la Universidad, para crear cultura con conciencia«...[275].

»Visitamos al día siguiente el Hospital Psiquiátrico de La Habana. Tiene 4.700 camas y es uno de los más modernos y humanos del mundo... Este

[273] Ibid., (pp. 240-242).
[274] Ibid., (pp. 263-264).
[275] Ibid., (pp. 265-267).

hospital fue para nosotros todo un signo del humanismo de la revolución cubana«...

Este manicomio, en efecto, deja sin habla a todos los enamorados de la Revolución. Léanse si no los elogios que Ernesto Cardenal —cura y poeta— le dedicó en su libro titulado »En Cuba«:

»Un lugar para ver la ternura de la revolución es el Hospital Psiquiátrico de La Habana«[276], resumió Cardenal después de relatar largamente las actividades de los locos especialmente de aquellos que tienen a su cargo un criadero de aves que abastece a toda La Habana.

Los 12 sacerdotes chilenos siguieron adelante en su visita por la Isla y concluyeron:

»El Partido Comunista cumple la noble función de conducir a las masas, y su conducción, según pudimos apreciar, es óptima...

»La Iglesia cubana, en su gran mayoría, ha estado y está marginada de la revolución. Incluso participó en actos contrarrevolucionarios...

»En Cuba no hay ni ha habido una »persecución religiosa«. La revolución atacó, y fue muy justo que así lo hiciera, a todo contrarrevolucionario, fuera cristiano o no...

»Fidel y los miembros del PCC miran con interés y simpatía los movimientos de cristianos revolucionarios en América Latina...

»Debemos demostrar que el cristianismo encuentra su plena realización y verificación en la praxis histórica de la lucha de clases y en la racionalidad científica del socialismo.

»Agradecemos al Comandante Fidel Castro y al PCC su invitación a Cuba y la posibilidad que nos dio de conocer una revolución triunfante. Esta visita ha afirmado en nosotros una firme convicción: El deber de todo cristiano es ser revolucionario. El deber de todo revolucionario es hacer la revolución«[277].

Un cable, fechado en La Habana el 3 de marzo y reproducido en Santiago por »El Siglo«, añadía otros antecedentes a la fructífera visita de los 12 curas chilenos a la Isla:

»El párroco Martín Gárate preside el grupo de sacerdotes (visitantes). En vísperas de su partida de Cuba, los curas chilenos conocieron el renombrado cabaret »Tropicana«, situado en las afueras de esta capital«[278].

Los viajeros presididos por *Martín Gárate,* fueron: *Pablo Richard, Carlos Condamines, José Arellano, Ignacio Pujadas, Oscar Letelier, Guillermo Redington, Juan Martín, Juan Latulipe, Sergio Concha, Mauricio Laborde* y *Germán Cortés.*

Al momento de abandonar La Habana discurrieron lanzar un Mensaje a los Cristianos de América Latina que, en parte decía:

»Desde Cuba reafirmamos nuestra convicción de que, históricamente, el socialismo es el único camino que tiene nuestro subcontinente para romper solidaria y realmente las cadenas de la opresión capitalista e imperialista.

[276] »En Cuba«. Ernesto Cardenal. Ediciones Carlos Lohlé. Buenos Aires, 1972. 370 pp. Frase citada por »El Mercurio«, 12 de abril de 1973.
[277] »Los Cristianos y la Revolución, un debate abierto en América Latina«. Editora Nacional Quimantú, 1972. 396 pp. (pp. 268-270).
[278] »El Siglo«, 4 de marzo de 1972.

»Nos duele como cristianos y porque amamos a nuestra Iglesia que Ella, a través de la Historia de América Latina, haya estado y siga estando en la mayoría de los casos, por no decir siempre, aliada a las pequeñas minorías que han dominado y explotado al pueblo trabajador. Este es el gran pecado histórico de nuestra Iglesia. Es urgente e imprescindible que todos lo reconozcamos y por él pidamos perdón...

»Afirmamos que en América Latina la verdadera y única división es entre oprimidos y opresores, entre explotados y explotadores, y no entre marxistas y cristianos.

»Afirmamos que es un deber imprescindible de todos los cristianos estar junto a todos los hombres honestos, cristianos o no, que luchan por la liberación de nuestros pueblos...

»Nos *comprometemos* como cristianos a entregarnos por entero a este inmenso esfuerzo de liberación; y con nuestro hermano en el sacerdocio Camilo Torres repetimos: »El deber del cristiano es ser revolucionario; el deber del revolucionario es hacer la revolución«[279].

Así, con esta especie de solemne renovación de las promesas del Bautismo, los doce abandonaron Cuba con el corazón alelado por la nueva Fe.

En honor a la verdad, estos doce no fueron los únicos en usufructuar de la magnanimidad de Fidel Castro y conocer Cuba por dentro. Hubo muchos viajeros, eclesiásticos de profesión. En febrero de 1971 habían estado allá, por 15 días, Monseñor Carlos González, Obispo de Talca y Monseñor Fernando Ariztía, Obispo Auxiliar de Santiago. A su regreso, Monseñor Ariztía declaró a la prensa:

»(Los cristianos en Cuba constituyen) una clase inferior... porque la Revolución sorprendió (a la Iglesia) antes de que se iniciara el Concilio«. (Revista »Mundo 71«, mayo de 1971[280]).

»No puede nuestro pueblo pagar el alto precio que pagaron los católicos cubanos por su oposición cerrada a los cambios. *Los cristianos no deben marginarse del proceso revolucionario.* Deben incorporarse a él y entregar lo mejor de sí. No deben quedarse al margen criticando«. (»La Tercera«, diciembre de 1971)[281].

[279] »Los Cristianos y la Revolución, un debate abierto en América Latina«. Editora Nacional Quimantú, 1972. 396 pp. (pp. 272-273).
[280] Revista »Mundo 71«, mayo de 1971.
[281] »La Tercera de la Hora«, diciembre de 1971.

EL COMPAÑERO FIDEL

Mientras el pueblo chileno mostraba como podía la herida, la humillación, la burla que Allende le infligía con los eternos 25 días de permanencia de un tirano en el suelo digno de este país, ochenta curas embobados, boquiabiertos, sucumbían al embrujo de un charlatán.

EL COMANDANTE CHE GUEVARA

»Me siento aliado de ustedes —comentó Fidel—. El Che dijo que el día en que los cristianos tomaran conciencia de la revolución sería para ésta un día de importancia decisiva«.

Felizmente los sacerdotes —añadió Fidel— han evolucionado muy rápido. Hacen las cosas que nosotros queremos que hagan los comunistas.

El cardenal recibió a Fidel Castro en el aeropuerto de Pudahuel y, después de asistir en *La Moneda* a un coctel en su honor, le homenajeó en el Arzobispado, regalándole una Biblia. En esta entrevista, de cuya cordialidad dan fe las fotos de la época, estaban presentes otros obispos de la diócesis de Santiago.

Fidel dio en el clavo, dio en la médula del grupo de los »Ochenta« curas, al brindarles esta clase magistral de teología:

»La religión es para el hombre y tiene como objeto el hombre... hay más coincidencia del comunismo con el cristianismo, que la que puede haber con el capitalismo... hay un gran punto de comunidad entre los objetivos que ustedes buscan y los que buscamos nosotros... somos todos exactamente lo mismo...«.

Fidel sembró por todos lados su palabra y ésta siempre fue de confraternidad con la Iglesia Católica, y los cristianos revolucionarios, como carneros, escuchando, dándose golpes de pecho por no haberse convertido antes al marxismo, aprendiendo y poniendo en práctica las lecciones del maestro cubano.

Cuando Fidel Castro, por fin, decidió partir, Allende le organizó una gran despedida en el Estadio Nacional. Allí, en su discurso, Fidel recalcó sus logros para la integración de los cristianos chilenos al seno materno del marxismo.

»Con los sacerdotes examinamos los enormes puntos de coincidencia que puede haber entre los preceptos más puros del cristianismo y los objetivos del marxismo...«.

»Cuando se busquen todas las similitudes, se verá cómo es realmente posible la alianza estratégica entre marxistas revolucionarios y cristianos revolucionarios (aplausos)...«.

Meses más tarde, 12 curas partían a Cuba. Así, daba fruto abundante el paso profético de Fidel por tierra chilena.

Capítulo XVII

EL »REINO« QUE ESTA EN LA TIERRA

Entrevistas reveladoras aparecidas en el libro »Los Cristianos y la Revolución«: un laico que practica la Caridad en sectores menesterosos y asegura que »el reino de Dios está aquí y no hay otro reino«; un sacerdote-obrero holandés que relata cómo se adelantaron, él y varios compañeros sacerdotes, a ofrecer sus servicios a Salvador Allende, antes de la confirmación eleccionaria por parte del Congreso Pleno.

Antes de pasar al acontecimiento cumbre de la dolorosa Vía Chilena para el »Cristianismo« Marxista —Primer Encuentro Latinoamericano de Cristianos por el Socialismo— conviene consignar dos entrevistas publicadas en el libro »Los Cristianos y la Revolución« (Editora Nacional Quimantú, 1972).

En la primera, responde sobre los cambios acaecidos en la Iglesia Católica un personero católico anónimo de »Las Urracas«, grupo precursor »Los Traperos de Emaús« en Chile.

De tales respuestas sólo interesan ciertas divagaciones inverosímiles, entregadas a propósito del fascismo y el imperialismo:

»Si uno ve todo el Evangelio, si uno ve la figura de Cristo, lo que allí se comprende es precisamente que *no hay un premio después de la muerte;* que *el reino de Dios está aquí y no hay otro reino;* que es la Historia la que se abre hacia el infinito y no que la Historia se acaba y después comienza la eternidad; que es aquí donde se juega el destino del mensaje del Evangelio, y aquí donde se juega Cristo mismo. Aquí es donde se juega el reino de Dios; el reino de Dios está acá . . .«[282].

Estupenda manera de interpretar el »Mi Reino no es de este mundo«[283]. Pero claro, hoy en día cada cual interpreta las Escrituras como le viene mejor. El entrevistado de »Las Urracas« es un genio en esta materia, especialmente cuando declara:

---

[282] »Los Cristianos y la Revolución, un debate abierto en América Latina«. Editora Nacional Quimantú, 1972. 396 pp. (pp. 361-362).
[283] Jn., 18, 36.

»Pensemos que Cristo también visualiza un problema de poder cuando dice: »Bienaventurados los pobres, porque ellos poseerán la tierra«. Cristo se compromete con los pobres y ese compromiso es una opción política . . .«[284].

Pero, aún quedan interpretaciones más sensacionales; aquella del Monte de los Olivos, por ejemplo:

». . . cuando lo vienen a apresar (los apóstoles) le dicen: »Mira, tenemos tres espadas«, y Cristo les dice: »Guarda tu espada, porque el que a espada mata a espada muere«; pensamos que esa es una deducción muy clara, ya que ellos tenían tres espadas y venían (otros) cien con espadas, y si ellos se largaban a luchar no sacaban nada, porque los iban a aplastar. Pero esa no es una situación de categoría moral, no es una situación de prohibición violenta, sino una deducción estratégica muy clara«[285].

»Yo no sé hasta dónde soy marxista«

Otra entrevista interesante publicada por »Los Cristianos y la Revolución« es la que se titula »Obrero, Poblador y Sacerdote«. Su protagonista: *Santiago Thijssen,* nacido en 1926 en Holanda, cura de la Población La Victoria, miembro del Comité Organizador de la Jornada »La Colaboración de los Cristianos en la Construcción del Socialismo« (1971).

El padre Thijssen contó, junto con su biografía política, la historia de los »Ochenta« que, en 1971, se transformarían en »Doscientos«.

»Yo trabajé en el Instituto de Educación Rural, que entonces era bien DC; bueno, ahora también, pero en ese tiempo era casi lo más revolucionario que había en el campo en ese momento. No había nada de lo que es hoy día de UP, nada . . .

»Entonces nosotros empezamos a juntarnos para ver cómo iba el proceso (de nacionalización). Esto ya era durante el gobierno de Frei, pero en ese momento nosotros ya éramos partidarios del socialismo . . .

»Junto con la elección de Allende, antes de la confirmación de la Cámara, nosotros sentimos aquí mismo en la población la campaña del terror, el miedo. Que a los niños se los iban a llevar a Rusia, a Cuba. Bueno, yo fui a Cuba, así es que ojalá que los llevaran, lo pasarían muy bien . . .

»Entonces nosotros pensamos, mire, vamos a hablar con Allende y felicitarlo y decirle que nosotros no tenemos miedo de su gobierno, todo lo contrario, que pensamos que el proyecto, el plan del Gobierno de la UP nos tinca mucho y que nosotros también estamos dispuestos a ayudar. Nosotros lo hicimos *antes de la confirmación de la Cámara.* Yo creo que tuvimos varios motivos, pero yo creo que el motivo principal fue para quitar ese ambiente, esta campaña del terror, para que la gente se sintiera un poco más libre . . .

»Esa fue la primera vez que llegamos un poco a la publicidad. Después, también, llegamos mucho a la publicidad: fue por la famosa jornada que nosotros hicimos en abril del año pasado . . .

---

[284] »Los Cristianos y la Revolución, un debate abierto en América Latina«. Editora Nacional Quimantú, 1972. 396 pp. (p. 362).
[285] Ibíd, (pp. 364-365).

»Nosotros no somos del MAPU, no queremos serlo; como grupo no somos de ningún partido, nos pronunciamos por el socialismo, pero como grupo
no pertenecemos a ningún partido...

»Yo personalmente no me creo marxista; a veces me preguntan si soy
marxista. Yo no sé hasta dónde soy marxista. Yo la encuentro muy difícil la
pregunta... yo no podría aceptar, si esto incluye el ateísmo, desde luego yo
no puedo aceptarlo...

»Yo conozco aquí en la población a marxistas que son cristianos, dentro
de los militantes de la Iglesia. Si científicamente se puede (ser marxista y cristiano a la vez), yo no sé. Pero aquí, por ejemplo, hay miembros del Partido
Comunista que son muy buenos cristianos y que son bastante buenos miembros
del Partido también...

»Hace poco que yo fui a Cuba, yo vengo llegando de Cuba. Ahí el Partido
Comunista no acepta cristianos...

»Yo les pregunté, por ejemplo: ¿ustedes aceptarían en el Partido a
Camilo Torres, siendo sacerdote, siendo cristiano? Dicen que sí; ¿ustedes aceptarían a un cristiano de Cuba? Dicen que no. Bueno, ellos me contestaron que
es porque los cristianos *no han hecho ningún mérito* en el proceso de la revolución...«[286].

A continuación el entrevistador pregunta a Santiago Thijssen ¿cuál
es la relación de los curas obreros con la Jerarquía de la Iglesia? Y el cura con-
testa:

»En general es buena. Bueno, yo creo que hay que reconocer que la Jerarquía, en general, no representa a la clase obrera. Entonces de repente hay
ciertos desacuerdos, pero casi siempre en los diálogos se arreglan.

»Por ejemplo, con el Cardenal hemos tenido varias veces ya ciertos conflictos, pero entonces él me llama, o yo voy, y llegamos a un acuerdo, por decirlo
así...«[287].

---

[286] Ibid. (pp. 369-375).
[287] Ibid., (p. 376).

Capítulo XVIII

LOS DOSCIENTOS POR EL MARXISMO

*Avanzando en su estrategia, los »Ochenta« sacerdotes pro marxistas, conver-
tidos en »Doscientos« o más, invitan a un »Primer Encuentro Latinoamericano de Cristianos por el Socialismo«. Llega a Chile la élite de la Teología de la
Liberación, encabezada por Monseñor Sergio Méndez Arceo, Obispo revolucionario de Cuernavaca (México). Se insertan en este capítulo algunos rasgos
del jesuita Gonzalo Arroyo, líder indiscutible de la infiltración marxista en la
Iglesia, y valiosas revelaciones suyas hechas recientemente desde París, donde
transcurre su exilio voluntario.*

Con fecha 2 de abril de 1972, en la sede del Sindicato Hirmas, se inauguró el
»Primer Encuentro Latinoamericano de Cristianos por el Socialismo« (laicos,
pastores, sacerdotes, religiosas). Los 400 participantes, de los cuales 250 eran
sacerdotes, tuvieron sesiones de trabajo entre el 23 y el 30 de abril en Villavicencio 337 (la todavía llamada »Parroquia Universitaria«).

El personaje más importante de la reunión fue *Monseñor Sergio Méndez Arceo,* conocido en todo el mundo como el Obispo revolucionario de Cuernavaca (México). Cuando hizo uso de la palabra, Monseñor Méndez Arceo
aseguró: »intentamos encontrar la continuación de Pentecostés«[288].

Mientras tanto, presidían la mesa de honor del nuevo Cenáculo, a la es-
pera de la bajada del Espíritu Santo, Jacques Chonchol, Ministro de Agricultura; Juan Carlos Concha, Ministro de salud Pública; José Antonio Viera-
Gallo, Subsecretario de Justicia; Rafael Agustín Gumucio, senador; Eduardo
Novoa, presidente del Consejo de Defensa del Estado e inventor de los resquicios legales; Rodrigo Ambrosio, Secretario General del MAPU, y el Ministro de
Relaciones Exteriores, Clodomiro Almeyda, miembro distinguido del Partido
Socialista, quien pronunció algunas palabras previas a los discursos del Obispo
mexicano y del jesuita Gonzalo Arroyo.

---

[288] »El Mercurio«, 24 de abril de 1972.

Los asistentes al evento provenían de toda América Latina (26 naciones) y estaban afiliados a los diversos movimientos revolucionarios que proliferaban dentro de la Iglesia Católica de cada país: Movimiento Sacerdotal ONIS, y Movimiento por una Iglesia Solidaria, en el Perú; »Independentismo«, en Puerto Rico; Cristianos por el Socialismo, en el Ecuador; Sacerdotes para el Pueblo, en México; Sacerdotes de ISAL, en Bolivia; Sacerdotes para el Tercer Mundo, en Argentina. Hubo, además, observadores de Estados Unidos, Quebec y Europa.

Previo al Encuentro, el jesuita Gonzalo Arroyo le mandó una invitación al Cardenal Silva Henríquez. Según »Tierra Nueva« (octubre 1975), Su Eminencia declinó asistir en una »carta de cuero de diablo«, detallando en seis puntos sus más graves preocupaciones (frente al Encuentro): Cristianismo anónimo y no Iglesia; unicidad de la fórmula revolucionaria; *reducción de la teología a ideología; reducción del cristianismo a la sola dismensión de transformación económico-social;* en general, *reducción a un cristianismo puramente sociológico y no mistérico*[289].

El Cardenal, acto seguido, manifestó públicamente su »honda preocupación por esta reunión política de clara orientación marxista, que constituye una caricatura del cristianismo«. A su juicio, »los asistentes estarían traicionando los fundamentos más profundos de la propia institución (la Iglesia)«[290].

Sin embargo, siempre según »Tierra Nueva«, el Comité Coordinador del Secretariado de los Cristianos por el Socialismo, respondió epistolarmente al Cardenal y éste »se dio por satisfecho, por lo menos en parte, con esa carta explicativa«. Contestó su Eminencia: »Acepto lo sustancial de esa carta, que me parece muy positiva«. Y añadió: »Pido a Dios que los temores, que fundadamente me asaltan sobre el resultado del Encuentro, no se verifiquen«[291].

Por desgracia los acontecimientos sobrepasaron, con creces, los temores del Cardenal.

Con fecha 25 de abril, un grupo de delegados al Encuentro Latinoamericano de Cristianos por el Socialismo, decidió visitar al Cardenal Silva Henríquez, pese a que aquel evento había sido organizado por »cristianos que no dependen para ello de la autoridad eclesiástica«[292]. Luego, el protocolo no obligaba a visita alguna.

Monseñor Méndez Arceo, comentando esta entrevista, llegó a la siguiente conclusión: las autoridades eclesiásticas chilenas se abstuvieron de participar en el Encuentro para que ellos (los rebeldes) se sintieran más cómodos[292a].

Luego de recibir a estos cristianos en el Arzobispado, el Cardenal explicó a la prensa que dicha reunión no involucraba un juicio sobre el evento,

---

[289] »Tierra Nueva«, octubre de 1973. (pp. 37-38).
[290] »PEC«, 5 de mayo de 1972.
[291] »Tierra Nueva«, octubre de 1973. (p. 38).
[292] »El Mercurio«, 26 de abril de 1972.
[292a] »Qué Pasa«, 4 de mayo de 1972.

sino que respondía a una solicitud de audiencia hecha por los participantes en el Encuentro.

»Ustedes me quieren saludar —habría dicho Su Eminencia— y yo no me puedo negar a recibir su saludo, sobre todo si tenemos en cuenta que ustedes están muy unidos a nosotros por ser cristianos y, algunos, sacerdotes«[293].

El Cardenal también habría manifestado a sus visitantes que esperaba que la reunión fuera »un aporte constructivo« a la Iglesia en Chile y en América Latina[294].

Los sacerdotes, laicos, monjas y pastores, junto con iniciar sus deliberaciones, colocaron una ofrenda floral ante el monumento del Che Guevara y entonaron loas a Camilo Torres.

Uno de los documentos de trabajo que se conocen, sitúa al Encuentro en »La Realidad latinoamericana: desafío para los cristianos«. Ahí, entre varios puntos, leemos:

—»La posición actual de todos los hombres del continente y, por ende, de los cristianos, consciente o inconscientemente, está determinada por la dinámica histórica de la lucha de clases en el proceso de liberación.

— Los cristianos comprometidos con el proceso revolucionario reconocen el fracaso final del tercerismo social-cristiano y procuran insertarse en la única historia de la liberación del continente.

— El pueblo, a través de todos los elementos eficaces de análisis que proporciona sobre todo el marxismo, está tomando conciencia de la necesidad de ponerse en marcha hacia la verdadera toma del poder por la clase trabajadora. Sólo esto hará posible la construcción de un auténtico socialismo, única forma hasta el presente de lograr la liberación total.

— ...Los cristianos comprometidos con el socialismo reconocen en el proletariado nacional y continental la vanguardia del proceso de liberación de América Latina.

— Algunos cristianos van tomando conciencia de que la realidad cristiana (institución, teologías, etc.) no está fuera del enfrentamiento entre explotados y explotadores. Por el contrario, está marcada por el colonialismo y es, en muchos casos, objetivamente aliada del capitalismo dependiente.

— ...iluminados por un nuevo tipo de reflexión teológica, descubren nuevas dimensiones de su misión específica. Este mismo compromiso los lleva a asumir una responsabilidad política, necesaria para hacer efectivo el amor a los oprimidos exigido por el Evangelio...«[295].

Después de tanto rumiar la nueva »teología«, según »Tierra Nueva« el único informe nacional del Encuentro que merece nombre de tal es el emitido por la delegación chilena. »Los demás son o bien compendios, concisos hasta lo caricaturesco, o bien manifiestos y declaraciones«[296].

Del informe cubano merecen entresacarse algunas frases iluminadas: »*a la Iglesia,* como pueblo de »militantes«, *tratamos de proveerla de los ele-*

[293] »El Mercurio«, 26 de abril de 1972.
[294] Ibid.
[295] »La realidad latinoamericana: un desafío para los cristianos«. Copia mimeografiada. 4 pp.
[296] »Tierra Nueva«, octubre de 1973. (p. 35).

mentos evangélicos que le faciliten descubrir la no incompatibilidad entre lo marxista y lo cristiano, en primer lugar para que llegue a la conclusión liberadora de que *un cristiano sincero ha de ser tan »ateo«, en el sentido marxista, como el que más*...«[297].

En trabajos de comisiones se emitió esta novedad evangélica que, también, conviene consignar:

»La fe sólo se comprende en un auténtico compromiso con los oprimidos, porque la »Buena Noticia« del Evangelio, sólo es buena para ellos«[298].

A continuación algunos párrafos del Documento Final del Primer Encuentro Latinoamericano de Cristianos por el Socialismo:

— Queremos identificarnos claramente como cristianos que, a partir del proceso de liberación que viven nuestros pueblos latinoamericanos y de nuestro compromiso práctico y real en la construcción de una sociedad socialista, pensamos nuestra fe y revisamos nuestra actitud de amor a los oprimidos... (Punto 1).

— *Nuestro compromiso revolucionario nos ha hecho redescubrir la significación de la obra liberadora de Cristo*... Los que operan una reducción de la obra de Cristo son más bien aquellos que quieren sacarla de donde late el pulso de la Historia, de donde unos hombres y clases sociales luchan por liberarse de la opresión a que los tienen sometidos otros hombres y clases sociales; son aquellos que no quieren ver que la liberación de Cristo es una liberación radical de toda explotación, de todo despojo, de toda alienación... (Punto 9).

— *El imperialismo busca desunir al pueblo oponiendo a cristianos y marxistas con la intención de paralizar el proceso revolucionario de América latina*... (Punto 21).

— Los cristianos, urgidos por el Espíritu del Evangelio, se van integrando, sin más derechos ni deberes que cualquier revolucionario a los grupos y partidos proletarios. *Los cristianos comprometidos con el socialismo reconocen en el proletariado nacional y continental la vanguardia del proceso de liberación de América Latina*... (Punto 38).

— Grupos cada vez más amplios de cristianos *descubren la vigencia histórica de su fe a partir de su acción política* en la construcción del socialismo y la liberación de los oprimidos del continente. La fe cristiana se manifiesta así con una nueva vigencia liberadora y crítica... (Punto 43).

— Crece la conciencia de una alianza estratégica de los cristianos revolucionarios con los marxistas en el proceso de liberación del continente. Alianza estratégica que supera alianzas tácticas u oportunistas de corto plazo. Alianza estratégica que *significa un camino juntos en una acción política común hacia un proyecto histórico de liberación*. Esta identificación histórica en la acción política no significa para los cristianos un abandono de su fe; por el contrario, dinamiza su esperanza en el futuro de Cristo... (Punto 46).

— *El socialismo* se presenta como *la única alternativa aceptable* para la superación de la sociedad clasista... (Punto 49).

[297] Ibid. (p. 37).
[298] Ibid. (p. 37).

171

— La alianza entre el cristianismo y las clases dominantes explica en gran medida las formas históricas que toma la conciencia cristiana. Por lo tanto, *es necesario que una decidida toma de posición de los cristianos al lado de los explotados quiebre esa alianza* y, pasando por la verificación de la praxis, *permita reencontrar un cristianismo renovado* que rescate creativamente, en un esfuerzo de fidelidad evangélica, el carácter conflictivo y revolucionario de su inspiración originaria ... (Punto 63).

— Uno de los descubrimientos más importantes de muchos cristianos de hoy es *la convergencia entre la radicalidad de su fe y la radicalidad de su compromiso político* ... (Punto 64).

— ...*La fe agudiza la exigencia de que la lucha de clases se encamine decididamente a la liberación de todos los hombres* ... (Punto 65).

— *El contexto real de la vivencia de la fe es hoy la historia de la opresión y de la lucha liberadora contra ella* ... (Punto 67).

— *En el compromiso revolucionario el cristiano aprende a vivir y a pensar en términos conflictuales e históricos.* Descubre que el amor transformador se vive en el antagonismo y el enfrentamiento, y que lo definitivo se acoge y se construye en la Historia ... (Punto 69).

— La reflexión sobre la fe, deja de ser una especulación fuera del compromiso en la Historia. *Se reconoce la praxis revolucionaria como matriz generadora de una nueva creatividad teológica* ... (Punto 71)[299].

Es innecesario añadir más. La »teología« marxista de la liberación se ha consumado. Si »la praxis revolucionaria es matriz generadora de la nueva creatividad teológica«, Dios está fuera de sitio.

LA IGLESIA INSTRUMENTALIZADA

El primer Encuentro Latinoamericano de »Cristianos por el Socialismo«, mereció algunos comentarios por parte de personeros eclesiásticos. Destaca el de Hans Zwiefelhofer, jesuita, quien en el Stimmen der Zeit-Munich calificó de »presentaciones ingenuo-oníricas del socialismo« los discursos del padre Arroyo y del obispo Méndez Arceo[300].

Analizando aquello de la »convergencia entre la radicalidad de la fe y la radicalidad del compromiso político«, aparecido en el Documento Final, el jesuita Zwiefelhofer escribe: »tan pronto como sacerdotes se pronuncian a favor de un socialismo concreto ... sin aducir argumentos clara y exclusivamente científicos y técnicos, se están comprometiendo en la tentativa ilegítima de deducir de la fe un programa político partidista concreto y de recomendarlo en nombre de la fe. *El sacerdote no puede poner ni su fe ni su ministerio al servicio de un partido, sea éste marxista o no*«[301].

La Comisión Episcopal del Departamento de Acción Social del CELAM

---

[299] »Los Cristianos y la Revolución, un debate abierto en América Latina«. Editora Nacional Quimantú, 1972. 396 pp. (pp. 205-221).

[300] »Tierra Nueva«, julio de 1973. (pp. 72-75).

[301] Ibid.

se reunió en Río de Janeiro en junio de 1972 y emitió un documento titulado: »La instrumentalización política de la Iglesia en América Latina«.

Refiriéndose al famoso Encuentro de los »Cristianos por el Socialismo« los obispos concluyen que »en la actualidad no se pretende combatir directamente a la Iglesia, sino que se la quiere instrumentalizar, partiendo de categorías cristianas —como »liberación«, »Salvación«, »solidaridad«, »amar hasta la muerte«— a las que, vaciadas de su contenido evangélico, les infunden una inspiración marxista«.[302]

CUBA SI. CHILE NO

Gonzalo Arroyo, s.j., líder indiscutible de los »Cristianos por el Socialismo«, fue entrevistado por el diario democratacristiano »La Prensa« (15-5-1972). La entrevistadora, Magaly Alegría, lo presentó como »a la vez de sacerdote, Ingeniero Agrónomo, Doctor en Economía y Director del Centro de Estudios Agrarios de la Universidad Católica de Santiago, 46 años, hace diez tomó los hábitos sacerdotales, vive en la Población Ochagavía de San Miguel«[303].

Es interesante destacar tres de los subtítulos que adornan la entrevista, porque los tres constituyen frases del jesuita revolucionario: *Admiramos profundamente la revolución cubana; Todos hacen política y nosotros también, pero no partidista;* Nos dolió mucho que los Obispos no asistieran a nuestro encuentro«[304].

Arroyo recibió a la periodista en la sede del Secretariado de »Cristianos por el Socialismo«: segundo piso de vetusta casa en la calle San Francisco. Un papel clavado en una puerta desafía con palabras del Che Guevara: »Cuando los cristianos se atrevan a dar un testimonio revolucionario integral, la revolución latinoamericana será invencible, ya que hasta ahora los cristianos han permitido que su doctrina sea instrumentalizada por los reaccionarios«[305].

Si el Che viviera ya estaría más tranquilo: ahora al cristianismo lo instrumentalizan los marxistas.

Por lo menos el padre Arroyo da fe de su Fe absolutamente religiosa en todo cuanto los marxistas pongan en el mercado. »En Cuba hubo ajusticiados, comenta, pero no se puede decir que fue una revolución sangrienta... Hay que recordar que, en un momento en que el estado de derecho se ha roto, me parece que es muy poco el costo de vidas«[306].

Distinto padre Arroyo éste del que anda predicando por Europa, en la actualidad, los »crímenes« de la Junta de Gobierno chilena. Toda la vista gorda que tuvo y tiene para con las hazañas de Castro, se le estrecha como por encanto cuando se trata de su propio país; simplemente porque su propio país ya no está más en subasta.

En 1974 Les Editions du Cerf, editorial católica parisiense que, en su

---

[302] Ibid., octubre de 1973. (p. 38).
[303] »La Prensa«, 15 de mayo de 1972.
[304] Ibid.
[305] Ibid.
[306] Ibid.

colección »Terres de Feu«, se consagra al papel de vocero de cuanto revolucionario encuentra por el camino, publicó »Coup d'Etat au Chili« (Golpe de Estado en Chile), obra de Gonzalo Arroyo. La portada luce una elocuente caricatura de *Plantu,* dibujante del diario »Le Monde«: amarrado a la silueta de Chile, un hombre agoniza con cuatro balas al pecho.

Gonzalo Arroyo es presentado por la editorial con todos sus títulos —salvo su condición sacerdotal— y como amigo de Allende, íntimamente ligado a los destinos de la Unidad Popular, fugitivo de Chile a raíz del golpe de Estado.

El libro tiene un índice sumamente variado que comienza con »La Unidad Popular: atractivo de un proyecto ambicioso«, pasa por »Los militares chilenos: historia revisada y aumentada« y termina con »La Iglesia latinoamericana frente a una elección crucial«[307].

Sólo 100 páginas bastan a Gonzalo Arroyo para analizar, en profundidad y según su propio enfoque, materias fundamentales para el catolicismo de Chile. Sobre la Iglesia, por ejemplo, dice:

»La existencia de esta corriente entre los cristianos (cristianos que rechazaron la tercera vía de la DC y se comprometieron con el socialismo marxista) —corriente minoritaria pero integrada por buen número de sacerdotes y pastores comprometidos con los más pobres, y apoyada por teólogos de renombre— determinó, al menos en parte, *la actitud de neutralidad que la Jerarquía adoptó en las elecciones de 1970 y, luego, las buenas relaciones que ella mantuvo con el Gobierno de la Unidad Popular.*

»Sin duda, las relaciones entre Obispos y cristianos revolucionarios jamás fueron fáciles. Sin embargo, no hubo nunca ruptura: los Obispos aceptaron la legitimidad (dentro de ciertos límites) de una opción socialista, ver pro marxista (por parte de tales cristianos), y los »Cristianos por el Socialismo« nunca buscaron romper con la Jerarquía por razones, a la vez, teológicas y políticas.

»La mayoría de los sacerdotes y de los pastores protestantes de comunidades de base, consagrados a la causa política de campesinos y trabajadores, permanecieron unidos a la institución eclesiástica y creen que es necesario seguir unidos con la Jerarquía, signo de unidad de la Iglesia de Cristo.

»Saben, además, que la Iglesia jerárquica conserva un gran ascendiente sobre las masas de los países latinoamericanos, que no han alcanzado aún el mismo grado de secularización y descristianización de Europa. En muchos de estos países, *una condena oficial lanzada por la Jerarquía hubiese paralizado toda la acción que la izquierda cristiana desarrolla en otros medios cristianos...*«[308].

En un capítulo titulado »La prueba de la verdad«, Arroyo analiza las diferentes actitudes del Cardenal Silva Henríquez, antes y después del 11 de septiembre de 1973. En el fondo lo acusa de zigzaguear de izquierda a derecha, según convenga.

»El Cardenal —escribe Arroyo— no es muy representativo del conjun-

---

[307] »Coup d'Etat au Chili«. Gonzalo Arroyo. Les Editions du Cerf. París, 1974. 102 pp.
[308] Ibid., (pp. 66-67).

to de los obispos que son más derechistas: debió esperar varios años antes de lograr la presidencia de la Conferencia Episcopal.

»Bajo el Gobierno de Allende, el Cardenal no adoptó ninguna actitud de oposición, siempre fiel a un principio que no cesaba de repetir: »La Iglesia reconoce y sirve al Gobierno que el pueblo se da«. En más de una ocasión declaró públicamente que el socialismo era inevitable en América Latina, pero insistiendo a la vez que debía ser un »socialismo democrático«...

»La honestidad y coherencia del Cardenal quedaron a salvo antes del golpe: él no estaba de acuerdo y abandonó su actitud pasiva frente a la eventualidad de un golpe de Estado o de una guerra civil, haciendo lo posible por hallar una solución para la impase política (diálogo UP-DC). Asimismo, se comportó lealmente durante los tres años de la Unidad Popular, pese a que profesaba convicciones opuestas a las del Presidente marxista...

»Apoyó indirectamente a Allende y, cuando los trabajadores vieron asistir al Cardenal a tal o cual manifestación pública de la Central Unica de Trabajadores, dominada por los partidos marxistas, comenzaron a creer que la Jerarquía también hacía causa común con los pobres.

»Contrariamente, después del golpe, sus declaraciones y su conducta parecen carecer de coherencia con la posición anterior y dan la impresión de una legitimación progresiva de la Junta...

»(Con fecha 5 de noviembre de 1973 el Cardenal) ofrece al Gobierno, a nombre de la Iglesia«, en todo cuanto compete al bien común, »la misma colaboración« que la prestada »al Gobierno marxista del señor Allende«. Es decir, los dos gobiernos serían igualmente legítimos. ¡Ni una sola palabra de reproche a los militares por los millares de muertos, los 20.000 prisioneros políticos, los 10.000 refugiados, la violación flagrante de los derechos humanos más fundamentales! ¡Atropellos todos que provienen de una Junta que se dice cristiana!«[309].

Gonzalo Arroyo, tradicionalmente frío en sus palabras y escritos, acaba de salirse de sus casillas. Es el mismo jesuita que a »La Prensa« de Santiago declaraba: »En Cuba hubo ajusticiamientos, pero no se puede decir que fue una revolución sangrienta... Hay que recordar que, en *un momento en que el estado de derecho se ha roto, me parece que es muy poco el costo de vidas*«[310].

Misericordioso para Cuba y calumnioso para Chile, Gonzalo Arroyo pasa al exilio voluntario uniendo todas sus fuerzas y toda su inteligencia a la comparsa comunista internacional consagrada a desprestigiar a un país que se sacudió al marxismo de encima.

Sin embargo, sería ingratitud no agradecerle los valiosos datos que proporciona para el »background« de la infiltración marxista en la Iglesia Católica chilena. »Los Obispos saben que nosotros no queremos formar una Iglesia aparte«, había dicho a »La Prensa«[311]. Ahora, desde París, revela que »una condena oficial lanzada por la Jerarquía (contra los Cristianos por el Socialis-

[309] Ibid., (pp. 69-74).
[310] »La Prensa«, 15 de mayo de 1972.
[311] Ibid.

mo) hubiese paralizado toda la acción (infiltrante) que la izquierda cristiana realiza en otros medios (también) cristianos«[312].

Resumiendo sobre el Cardenal, Arroyo dice en su libro: »Silva Henríquez es una especie de signo viviente de las contradicciones ideológicas (de la Jerarquía), contradicciones que se manifiestan en sus diligencias, criticadas por gentes de todo color: odiado por la derecha, sospechoso para la Junta, busca hacerse aceptar hoy día como Cardenal de Chile, como si nada hubiera pasado...«[313].

[312] »Coup d'Etat au Chili«. Gonzalo Arroyo. Les Editions du Cerf. París, 1974. 102 pp. (p. 67).
[313] Ibid., (p. 75).

Capítulo XIX

PREDICANDO EN EL DESIERTO

En el encrespado panorama político chileno, en las postrimerías de la Unidad Popular, la voz de los Obispos hace constantes y angustiosos llamados a la pacificación. Nadie la escucha. Ni los eclesiásticos revolucionarios que, presas de un nuevo clericalismo, marchan a la vanguardia del vendaval marxista de Allende, ni el pueblo chileno paralizado por una huelga general, mediante la cual se pretende derrocar un Gobierno que se ha colocado en la ilegitimidad en ejercicio. Un sacerdote se lanza de candidato a diputado por la izquierda; otros, los »Doscientos«, organizan una jornada sobre »Lucha de Clases y Evangelio de Jesucristo«.

Monseñor Sergio Valech, Secretario General del Arzobispado de Santiago, se sintió vivamente molesto con expresiones vertidas en el programa de televisión »A esta hora se improvisa«. Con fecha 7 de mayo 1972, escribió a Jaime Celedón, conductor del programa, protestando porque algunos invitados suyos afirmaban que »Las directivas del Episcopado, chileno y mundial, sobre participación de los sacerdotes en política partidista no serían muy claras...«[314].

Monseñor Valech creyó necesario dejar bien sentado que »*los Pastores de la Iglesia chilena han pedido a los sacerdotes que creen tener vocación política reconsideren su vocación sacerdotal y soliciten ser relevados temporalmente de su ministerio*«[315].

Por desgracia, la mayoría de las veces, »el Episcopado chileno parecía estar predicando en el desierto« (Tierra Nueva, octubre 1973)[316].

Este desierto era extensivo a todos los frentes del país, todos intensamente politizados.

En pleno paro de octubre de 1972, cuando el país se hallaba *voluntariamente* atado de pies y manos, respondiendo a la rebelión de los camioneros,

---

[314] »El Mercurio«, 21 de mayo de 1972.
[315] Ibid.
[316] »Tierra Nueva«, octubre de 1973.

cuando el pueblo de Chile se daba heroicamente a la resistencia de brazos caídos para protestar contra el Gobierno infamante de la Unidad Popular, que lo sumía en el hambre y en el totalitarismo, algunos Obispos visitaron a Salvador Allende.

Al día siguiente el Comité Permanente del Episcopado declaró: »Nuestros contactos con personas de todas las tendencias y con nuestros propios fieles nos han llevado al convencimiento de que una gran mayoría del pueblo chileno está de acuerdo en: a) que se mantenga la continuidad constitucional, el respeto y la obediencia a la autoridad legítima y la plena vigencia de la ley, aplicada a todos por igual; b) que se continúe el proceso de cambios tendiente a liberar a los pobres de cualquier situación de injusticia o de miseria . . .«.

En vista de lo cual, el Comité Permanente del Episcopado exhortó a la ciudadanía a evitar cuanto contribuya a desencadenar »una lucha de imprevisibles consecuencias«[317].

Huelga decir que estas palabras también cayeron en el vacío.

Mientras tanto, se acercaba un proceso electoral que revestía caracteres de vida o muerte para Chile: las Elecciones Parlamentarias de 1973. En Talca, un famoso sacerdote postulaba como candidato a diputado por el MAPU.

Guido Lebret, de origen francés, con veinte años de permanencia en Chile, había obtenido, sólo en julio de 1972, la nacionalidad chilena. Lebret se destacaba por su admirable labor al frente de un Hogar de Rehabilitación de Prostitutas, llamado »El Despertar«. Ahora, incursionando en las lides políticas, era miembro de la Confederación Unica de Trabajadores provincial y militante del MAPU.

El Obispo de Talca, Monseñor Carlos González, se opuso a la candidatura de Lebret en una Carta Pastoral, fechada 12 de septiembre y dirigida a las Comunidades Cristianas de su Diócesis[318].

En primer lugar, el Obispo explicaba la polémica postura política del padre Lebret, diciendo: »ha resuelto ser candidato sin consultar previamente ni a su Obispo, ni al Consejo de Sacerdotes —al cual pertenece—. Lo ha resuelto porque estima que es una opción personal y porque su Partido Político se lo ha pedido . . .

»El padre Lebret milita en las filas del MAPU y simpatiza en líneas generales con el socialismo. Piensa que en un sistema capitalista jamás será solucionada la compraventa de la mujer para las casas de prostitución, porque es un fruto de este sistema transformar al hombre o a la mujer en un objeto.

»Le he escrito, hemos dialogado cordialmente, expresándole *mi parecer totalmente opuesto a esta candidatura*. He consultado al Consejo de Sacerdotes de la Diócesis y todos, con excepción de uno —don Sergio Torres— opinan como yo.

»He consultado con los Obispos de Chile . . . y *su parecer unánime es que el padre Guido Lebret no debe ser candidato a parlamentario*.

[317]»Documentos del Episcopado«. Chile 1970-1973. Monseñor Carlos Oviedo Cavada. Ediciones Mundo. Santiago, 1974. 239 pp. (p. 146).
[318]Copia mimeografiada de la carta titulada: »Obispo de Talca se opone a candidatura de sacerdote«. Membrete: Arzobispado de Santiago Opinión Pública. Fecha: Talca, 12 de septiembre de 1972. Firma: Carlos González C., Obispo de Talca, 7 pp.

»He oído la opinión de muchos cristianos, de religiosas, de otros sacerdotes y, en su inmensa mayoría, opinan igual que los Obispos de Chile y que el Consejo de Sacerdotes.

»*El padre Lebret ha resuelto seguir con su candidatura, por estimar que su postulación política es más importante que toda esta corriente de pensamiento*[319].

Luego Monseñor González entra al terreno de la reprimenda, con especial energía y una claridad que es digna de agradecer. Entre otras cosas dice:

»*Vivimos* (en Chile) *en la idolatría del poder que se expresa en la idolatría de la política*. En nombre de los pobres todos hablan y los contabilizan en su tienda política. Pero al final los utilizan y »los pobres« son, como de costumbre, los grandes perdedores...

»*Los sacerdotes, cada vez en mayor número, anhelan este poder y trabajan en política partidista*...

»Es fácil constatar una creciente atomización de la Iglesia en pequeños grupos en que las decisiones se toman sólo a nivel de la conciencia individual.

»*En este contexto global aparece una nueva expresión de* »*clericalismo*« más sutil y peligrosa. Como todo »clericalismo«, consigue ahora una disminución del laicado en la lucha por el poder político y hace que los sacerdotes »asuman« con demasiada ligereza lo que corresponde por prioridad a los laicos«[320].

Respecto del caso particular del padre Lebret, Monseñor González opina que, dada la politización del país, si Lebret actúa como candidato »no se hará distinción entre la función sacerdotal y la política y, por lo mismo, esto afectará su misión sacerdotal; casi necesariamente el político suplantará al sacerdote«[321].

Luego, una aclaración dedicada a todos los clérigos en general: »Para el sacerdote la situación se plantea como un dilema: o elige su sacerdocio, o elige el camino del liderazgo político, con el riesgo que implica el poder. *El sacerdote no ha sido llamado ni formado para trabajar en planes de política partidista. La política es una ciencia y una técnica; no es sano ni prudente entrar en ella sin preparación...*«[322].

No viene mal hacerle eco a Monseñor González con palabras de Maritain quien pone el dedo en la llaga de los curas comprometidos:

»Muchas veces he hablado de la misión temporal del cristiano. Está claro que, al hablar de esta misión, pienso principalmente *en los laicos* cristianos. Que tales o tales clérigos deban ocuparse personalmente de las cosas del siglo es perfectamente posible, pero esto no constituye una exigencia de su función sacerdotal. Y sucede, cuando no se es un Richelieu o un Mazarino, que los curas enfrentan las cosas temporales menos hábil y más ingenuamente que los laicos«. (»El campesino del Garona«)[323]

[319] Ibid., (pp. 1-2).
[320] Ibid. (pp. 3-4).
[321] Ibid. (p. 5).
[322] Ibid. (p. 6).
[323] »Le paysan de la Garonne«. Jacques Maritain. Desclée de Brouwer. París, 1967. 406 pp. (p. 69).

El Obispo de Talca, concluyendo su dictamen sobre el cura-candidato, escribe: »Debo ser claro. No apruebo, y claramente expreso mi disconformidad con esta candidatura parlamentaria; pero tampoco quiero condenar al Padre Lebret«[324].

La frase final de la carta de Monseñor González deja flotando una duda en el ambiente:

»He escrito en conciencia lo que pienso; estoy dispuesto a oír y revisar mis posiciones«[325].

POR LA PRAXIS, CON LA PRAXIS Y EN LA PRAXIS

Los »Doscientos« organizaron una Jornada sobre »Lucha de clases y Evangelio de Jesucristo«. Esto sucedió en Padre Hurtado, del 7 al 9 de julio de 1972.

Invitaba al padre *Roberto Bolton,* a nombre de un Comité coordinador. La invitación recibió senda respuesta episcopal.

Monseñor Jorge Hourton, Obispo Administrador de la Arquidiócesis de Puerto Montt, contestó por escrito:

»Si fuera una intención eclesial la de ustedes... no habrían tenido reparos en dialogar previamente con los Obispos... Pero exteriorizando un objetivo pastoral, ustedes persiguen en realidad la misma finalidad de los »Cristianos por el Socialismo« y, en el fondo, *se empeñan en concientizar al clero para la lucha ideológica en favor de esa opción determinada, la del socialismo marxista...* A pesar de sus protestas de independencia respecto a los llamados Ochenta, aparecen los mismos protagonistas, los mismos métodos y los mismos argumentos...

»Encuentro lamentable que se trate de hacer pasar este purgante disuelto dentro de un brebaje en lenguaje teológico«[326].

La Jornada Sacerdotal »Lucha de clases y Evangelio de Jesucristo« tuvo por objetivo principal »promover una reflexión seria sobre la praxis de la transformación de la sociedad mediante la supresión de las clases sociales«[327].

Para ello se estructuró un apretado programa de liturgias, conferencias, reuniones, trabajos en grupo, cafés, etc.

Los relatores de la jornada fueron *Jorge Inzunza,* miembro del Comité Central del Partido Comunista de Chile y *Jaime Castillo Velasco,* alto personero democratacristiano; ambos abordaron »La praxis de la lucha de clases«. También relataron *Fernando Castillo,* sobre »Descripción sociológica de la lucha de clases en Chile«, y *Ronaldo Muñoz* ss.cc., acerca de »Interpretación teológica de la lucha de clases«[328].

---

[324] Copia mimeografiada de la carta titulada: »Obispo de Talca se opone a candidatura de sacerdote«. Membrete: Arzobispado de Santiago Opinión Pública. Fecha: Talca, 12 de septiembre de 1972. Firma: Carlos González C. Obispo de Talca. 7 pp. (p. 7).
[325] Ibid.
[326] »Tierra Nueva«, octubre de 1973 (pp. 46-47).
[327] Texto mimeografiado del programa de la »Jornada sacerdotal, lucha de clases y Evangelio de Jesucristo«. 3 pp.
[328] Ibid.

El último día (domingo 9) estuvo abocado a la tarea de »desideologizar nuestra fe, nuestra teología, nuestra manera de concebir el Evangelio«.

Un predocumento abordaba los temas más tarde ampliados por Fernando Castillo y Ronaldo Muñoz. Este es el mismo Ronaldo Muñoz que, en octubre de 1975, escribe con toda tranquilidad en la revista jesuita »Mensaje« un artículo titulado »El servicio de la Iglesia al hombre«. Dice así:

»Con el aumento progresivo de la cesantía y el vacío que van dejando muchos servicios del Estado, cunden el hambre, la deserción escolar, las enfermedades, la desesperación ...

»Pero sabemos que esos problemas responden también a *una reestructuración global* de las relaciones económicas, sociales, jurídicas y políticas del país, y esto —como es normal— según una *determinada ideología.* Aquí nos preguntamos, ¿en qué medida está enfrentando la Iglesia, como comunidad jerárquicamente organizada, el hecho de esta reestructuración global y de la ideología que la sustenta? ...

»...constatamos que las pequeñas agrupaciones y canales de solidaridad que van surgiendo en los sectores populares para hacer frente a la miseria, frecuentemente son inhibidos por el miedo, por la fácil sospecha de activismo político y el temor a la represión consiguiente. *¿Qué respaldo estamos ofreciendo* como Iglesia a estas organizaciones locales? Sabemos que para muchos tales organizaciones constituyen por el momento la única posibilidad de supervivencia«. (Hasta aquí »Mensaje«, octubre 1975)[329].

Del predocumento para la Jornada Sacerdotal (1972) »Lucha de clases y Evangelio de Jesucristo«, interesa la segunda parte.

Ronaldo Muñoz confiesa allí, a nombre de los demás Doscientos, estar »en situación de búsqueda«[330].

Buscando, pues, Muñoz encuentra muchas novedades: »...la caridad cristiana, para ser eficaz en el servicio de los que sufren la miseria colectiva, debe encarnarse también en un compromiso político orientado a la transformación revolucionaria del sistema socioeconómico establecido ...

»La resistencia que los sectores privilegiados oponen sistemáticamente a las transformaciones requeridas, viene a confirmar en muchos cristianos el juicio histórico de que *ningún cambio profundo puede obtenerse en la sociedad humana por la simple vía de la conversión y renuncia espontánea de los sectores privilegiados.*

»Estos cristianos llegan entonces al convencimiento de que el compromiso por una sociedad más justa, para ser eficaz, deberá traducirse necesariamente en un compromiso de lucha con los explotados contra los explotadores: *lucha que habrá que despertar incluso, y organizar, mediante una movilización de las clases explotadas.*

»En este enfoque de la lucha de los oprimidos incide la teoría revolucionaria del marxismo ... Se trata, pues, de un proyecto político concreto, que muchos cristianos creen deber adoptar movidos por su caridad, aunque vaya

---

[329] »Mensaje«, octubre de 1975.

[330] Texto mimeografiado del pre-documento titulado: »Lucha de clases: concepto y modo como se verifica en Chile«. 22 pp. (p. 9).

más allá de los modelos sugeridos hasta ahora por la enseñanza social de la Iglesia y no pueda deducirse directamente de la sola fe.

»El impulso de la caridad toma aquí la forma de una exigencia de tomar partido por los oprimidos en su lucha por liberarse de la opresión que les es impuesta injustamente por las clases que dominan dentro del sistema de explotación establecido. Tal exigencia suele entenderse como una extensión al dominio socioestructural del principio cristiano tradicional del derecho de defenderse con medios proporcionados contra la agresión injusta y, más aún, de la obligación de comprometerse en la defensa de la víctima cuando se está en presencia de una agresión a los inocentes. *Esta manera de entender la caridad provocará inevitablemente la crisis en el interior de la Iglesia y en la imagen que ella proyecta en la sociedad. Estando la Iglesia entretejida en la misma trama conflictiva de la sociedad, se producirá en ella no sólo un pluralismo de opciones políticas, sino posiciones estructuralmente opuestas que tenderán a excluirse mutuamente...«*[331].

El padre Muñoz, antes de entrar al punto 3.3 de su disertación, promete »formular una argumentación silogística«. La revista »Tierra Nueva« (de estudios socioteológicos en América Latina), analiza este intento paso a paso y dice:

»El vicio lógico que echa por los suelos toda la exposición de R. Muñoz, salta a la vista en el acápite »Fe cristiana y análisis político«, donde formula, mediante argumentación silogística, todo su esquema teórico:

Mayor: »...Liberar a los oprimidos constituye la exigencia fundamental del amor a los semejantes«.

Menor: »Ahora bien... la mayoría de nuestros semejantes sufre... una opresión resultante... de la injusticia del sistema económico-social (capitalista) imperante«.

Menor: »Por tanto... la misma exigencia... del amor... nos lleva a trabajar... por la suplantación del sistema (capitalista) imperante«.

Menor: »...La única alternativa clara... es el socialismo«.

Conclusión: »....El modelo para construir... la nueva sociedad... será en concreto el modelo socialista«.

Menor: »La resistencia activa de los sectores privilegiados hace imposible esa suplantación del sistema imperante por otro camino que (el de la) lucha de clases«.

Conclusión: *El amor cristiano nos lleva... a construir el socialismo por... la lucha de clases«*[332].

A estas divagaciones, monseñor Hourton respondió con especial enojo: »La forma silogística —escribió a los Doscientos— tiene al menos la ventaja de permitir a un ex profesor de lógica —como también a cualquiera que razona bien— la falacia de la argumentación... El vicio del silogismo salta a la vista en la segunda premisa menor: »la única alternativa clara... es el socialismo« (se subentiende por el contexto que se habla del marxista, el que resulta de la lucha de clases...). Precisamente eso es lo que habría que probar y por par-

[331] Ibid., (pp. 12-13).
[332] »Tierra Nueva«, octubre de 1973. (p. 48).

tes: que sea la única; que sea clara; que transformaría las relaciones de producción efectivamente; que suprimiría la explotación colectiva y la división de clases, etc.

»El argumento que da por probado justamente lo que hay que probar se llama petición de principio o tautología, si mal no recuerdo, y nunca ha sido considerado como una buena argumentación«[333].

Ronaldo Muñoz, antes de terminar su disertación, recordaba que »a la luz de lo explicado en el capítulo introductorio sobre la nueva praxis teológica, pienso que como cristianos podemos aceptar, en general, la concepción marxista de que es éticamente bueno aquello que en la praxis revolucionaria se va mostrando eficaz para la causa del proletariado que, en definitiva, se identifica con la causa del hombre«[334].

El análisis de »Tierra Nueva« después de recorrer todo el documento concluye: *(Muñoz) ya no interpreta al marxismo a la luz de la fe; descifra la revelación a la luz del marxismo*[335].

Este es el mismo Ronaldo Muñoz, ss.cc. que hoy (1975) escribe tranquilamente para la revista »Mensaje«...

[333] Ibid.
[334] Texto mimeografiado del pre-documento titulado: »Lucha de clases: concepto y modo como se verifica en Chile«. 22 pp. (p. 20).
[335] »Tierra Nueva«, octubre de 1973. (p. 50).

Capítulo XX

BATALLA CONTRA LA ENU

Todos los sectores democráticos de la población se rebelaron contra el intento gobiernista de controlar la educación y, a través de una Escuela Nacional Unificada (ENU), formar un hombre tipo para la sociedad socialista del futuro. Los Obispos hablaron enérgicamente diciendo: »Es inadmisible que el Estado pretenda gobernar desde arriba, a la manera de un monopolio, la educación de los chilenos«.

Mientras los Doscientos hacían su agosto en Padre Hurtado, Fernando Castillo Velasco, rector de la Universidad Católica de Chile, seguía pavimentando la senda de los marxistas en esa casa de estudios. En junio rogó al Frente Académico Progresista (FAP) que se reintegrase al seno universitario. Este grupo de izquierda se había marginado del Claustro Universitario, por discrepancias.

Manuel Antonio Garretón, director del Centro de Estudios de la Realidad Nacional UC (CEREN), y presidente del FAP, respondió al Rector asegurando que la izquierda había sido víctima de »sectarismo«, »persecución política«, »discriminación« e »intentos por parte de cierto sector de imponer una hegemonía irrestricta«. Así las cosas, la izquierda sólo regresaría a sus labores u organismos universitarios siempre que el Rector cumpliese con las siguientes exigencias: »independencia política« del Canal 13 TV; una Vicerrectoría de Comunicaciones »libre de presiones dogmatizantes, democrática en su organización y gestión, sometida a control por parte de la comunidad Universitaria«; »reales garantías« para todo profesor en el Estatuto de los Académicos, incluyendo derecho a pensar y expresarse sin sujeción a censura y derecho a ejercer la docencia sin estar afectado por controles doctrinarios y políticos«[336].

En otros ámbitos educacionales chilenos las cosas se precipitaron, hasta tal extremo, que toda la ciudadanía democrática salió a la palestra por resguardar el derecho de la Libertad de Educación, mientras Castillo Velasco ven-

---

[336]CER. Publicación del Centro de Estudios de la Revolución. Julio de 1972. (p. 40).

día la libertad de la UC a los marxistas. En agosto del 72, las autoridades de la Unidad Popular dieron los primeros pasos para una completa reestructuración de la educación en Chile. La consigna fue un »sistema nacional de educación« que operaría a través de la Escuela Nacional Unificada (ENU). Con fecha 30 de octubre fue firmado el Decreto de Democratización del Sistema Educacional Chileno. Las cartas estaban sobre la mesa: el Estado se haría cargo de la concientización de cada ciudadano, desde la cuna hasta la ancianidad, para transformarlo en un peón de la sociedad socialista (marxista-leninista).

Podría decirse que la ENU tuvo la virtud lapidaria de socavar al Gobierno de Allende; más allá de los efectos nefastos del desabastecimiento, el mercado negro, el fantasma del hambre; más allá de la protesta de los transportistas, la rebelión de las mujeres, etc., la ENU dio el golpe definitivo. La ENU despertó los más recónditos valores de la espiritualidad chilena, y el país como un solo hombre, dijo un NO rotundo a la pretensión de esclavizar las conciencias.

En abril del 73 ya todas las instituciones del país se hallaba en pie de guerra contra la ENU. Luego apareció un Documento del Episcopado nacional repudiándola. Se llamó »El Momento Actual de la Educación en Chile« y en él los Obispos denunciaron que la »democratización de la enseñanza« es »una política global de desarrollo de la cultura de la formación humana... dentro del contexto más amplio de la construcción de una sociedad socialista«, cosa que puede llevar a un »totalitarismo cultural« y a un »monopolio sujeto a determinada concepción ideológica«, que es el marxismo-leninismo[337].

Apoyándose en las resoluciones del Concilio Vaticano II, este documento destaca que »a la autoridad pública no le compete el determinar el carácter propio de cada cultura, pues »subordina en forma desproporcionada el proceso educativo a las metas de la producción material«. Entre los muchos »valores, normas, creencias e ideas, sobre cuya base se ha desarrollado nuestro proceso histórico«, los Obispos destacan »el cristianismo y su sentido trascendente de la existencia«. Este valor, que se halla »en la raíz de nuestro ser histórico« no puede ser instrumentalizado por el totalitarismo cultural a que se alude más arriba[338].

El Episcopado advierte sobre el »grave peligro de un estatismo irrestricto y del consiguiente control de la educación por una burocracia política condicionada«. Insiste también en »la primacía moral y social de los derechos de la familia sobre la educación de los hijos«. Por último, dice: »*Es inadmisible que el Estado pretenda gobernar desde arriba, a la manera de un monopolio, la educación de los chilenos*«[339].

[337] Ibid., julio de 1973. (p. 41).
[338] Ibid.
[339] Ibid.

Alumnos Lesionados y Cuantiosos Daños.-

olento Enfrentamiento
urante "Retoma" de Lice

os del Liceo Ex-
lo, Juan Antonio
n Mapocho 3775, par las murallas y armados de palos lograron desalojar por la fuerza al grupo que mantenía bal Palma, contestó a la nota que le enviara la directiva de la FESES solicitando un debate ésta, copia de mi última declaración pública que da respuesta a su petición".

La mencionada declaración ex- de que ha sido o
ANIBAL PALM
Ministro de Educa

BATALLA CONTRA LA ENU

En otros ámbitos educacionales chilenos las cosas se precipitaron, hasta tal extremo, que toda la ciudadanía democrática salió a la palestra por resguardar el derecho de la Libertad de Educación, mientras Castillo Velasco vendía la libertad de la UC *a los marxistas.*

Con fecha 30 de octubre fue firmado el decreto de Democratización del Sistema Educacional Chileno. Las cartas estaban sobre la mesa: el Estado se haría cargo de la concientización de cada ciudadano, desde la cuna hasta la ancianidad, para transformarlo en un peón de la sociedad socialista (marxista-leninista).

Podría decirse que la ENU tuvo la virtud lapidaria de socavar al gobierno de Allende; más allá de los efectos nefastos del desabastecimiento, el mercado negro, el fantasma del hambre; más allá de la protesta de los transportistas, la rebelión de las mujeres, etc., la ENU dio el golpe definitivo.

La ENU despertó los más recónditos valores de la espiritualidad chilena, y el país, como un solo hombre, dijo un No rotundo a la pretensión de esclavizar las conciencias.

Capítulo XXI

¿QUE HACER?

Otra reunión masiva organizada por sacerdotes promarxistas: la Asamblea Anual de los »Cristianos por el Socialismo«. Fines de 1972. En las disertaciones se va llegando a lo que Hugo Assmann, jesuita brasileño, llamó »enloquecimiento de los lenguajes«. Hasta la Virgen María, según los sacerdotes de nuevo cuño, »se ubica muy bien en la lucha de clases«.

»Estimados Compañeros:

Quiero aprovechar la oportunidad de la celebración del Encuentro Anual de ustedes para destacar, como Presidente de la República y como chileno, la profunda significación que reviste la acción militante que ustedes realizan en procura de un porvenir mejor para nuestra Patria.

Construir el Socialismo es una tarea que compromete a todos los que deseamos para Chile una nueva vida, basada en una auténtica solidaridad y en la erradicación definitiva de los privilegios sociales y económicos. En otros pueblos, esta misión fue emprendida bajo la inspiración del Socialismo científico y, naturalmente, enemigos del verdadero progreso social cultivaron en la conciencia de muchos cristianos la necesidad de condenar tales procesos históricos.

Pero hoy, cada vez surgen más cristianos convencidos de que, si realmente quieren materializar la fraternidad predicada por Cristo, tienen en el Socialismo la oportunidad tan ansiada durante siglos...«[340].

En este tono altamente paternal se dirigió por carta Salvador Allende a los 140 sacerdotes, 60 religiosas, 20 pastores evangélicos y 130 laicos (350 personas en total) que celebraron, en Padre Hurtado, la Asamblea Nacional Anual de los »Cristianos por el Socialismo«. Fueron los días 24, 25 y 26 de noviembre de 1972. Cuatro documentos preparatorios se repartieron entre los asambleístas. En el cuarto documento, y a modo de botón de muestra, se lee:

»La Misa adquiere sentido cuando celebramos aquello que hizo el Se-

---

[340] »La Nación«, 26 de noviembre de 1972.

ñor: dar la vida por la liberación de todos; cuando estamos perdidos y sumergidos en el compromiso político para construir una sociedad Socialista«[341].

Comenzó el encuentro al darse lectura a la carta de Allende y realizarse un foro político a cargo de personeros de partidos de izquierda: Bosco Parra, IC; Mireya Baltra, PC; Hernán del Canto, PS; y Miguel Enríquez, MIR.

El padre *Martín Gárate* (anfitrión) declaró a los periodistas:

»*De ninguna manera somos un grupo rebelde dentro de la Iglesia; al contrario: somos respetuosos de la comunidad católica*«[342].

De paso, los congresistas condenaron »la campaña del Rosario contra el marxismo«[343].

Luego habló el padre *Gonzalo Arroyo* y motivó la discusión el padre *Pablo Richard,* diciendo: »Quisiera apuntar hacia un desarrollo que muestre la legitimidad y el significado que tiene el hecho de que cristianos se afirmen como cristianos en una militancia política de inspiración marxista-leninista«[344].

En seguida, los asambleístas pasaron a escuchar el tema propiamente tal, a cargo del aspirante al sacerdocio *Diego Irarrázaval.* Se llamaba (el tema): »¿Qué hacer? Los cristianos en el proceso socialista«.

»*La nueva teología* —comenzó diciendo Irarrázaval— *tiene un nuevo punto de partida: la experiencia del pueblo trabajador.* La base fundamental del pensamiento cristiano es la pregunta ¿qué hacer? No es algo »cristiano«, es la praxis revolucionaria, el quehacer del pueblo que lucha por alcanzar una liberación socialista«[345].

Un comentarista del diácono Irarrázaval, con toda razón, opina: »Para quien no está acostumbrado a semejante »capovolgimento«, quizás extrañe la insistencia de seguir hablando de teología«[346].

Pero los nuevos »teólogos« continuaban su camino sin pudor alguno. Irarrázaval afirmó: »La tarea revolucionaria... es el lugar del encuentro con Dios y en el pueblo que conquista su libertad se forma »el pueblo de Dios«.

»Tenemos (los Cristianos por el Socialismo) un poder de comunicación y movilización con respecto a los sectores populares cristianos, que a menudo no tienen los partidos de izquierda... Podemos ayudar a muchos cristianos a incorporarse en organizaciones y luchas de la clase trabajadora. Una vez incorporados en el proceso, pueden desarrollar mejores relaciones con las fuerzas y partidos de izquierda y llegar a militar en los partidos proletarios...

»*La Virgen María se ubica muy bien en la lucha de clases*«[347]. (A estas alturas del discurso, la revista »Tierra Nueva« recuerda que aquí estamos en pleno »enloquecimiento de los lenguajes«, como dice el jesuita brasileño *Hugo Assmann)*[348].

[341] »Tierra Nueva«, octubre de 1973. (p. 53).
[342] »El Siglo«, 28 de noviembre de 1972.
[343] Ibid.
[344] »Tierra Nueva«, octubre de 1973. (p. 53).
[345] Ibid., (p. 54).
[346] Ibid.
[347] Ibid.
[348] Ibid.

A Irarrázaval no le preocupan las sutilezas. Sigue adelante: »La evangelización es la acción del pueblo oprimido conquistando su libertad y abriendo la Historia hacia el futuro de Cristo ...

»Para llegar a Dios nos incorporamos en la lucha del pueblo oprimido ...

»Cristo encarnado en la lucha del pueblo exige de los cristianos vincular su conciencia subversiva con la práctica revolucionaria ... orientada hacia la toma del poder por parte del proletariado, en la lucha dirigida hacia la construcción de una sociedad socialista ...

»*El conflicto revolucionario que se da en el Chile de hoy es, por lo tanto, el lugar donde realizamos como cristianos una acción de gracias ... Las antiguas distinciones y separaciones entre católicos y evangélicos, entre laicos y pastores, son superadas, porque todos son militantes de la causa socialista ...*«[349].

Sólo un silencio pasmado puede responder a este derroche de incongruencias surgidas de la mente de un profesor de la Facultad de Teología de la Universidad Católica de Chile.

La así llamada »Comisión ideológica y teológica«, de esta Jornada Nacional 1972, preparó una »Síntesis del trabajo de las comisiones y de las líneas centrales« y concluyó entre muchas cosas que más vale pasar por alto:

»*El cristianismo es una profecía de la igualdad y el socialismo es la oportunidad histórica y material para realizarla*«[350].

Después de tanta claridad y, habiendo hallado por fin un asidero para realizar su vocación cristiana, los 140 sacerdotes, 80 monjas, 20 pastores evangélicos y 130 laicos participantes, seguramente salieron de aquella Jornada con el corazón en alto. Dispuestos a poner en práctica algunas recomendaciones »teológicas« para la campaña electoral de 1973.

La »Comisión de Comunicaciones y Formación Teológica« les dio ciertos slogans apropiados, entre los que cabe destacar el siguiente:

»Agitar a Camilo Torres como un nuevo modo de ser cristiano en América latina«[351].

»AGITAR A CAMILO TORRES«

Como en estas lides marxistas las consignas no son frases ornamentales sino órdenes para ejecutar, Camilo Torres tuvo, en febrero de 1973, un homenaje cual nunca había tenido en Chile.

En el Teatro Municipal, para conmemorar el séptimo aniversario de su »asesinato« (dice el diario gobiernista »La Nación«) se congregaron: el Secretariado Nacional de Cristianos por el Socialismo, la Izquierda Cristiana, los partidos Socialista, Comunista y Radical, el MAPU, el API, el MIR y la Unión Socialista Popular.

Relata »La Nación«: »En la parte artística actuaron los Ballets Folk-

---

[349] Ibid., (pp. 54-55).
[350] Ibid., (p. 55).
[351] Ibid.

lórico Nacional y Contemporáneo, el folklorista Fernando Ugarte y la triunfadora del último Festival de la Canción de Viña del Mar, Charito Cofré«[352].

En medio de tanto canto y tanto baile, surgió la voz tonante del ex presidente de la Juventud Demócrata Cristiana, dirigente de la Izquierda Cristiana *Luis Badilla*. Repitió la otra consigna:

»El pueblo sabe bien que la lucha no está planteada entre cristianos y marxistas, sino entre explotados y explotadores . . .«[353].

Luego afirmó: »Los verdaderos cristianos, los únicos cristianos, los revolucionarios, están siguiendo el ejemplo de Camilo. No ocuparemos minutos y minutos de oraciones vanas si la explotación sigue en cualquier rincón de la tierra«[354].

Después de tan »vibrante discurso« (siempre según »La Nación«), el Secretario General del Secretariado de Cristianos por el Socialismo, padre *Martín Gárate*, juró:

»Los cristianos ya no seremos más utilizados por las clases dominantes en desmedro de los oprimidos. Si somos verdaderos cristianos no permitiremos un minuto más la explotación allí donde nos encontremos trabajando con el pueblo«[355].

El acto terminó con una ceremonia litúrgica oficiada por dos sacerdotes integrantes de los »Cristianos por el Socialismo«[355a].

TEITELBOIM AL PÚLPITO

En la campaña electoral de 1973 todos ayudaron. »La Tercera de la Hora« dio tribuna a *Volodia Teitelboim* en su página de Redacción y así, con fecha 4 de febrero, a sólo un mes de una contienda política tan decisiva para el país, ese extraordinario personero del Partido Comunista derrochó toda su persuasión, toda su hipocresía, todo lo que pudo para lograr una homilía conciliatoria que, sin duda alguna, consiguió adeptos.

En ese tiempo en que los curas luchaban a brazo partido por parecer comunistas, ¿por qué no podía Volodia disfrazarse de cura?

»Gracias sean dadas por las adhesiones de personalidades y pueblo cristiano —comenzó Teitelboim— ¿Cómo un marxista, un hombre sin una concepción religiosa de la vida, puede merecer confianza política por parte de creyentes?

»Creemos que no existe ninguna incompatibilidad. Nosotros no hemos escrito en nuestro programa la absurda consigna de abolir la religión . . .

»En las creencias religiosas a menudo está implícita un ansia profunda de justicia, de bondad, de búsqueda de felicidad no sólo en el cielo sino también en la tierra.

»El cristianismo cree en el triunfo de los justos sobre los malvados. Pro-

---

[352] »La Nación«, 17 de febrero de 1973.
[353] Ibid.
[354] Ibid.
[355] Ibid.
[355a] Ibid.

clama que prefiere los pobres a los opulentos. El Sermón de la Montaña declara a los primeros bienaventurados. Al prometerles el reino de los cielos, se dirige a los oprimidos de la época. Agrega el anatema: »¡Ay de los ricos!«.

»En su evangelio, Lucas anuncia la bienaventuranza a aquellos que tienen hambre porque serán saciados. Es cierto que dentro de la Iglesia, a lo largo de su desarrollo histórico, esa primitiva esencia revolucionaria, ese contenido transparente, fue *volatilizado,* para inyectar en la fe una doctrina de resignación ante las injusticias del mundo . . .

»(Ahora) marxistas, cristianos, racionalistas, ateos, podemos converger en la necesidad de trabajar en conjunto por principios comunes . . .

»Gentes de partido o independientes, de filiación cristiana, saben que las esperanzas de liberación inscritas en el Evangelio pueden tener una traducción contemporánea concreta. Piensan tal vez muchos creyentes que el cielo se gana en la tierra, esforzándose por crear una sociedad que redima al prójimo de todas las opresiones. . . .

»El texto bíblico ya condenó a los que pusieron su existencia no al servicio de Dios ni del hombre sino de una enfermiza fiebre acumulativa de bienes, »tanto que no hay más lugar para los otros, y tenéis ocupada toda la tierra sólo para vosotros«, según recuerda un pasaje del primer Isaías . . .

»La tierra nos une. Chile nos congrega. El cambio nos acerca y nos lleva por la misma ruta. No discutimos el cielo. Pero para merecer el cielo de los creyentes hay que ser justo aquí abajo.

»El Hijo del Hombre no fue indiferente. Azotó y expulsó a los mercaderes del templo.

»¿Por qué no podrían los cristianos de hoy luchar mano a mano, junto con los marxistas, contra los mercaderes del mercado negro . . .?«[356].

---

[356] »La Tercera de la Hora«, 4 de febrero de 1973.

¿QUE HACER?

Agitar a Camilo Torres. Camilo Torres tuvo, en febrero de 1973, un homenaje cual nunca había tenido en Chile.

omenaje a Camilo Torres:

"NO USARAN EL CRISTIANISMO PARA EXPLOTAR AL PUEBLO"

"El pueblo sabe bien que la lucha no está planteada entre cristianos y marxistas, sino que entre explotados y explotadores".

Vibrante discurso del dirigente de la IC, Luis Badilla.

l Secretario Nacional de stianos por el Socialismo, la anización de Izquierda tiana, los Partidos Socialista, nunista, y Radical, el MAPU, PI, el MIR y la Unión Socialis- opular, rindieron un homenaje sacerdote guerrillero colom- o Camilo Torres Restrepo. ocasión de cumplirse el timo aniversario de su

LUIS BADILLA

A nombre de la Organización de Izquierda Cristiana hizo uso de la palabra el dirigente de esa colectividad, Luis Badilla, quien, al conmemorar el aniversario de la muerte de Camilo Torres, realizó un completo análisis de la actual situación política y económica por la que atraviesa el

implacable de los cristianos de todo el mundo Badilla explicó: "El pueblo hace ya mucho tiempo que desenmascaró a los farsantes que quieren engañarlo, el pueblo sabe bien que la lucha no está planteada entre cristianos y marxistas, sino que entre explotados y explotadores - No seguirán usando el nombre del cristianismo aquellos perversos que aún continúan preservando sus mezquinos intereses, no podrán seguir mintiéndoles al pueblo Los verdaderos cristianos continuó Badilla- los únicos cristianos, los revolucionarios están siguiendo el ejemplo de Camilo: no ocuparemos minutos y minutos de oraciones vanas si la explotación sigue, en cualquier rincón de la tierra"

MARTIN GARATE

partidos políticos de la oligarquía, Gárate manifestó, "Al obrero que vuelve agotado de su trabajo y encuentra que en su casa sus hijos no han tenido qué comer, a la mujer que sirve en casa de familias pudientes y no encuentra atención médica para sus desnutridos hijos, a ellos, a todos ellos, preguntémosle de la "democracia" o de la "libertad" que tanto manosean los que nos explotan - Preguntémosle si para ellos ha existido alguna vez la libertad, o si les ha servido de algo la democracia que ha permitido llenar en forma escandalosa los bolsillos de sus patrones"

Martín Gárate cerró el acto de homenaje a Camilo Torres reconociendo públicamente y en nombre de todos los cristianos, su culpabilidad por haber sido utilizados durante tanto tiempo

"Nuestro cristianismo debe ser para los hombres proletarios"

CARTAGENA, (Por Jorge Cabello, Enviado Especial).— "El cristianismo es una visión que sirve para la liberación de los pobres; así nació; fue la ideología de los esclavos; los esclavos del Siglo XX se llaman proletarios; nuestro cristianismo debe ser para los hombres proletarios", dijo Luis Badilla, presidente de la Juventud Demócrata Cristiana en su intervención de una hora y cuarenta minutos en el Consejo Nacional Ampliado del PDC.

El discurso del presidente de la JDC, en apretadas 25 carillas, expuso con rotunda claridad la posición de los sectores más avanzados de la Democracia Cristiana y, en los hechos, fue tajante respuesta a la primera parte de la cuenta de Narciso Irureta.

Luis Badilla había adelantado en la mañana que su intervención en el Consejo no agregaría muchas cosas nuevas, pero que en lo básico, replantearía lo ya dicho, "porque me parece que el Partido se ha radicali-

tado nuestro —inválido— a manos de las organizaciones ultraderechistas. El dirigente juvenil interrogó: "Yo te pregunto demócratacristiano" ¿te sientes interpretado por el cristianismo del señor Aranda o el cristianismo de los gorilas brasileños, o por el cristianismo de Elder Cámara, Juan XXIII, o Hernán Mery?

Luis Badilla entró a precisar. El cristianismo es una misión que sirve para la liberación de los pobres. Así nació. Fue la ideología de los esclavos. Los esclavos del siglo XX se llaman proletarios. Nuestro cristianismo debe ser para y por los pobres. Si sólo somos leales con el socialismo y el cristianismo. Si sólo sabemos diseñar una actitud, un modelo, una estrategia socialista y cristiana podremos entrar al otro problema: la lealtad al partido...

En medio de tanto canto y baile, surgió la voz tonante del ex presidente de la juventud democratacristiana, dirigente de la izquierda cristiana, Luis Badilla. Repitió la otra consigna:

»El pueblo sabe bien que la lucha no está planteada entre cristianos y marxistas, sino entre explotados y explotadores...«.

»Los verdaderos cristianos, los únicos cristianos, los revolucionarios están siguiendo el ejemplo de Camilo. No ocuparemos minutos y minutos de oraciones vanas si la explotación sigue en cualquier rincón de la tierra«.

Capítulo XXII

»HAY SILENCIOS CULPABLES«

Pasadas las elecciones parlamentarias de 1973, Chile ardía por sus cuatro costados. El caos social fue de tal magnitud que los Obispos chilenos dijeron: »Todos tenemos culpa y tenemos pecado. Pecamos por acción y mucho más por omisión. Hay cobardías. Hay silencios culpables«. Una vez más, sus palabras cayeron en el desierto.

En el mes de abril (1973), pese a que ya no había elecciones de por medio, los diarios y revistas de la Unidad Popular seguían con la monserga del diálogo cristiano-marxista. Todos al unísono, como se acostumbra en estos casos. Los »Cristianos por el Socialismo« mandaron una carta al »Compañero Director« de »Punto Final«. Fue publicada con fecha 10 de abril y en las últimas líneas decía:

»Creemos que la fuerza de Dios impulsa a los pobres. Creemos que la fuerza de Dios despierta el poder de los aplastados de la tierra. Sabemos que Dios y el pueblo triunfarán cuando no haya más explotadores ni explodos«[357].

»Al pueblo que ha nacido en medio de unas fonolas —decía un artículo en »Las Noticias de Ultima Hora« (19-4-73), también bajo epígrafe de Cristianos por el Socialismo—, al pueblo que ha nacido en medio de unas fonolas, unas tablas y cubierto por unas tiras que hacen de frazadas, les vienen a decir que no pueden ser marxistas y cristianos, que es »inminente el choque entre la Iglesia y el Gobierno« (alusión a reciente titular de la revista »Qué Pasa«)...

»Quieren quitarle a un pueblo, que tiene un profundo sentir religioso, la mejor herramienta que tiene para descubrir la causa de su miseria. Quieren crearle problemas de conciencia...

»No queremos decir con esto que el cristianismo y el marxismo sean una misma cosa. Sólo queremos mostrar que el cristianismo nunca puede ser un obstáculo para que los pobres salgan de su situación de miseria. Aquellos que po-

---

[357] »Punto Final«, 10 de abril de 1973.

nen al cristianismo como obstáculo a la lucha del pueblo por una sociedad justa, los que quieren despertar reacciones emocionales negativas en el pueblo, los que quieren crear problemas de conciencia en los pobres, no pueden ser otros que los ricos o sus representantes. A ellos sí no les conviene que los pobres descubran la raíz de sus males«[358].

Otro artículo, siempre en »Las Noticias de Ultima Hora« (27-4-73) y siempre bajo Cristianos por el Socialismo, lanza una vez más la llorona arenga que, de tanto repetirse, debía tener hastiados a sus destinatarios:

»Los cristianos que buscamos la liberación de los pobres y tenemos la experiencia de la lucha que el pueblo ha estado dando, tampoco nos podemos dejar arrastrar. En nuestro deber mostrar a nuestros compañeros y compañeras, evangélicos y católicos, que el uso de la religión que quiere hacer la derecha, va contra la liberación del pueblo y, por lo tanto, contra la liberación que Cristo predicó«[359].

»TODOS TENEMOS PECADO«

En el mes de junio, la Jerarquía habló duro y golpeado. Sus palabras fueron como el tablón que, en medio de la tormenta y del naufragio, constituye la última esperanza del hombre abandonado, del hombre sin fe, del hombre confuso, del hombre que —frente a su Dios y sus creencias— ya no sabe dónde va.

La Unidad Popular se caía a pedazos. Dos meses después ya no estaría más. La voz de los Obispos fue sincera y, a ratos, resonó como un Réquiem:

»*Todos tenemos culpa y tenemos pecado. Pecamos por acción y mucho más por omisión. Hay cobardías. Hay silencios culpables*«[360].

Esta palabra empalmaba exactamente con la otra palabra episcopal, pronunciada casi cinco años atrás: »No tenemos derecho a callar« (declaración de la Conferencia Episcopal. La Florida, 4 de octubre de 1968)[361].

Si en el lapso intermedio hubo »silencios culpables«, conviene achacarlos a la naturaleza humana.

Los Obispos, en junio de 1973, también decían: »Hay cambios que toman una dirección equivocada cuando son inspirados por concepciones materialistas...

»*Estamos preocupados por la marcha del país, por el desarrollo de los acontecimientos. Nos duele ver las largas colas de chilenos —los millones de horas que pierden cada semana— sufriendo la humillación de vivir en esas condiciones. Parece un país azotado por la guerra*«[362].

---

[358] »Las Noticias de Ultima Hora«, 19 de abril de 1973.
[359] Ibid., 27 de abril de 1973.
[360] »Documentos del Episcopado«. Chile 1970-1973. Monseñor Carlos Oviedo Cavada. Ediciones Mundo. Santiago, 1974. 239 pp. (p. 167).
[361] »El Diario Ilustrado«, 5 de octubre de 1968.
[362] »Documentos del Episcopado«. Chile 1970-1973. Monseñor Carlos Oviedo Cavada. Ediciones Mundo. Santiago, 1974. 239 pp. (p. 165).

Capítulo XXIII

SE ACABO LA AMBIGÜEDAD

El pronunciamiento militar del 11 de septiembre de 1973 terminó con el »enlo-quecimiento de los lenguajes«. Los »Cristianos por el Socialismo« desaparecieron aparentemente de la escena nacional. En una pastoral publicada en octubre, los Obispos emitieron su primera condenación oficial de dicho movimiento. Después, sobrevino un silencio que muchos cristianos interpretaron como el acatamiento de los sacerdotes rebeldes a las directivas episcopales y al orden impuesto en Chile por la Junta de Gobierno.

Gracias a Dios llegó el pronunciamiento militar. La inmensa masa de católicos, el sufrido pueblo de Dios, pecador, penitente, simple de alma, consecuente con su fe... ese pueblo esperaba una clarificación en las ideas. Y le vino, porque Dios es »clemente, rico en misericordia«[363].

Ahora las funciones están bien delimitadas: »Al César lo que es del César y a Dios lo que es de Dios«[364], y la Iglesia vuelve a ser foco de Caridad; recupera su oportunidad de *servir,* como sirvió su Fundador, Jesucristo, y como sirve el Siervo de los Siervos de Dios que es el Papa. La Iglesia que, al igual que Jesús, vino para servir y no para ser servida, olvida cualquiera tentación de poder que pudiese haber pasado por el alma de sus miembros y, »sin mancha ni arruga«, sigue su camino de pobreza verdadera. De pobreza que no es política; de pobreza que es Amor, Paz y desprendimiento.

Al menos así lo entendía la Conferencia Episcopal cuando, con fecha 16 de octubre de 1973, por boca de su Secretario General, Monseñor Carlos Oviedo, decía: »La finalidad de este documento es clarificar y *terminar* ambigüedades respecto de la misión de la Iglesia«[365].

---

[363] Joel 2, 13.

[364] Mt. 22, 21.

[365] »Cristianismo y política«. Hablan los Obispos chilenos. Publicación del documento doctrinal titulado »Fe cristiana y actuación política«. Conferencia Episcopal de Chile. Santiago, agosto de 1973. Publicación hecha el 16 de octubre de 1973. Editora Nacional Gabriela Mistral. 62 pp. (p. 6).

El documento en cuestión se llama »Fe cristiana y actuación política«, y tiene su paternidad remota en Punta de Tralca, en abril del último año de la Unidad Popular. Los Obispos, entonces, dictaminaron: »No puede un sacerdote y/o religioso (a) pertenecer a ese Movimiento« (Cristianos por el Socialismo)[366]. La dura prueba del marxismo en el poder había logrado dar a luz una definición.

Esta condenación fue diferida a lo largo de seis meses, por motivos de orden doctrinal, de prolija ponderación, etc. En el intertanto sobrevino el pronunciamiento militar.

Los Obispos dijeron: »Particularmente queremos referirnos al movimiento llamado »Cristianos por el Socialismo« y también a los demás cristianos que, en forma consciente o inconsciente, utilizan la Iglesia y el Evangelio para defender sus propias opiniones e intereses políticos . . . (2)[367].

»El grupo arriba mencionado, reunido bajo el nombre cristiano, y dirigido por sacerdotes, asume posiciones tan definidas políticamente, que ya no se distingue de los partidos políticos o de las corrientes análogas de opinión y acción . . .

»Además, este grupo erige su programa de acción en norma cristiana, como el programa que la propia Iglesia debería asumir si quiere permanecer fiel a su misión, con la consiguiente descalificación de los cristianos que no piensan como ellos o que sostienen opciones contrarias. . .« (3)[368].

En el capítulo correspondiente a la »Misión de los laicos y misión de la Iglesia«, los pastores, basados en una enseñanza eclesial que se ha tratado de camuflar en los últimos tiempos, esclarecen:

»*Algunos confunden la misión temporal de los laicos, que es justamente la de ordenar según el espíritu evangélico las cosas temporales, con la misión universal y sobrenatural de la Iglesia misma y de su Jerarquía, que no consiste en resolver cuestiones económicas, sociales, jurídicas, etc., sino en santificar, enseñar y regir, suministrando a los fieles aquellas energías renovadoras de la gracia que ellos (los fieles) proyectarán en su tarea ciudadana, por su cuenta y riesgo, con la libertad y la responsabilidad personal que corresponde a los laicos*« (10)[369].

»Pedimos, pues, que a propósito de los asuntos temporales, se haga siempre esta elemental distinción . . .« (11)[370].

Claridades así son tan valiosas que sólo cabe lamentar no haber podido leerlas o escucharlas durante la época de mayor atolondramiento que vivió nuestro país.

Luego los Obispos se confiesan sorprendidos ante el afán manifestado por los »Cristianos por el Socialismo« y otros, de permanecer en comunión con una Jerarquía hacia la cual demuestran menosprecio, crítica y enjuiciamiento. Los miembros del Episcopado coligen:

[366] Ibid., (p. 5).
[367] Ibíd., (p. 8).
[368] Ibid., (pp. 8-9).
[369] Ibid., (p. 11).
[370] Ibid., (pp. 11-12).

»No es difícil adivinar la inspiración que está detrás de esos juicios: es el método marxista-leninista . . .« (22)[371].

El método marxista-leninista que se quiere infiltrado, enquistado en el corazón de la Iglesia y lo va logrando con éxito.

». . . si el presupuesto latente en ese método es la reducción de toda realidad religiosa a las condiciones de la infraestructura, *su tendencia es el ateísmo,* cuya sombra no podemos dejar de entrever en los mencionados análisis (de los »Cristianos por el Socialismo« y otros), aún oculta tras las categorías del llamado »cristianismo post-religioso« y del »compromiso cristiano de liberación« cada vez más temporal y aun material al que se quiere reducir la fe católica, el dogma y la moral de la Iglesia . . . (24)[372].

»Ningún cristiano podría ya reconocer a su Madre la Iglesia en ese análisis. *Nos resulta muy triste que tantos hijos educados en la fe de la Iglesia, por la aplicación inconsiderada de falaces razones ideológicas, deformen a sus propios ojos y a los ojos del mundo la imagen de su Madre, y terminen por repudiarla bajo la especie de amarla mejor, acusándola de prostituirse ante los ídolos del tiempo.*

»No advierten que ellos mismos están hinchados de falsa ciencia y postrados ante nuevos dioses que no salvan. Nadie tiene derecho a seguir llamándose cristiano con honestidad, si hasta tal punto ha llegado a desvirtuar su propia fe« (27)[373].

Duro lenguaje —porque clarísimo lenguaje—, que tanta falta hizo durante los terribles años de la Unidad Popular, cuando a veces los fieles se creían »ovejas sin pastor«. Uno se pregunta qué habría sucedido de aparecer este Documento antes del pronunciamiento militar. A qué saludables rompimientos habría llevado entre la Iglesia y el Gobierno de Allende, a causa de los compañeros de ruta que este último tenía con profusión en las filas de la Iglesia.

Se confirmaban recién los temores del jesuita Arroyo en su libro »Golpe de Estado en Chile«:

»No hubo jamás ruptura (entre la Jerarquía y los »Cristianos por el Socialismo«) . . . una condena oficial de la Jerarquía habría paralizado toda acción de la izquierda cristiana . . . Sin embargo, *una condena de parte de los Obispos aún puede producirse*«[374].

El Documento »Fe cristiana y actuación política« abunda mucho en razones antes de llegar a esa condenación:

»Nos parece repudiable todo »clericalismo«, es decir, la dominación clerical del mundo o la tutela eclesiástica sobre las instituciones temporales. Pero, por esto mismo, vemos con inquietud el surgimiento de nuevas formas actuales de ese mal, que se generan cuando se pretende disolver a la Iglesia dentro de las causas, corrientes o partidos civiles, haciendo de Ella una simple energía del progreso temporal, como se dice, un mero fermento liberador en las luchas de clase o en la construcción de un mundo mejor.

---

[371] Ibíd., (p. 18).
[372] Ibíd., (p. 19).
[373] Ibíd., (p. 20).
[374] »Coup d'Etat au Chili«. Gonzalo Arroyo. Les Editions du Cerf. Paris, 1974. 102 pp. (p. 67).

»Porque *ambas formas de clericalismo —el antiguo y el nuevo— terminan por parecerse; siempre se trata de eclesiásticos que quieren dirigir la política, sólo que ha cambiado el sentido de esa política* (36)[375].

»La verdadera influencia de la Iglesia en la sociedad es muy distinta. Cuando la Iglesia interviene oficialmente en los problemas del mundo, ella se dirige a iluminar las mentes, a mover las voluntades, a encender los corazones humanos, y esto en relación a los grandes valores y metas morales de la convivencia social, valores y metas que están dentro de la perspectiva del Evangelio, incluso cuando se refieren a problemas singulares y a hechos transitorios.

»Si el Papa o los Obispos habláramos sobre estas materias en términos de *intereses o de poder temporal, o incluso en términos desinteresados pero contingentes, opinables, condicionando las opiniones de los fieles desde un simple parecer nuestro, no esencialmente ligado al Evangelio, estaríamos traicionando nuestro carisma y nuestra función* (38)«[376].

Este punto, ubicado bajo el subtítulo de »La Iglesia no es neutral en la lucha por la justicia«, reviste un gran interés para el examen de conciencia. Nadie puede negar que hay tendencia a la »traición de carismas y funciones« en vastos sectores clericales. En Chile sucedió con especial furor durante la Unidad Popular y aun hoy sucede, amparándose los hechores en la condescendencia y respeto que las autoridades actuales manifiestan hacia los personeros de la Iglesia; aun hoy existe gente que traiciona cada vez que puede su »carisma y su función«, con el escándalo consiguiente que va horadando el corazón del pueblo cristiano.

»...se sugiere que, para llegar a realizar un día su tarea propia, la Iglesia debería antes impulsar el establecimiento de un orden social determinado, el socialismo« (44)[377], denuncian los Obispos, para luego entregar otra invalorable aclaración:

»Existen verdaderas y falsas liberaciones. *La liberación cristiana brota de la Resurrección de Cristo, no de luchas o procesos sociales o decisiones humanas...*» (46)[378].

»Nos extraña la curiosa interpretación del Evangelio que nos proponen estos »Cristianos por el Socialismo«. Para ellos el mensaje evangélico no sería en primer término ético-religioso, y por ello mismo social; más bien, a la inversa, las realidades sobrenaturales del Evangelio —el Reino, la caridad, los sacramentos— se les aparecen como signos y figuras de realidades temporales, regímenes, clases, estructuras en las que vendría a cumplirse la intención y la palabra de Jesús.

»Para tal cumplimiento ha habido que esperar, después de diecinueve siglos, la llegada de una »ciencia« mediadora —el método marxista— que nos enseñara cómo las estructuras transforman el corazón humano y no vice-

[375] »Cristianismo y Política«. Hablan los Obispos chilenos. Publicación del documento doctrinal titulado »Fe cristiana y actuación política«. Conferencia Episcopal de Chile. Santiago, agosto de 1973. Publicación hecha el 16 de octubre de 1973. Editora Nacional Gabriela Mistral. 62 pp. (p. 24).
[376] Ibid., (p. 25).
[377] Ibid., (p. 28).
[378] Ibid., (p. 29).

versa. Lo cual llevaría a su vez a una cabal interpretación de los Evangelios, que nos revelaría su sentido más profundo y original: la liberación-revolución.

»Nosotros afirmamos que esta presunta exégesis no es sino una inversión de la obra y la palabra de Jesús, de sus parábolas y sus milagros, de su vida, muerte y resurrección, misterios todos que han sido y serán siempre entendidos por la Iglesia en su sentido original y esencial, el mismo que entendieron los Apóstoles y el que recibimos por tradición apostólica, sin la mediación de ninguna »ciencia« que, bajo el pretexto de hacer más luz sobre los Evangelios, termine por distorsionar y aun invertir su sentido propio (49)[379].

»Si Cristo hubiera pretendido esa especie de simbolismo inverso en su mensaje —pueblos que significan clases, virtudes que significan sistemas o regímenes, bienaventuranzas que significan estructuras, conversiones que significan revoluciones, sacramentos que significan partidos o grupos sociales—, nos lo habría hecho saber; no habría dejado que nos engañáramos hasta la llegada de la economía política y la sociología decimonónica...(50)[380].

»*Cristo no la fundó (a la Iglesia) para ser comparsa de nadie (71)*«[381].

»A lo largo de todo su análisis (los Cristianos por el Socialismo), parten de la base infundada de que marxismo y cristianismo son comparables y aun convergentes. Nosotros, *al afirmar la incompatibilidad de ambas doctrinas, no estamos haciendo política ni ideología, sino sólo un elemental juicio moral y religioso*, que el Magisterio de la Iglesia, por lo demás, ha fundamentado en múltiples ocasiones. *Nos duele, por eso, que quienes no oyen las advertencias de este Magisterio se empeñen, con daño de sus almas y confusión de los fieles, en la imposible tarea de ajustar al materialismo dialéctico e histórico el sentido sobrenatural y divino de la existencia. . .* (73)[382].

»Cuando la revolución social se identifica con una manifestación del Reino de Dios, y se confiere al proletariado industrial el carácter de pueblo mesiánico —duplicando el mesianismo temporal latente ya en la visión marxista del proletariado—, y a través del concepto de »liberación«, se diluye la salvación del Calvario en un eventual advenimiento socialista, resulta inevitable que el grupo promotor de esa síntesis termine »sacralizando« de algún modo su propia causa y dándole un carácter de Iglesia dentro de la Iglesia o, más aun, de »verdadera Iglesia« —de secta— al margen de los vínculos jerárquicos de la comunidad eclesial . . .« (75)[383].

El cisma que los »Cristianos por el Socialismo« y tantos otros se negaban a provocar, para seguir enquistados dentro de la Iglesia Católica (una, santa, católica, apostólica y romana), se produjo al fin gracias al anatema episcopal. Por desgracia, muchos de los miembros de la nueva »secta« ya se hallaban fuera del país en ese entonces. Pero más de alguno quedó en Chile. Este »alguno«, ¿seguirá pensando y predicando como antes? ¿Le habrá mellado su

---

[379] Ibid., (p. 30).
[380] Ibid., (pp. 30-31).
[381] Ibid., (p. 41).
[382] Ibid., (p. 42).
[383] Ibid., (pp. 43-44).

conciencia la condena de los Obispos? ¿Habrá logrado elegir entre marxismo y cristianismo?

»*Si ese grupo pretende ser un frente de penetración en la Iglesia* —continuó el Episcopado—, *para convertirla desde su interior en una fuerza política y anexarla a un determinado programa de revolución social, es necesario que lo diga leal y claramente, y deje entonces de considerarse un grupo eclesial;* sería más recto, en ese caso, tomar el nombre de un grupo político, sumarse al partido o corriente que estima más oportuno y renunciar a las ventajas de orden práctico o propagandístico que obtienen sus dirigentes por su condición de sacerdotes católicos.

»*La ambigüedad ya no puede continuar,* porque es perjudicial a la Iglesia y *produce desorientación en muchos fieles,* además de ser en sí misma un abuso del sacerdocio y de la fe. La Iglesia de Cristo no soporta ese daño.

»Por lo tanto, y en vista de los antecedentes que hemos señalado, *prohibimos a sacerdotes y religiosos (as) que formen parte de esa organización, y también que realicen —en la forma que sea, institucional, o personal, organizada o espontánea— el tipo de acción que hemos denunciado en este documento*« (8o)[384].

Con tan rotunda prohibición y las muchas verdades a que dio pie, los obispos no concluyen, ni mucho menos, el documento aparecido después del 11 de septiembre de 1973. Sin embargo, sería demasiado largo explayarse en el resto de »Fe cristiana y actuación política«, pese a su importancia. En resumen, se habla de la desvinculación absoluta de la Iglesia con respecto a otras doctrinas políticas, aún de inspiración cristiana; del cuidado sumo que todo católico debe poner en su actuación pública porque, dada su condición de creyente, corre el riesgo de desfigurar el rostro de la Iglesia con los errores en que incurra; se habla de la Caridad para con los más desvalidos. Hay un párrafo (82) que conviene poner de relieve, pues alude a las relaciones eclesiásticas con la Junta de Gobierno:

»(Se) intenta presentar a la Iglesia como una fuerza de la oposición, en conflicto con el gobierno actual o con las corrientes que lo sustentan. Esa actitud es por lo general más sutil o difusa, pero también atenta contra la verdadera misión de la Iglesia, y también produce, de hecho, divisiones en el seno de la comunidad cristiana, y un legítimo malestar entre quienes resultan perjudicados por ella«[385].

LA RECONCILIACIÓN Y LAS CRÍTICAS

»...hace pensar, especialmente en el extranjero, que los autores de la Declaración viven distanciados de la Junta y como si tuvieran miedo de que alguien fuera a pensar que hablan con el Gobierno«[386].

Esta opinión mereció al padre Silvio Schrijver (franciscano belga de larga trayectoira pastoral en Chile) el documento que los Obispos chilenos emitieran en abril de 1974, con motivo del inicio del Año Santo.

[384] Ibid., (p. 46).
[385] Ibid., (p. 47).
[386] »Qué Pasa«, 31 de mayo de 1974.

204

»Este documento —continúa Schrijver— habrá destruido, en los pocos minutos que demanda su lectura, la pequeña rectificación que se estaba obteniendo de la desastrosa imagen de Chile que se ha formado en el extranjero después de los acontecimientos del 11 de septiembre«. (Revista »Qué Pasa« 31-5-1974)[387].

La Declaración episcopal se titula »La reconciliación de Chile« y, en algunos acápites, dice:

»No dudamos de la recta intención ni de la buena voluntad de nuestros gobernantes. Pero, como pastores, vemos obstáculos objetivos para la reconciliación entre chilenos. Tales situaciones sólo se podrán superar por el respeto irrestricto de los derechos humanos formulados por las Naciones Unidas. . .

»Nos preocupa, en primer lugar, un clima de inseguridad y de temor, cuya raíz creemos encontrarla en las delaciones, en los falsos rumores, y en la falta de participación y de información.

»Nos preocupa también las dimensiones sociales de la situación económica actual, entre las cuales se podrían señalar el aumento de la cesantía y los depidos arbitrarios o por razones ideológicas. Tememos que por acelerar el desarrollo económico, se esté estructurando la economía en forma tal que los asalariados deban cargar con una cuota excesiva de sacrificio, sin tener el grado de participación deseable. . .«[388].

[387] Ibid.
[388] Ibid.

Capítulo XXIV

EL »COSTO SOCIAL«

Muy pronto empezaron las críticas. Valiéndose una vez más de los pobres, que para todo sirven, los revolucionarios esgrimen la bandera del »costo social« (vocablo allendista) que cobra el programa económico de la Junta, mediante el cual se intenta la reconstrucción del país. La revista jesuita »Mensaje« lleva la bandera de una crítica implacable que, siempre, se hace pasar por »constructiva«. En ningún momento dicha revista es censurada por las autoridades.

Un cable de la agencia France Presse, fechado 16 de septiembre de 1974, en Roma, dice a la letra:

»La Iglesia chilena mantiene »buenas« relaciones con el Presidente Augusto Pinochet, »menos buenas« con su gobierno y »francamente malas« con algunos miembros del mismo. Así lo declaró el Obispo de Copiapó, Carlos Camus Larenas, Secretario de la Conferencia Episcopal chilena, en una entrevista que le publicó el semanario milanés »Panorama«.

»Monseñor Camus admitió que los militares chilenos »no estuvieron muy contentos« cuando la Jerarquía eclesiástica se negó a que se oficiaran misas el día del aniversario del golpe del 11 de septiembre. »Pero pusieron al mal tiempo buena cara«, añadió.

»Comentando la negativa del Presidente Pinochet a la demanda del Cardenal Silva Henríquez, Arzobispo de Santiago, de poner en libertad a los presos políticos y volver a juzgar por tribunales civiles a los ya condenados por tribunales militares, el prelado se resistió a decir que haya ruptura entre la Iglesia y el Estado chileno. »La situación es más compleja, dijo. Naturalmente nos sorprendió la respuesta del Presidente, sobre todo porque, cuando el Cardenal le previno de su gestión, su contestación no fue tan negativa. Al contrario, después de la entrevista, Pinochet invitó a almorzar a Monseñor Silva Henríquez. Me parece que la posterior y categórica actitud no es tanto del Presidente como de su gobierno. En general, nuestras relaciones con Pinochet son buenas, pero las que mantenemos con su gobierno son menos buenas y, en ocasiones, francamente malas«.

»En el gobierno hay fuerzas que no nos miran con buenos ojos«, prosiguió el Obispo de Copiapó. »Pero también tenemos buenos interlocutores, como el propio Pinochet o el Ministro de Defensa, general Bonilla«[389].

La franqueza proverbial de Monseñor Camus resulta singular ayuda para conocer el pensamiento de algunos personeros de la Iglesia sobre la Junta de Gobierno.

Monseñor Camus, en entrevista concedida a »La Segunda« y publicada el 18 de abril de 1975, refiriéndose al Estatuto Social de la Empresa, recientemente promulgado por el Gobierno, declaró: »Yo creo que hay buena intención. Pero hay fallas muy graves«[390].

Sobre la Economía de Mercado, el Obispo enjuició: »Yo creo que los técnicos que la defienden están bien inspirados, pero a lo mejor no han tomado bastante conciencia de las consecuencias morales que trae«[391].

El problema económico es, quizás, aquel que más distancia a la Junta de Gobierno de ciertos personeros de la Iglesia Católica. Por el »costo social« tan alto que acarrea (para emplear una terminología que puso de moda Salvador Allende).

»MENSAJE« EN LA OPOSICIÓN

En esta línea de crítica, que prueba fehacientemente hasta qué punto se respeta la libertad de expresión en el país, se ha embarcado con fervor la publicación oficial de los jesuitas —»Mensaje«—, cuya supervivencia después del pronunciamiento militar es más robusta que nunca. Interesa, a este respecto, extractar el editorial correspondiente al mes de septiembre de 1975, con el cual los jesuitas, bajo la dirección responsable del padre *Sergio Zañartu*, celebraron los »Dos años de Gobierno«, difundiendo sus ideas desde todos los quioscos de Chile que quisieran vender la revista:

»La inflación ha seguido golpeándonos con persistencia y las medidas adoptadas para conjurar esa catástrofe han provocado la recesión con todas sus secuelas, que ponen seriamente en tela de juicio la legitimidad moral de soluciones que crean tanto quebranto...

»Pero el rígido esquema liberal que se ha empleado para hacer frente a la emergencia, ¿no ha significado una cruz demasiado pesada para los grupos de menores ingresos y en variada medida para la gran mayoría de los chilenos? ¿No se ha acentuado así de modo odioso la diferencia entre los grupos sociales? Esta »vía de solución« tan poco nacional y autóctona, tan hecha desde fuera, ¿ha demostrado la eficacia y la celeridad que sus promotores le auguraban?...

»El precio que está pagando Chile es bastante caro. La cesantía ha alcanzado niveles nunca vistos desde la gran crisis de los años treinta. Y con la cesantía ha llegado la desnutrición, la inseguridad, y la angustia a miles de hogares. Miles de compatriotas han debido partir abandonando sus hogares, su lengua y sus tradiciones para buscar en tierra ajena el pan de sus hijos...

[389] Copia mecanografiada del cable de la Agencia France Presse.
[390] »La Segunda«, 18 de abril de 1975.
[391] Ibid.

207

»En el plano político, después de dos años, el país no logra aun reencontrar los cauces para una sana convivencia... El receso político no ha sido creativo para ir elaborando el ámbito que permita la vuelta a la vida sanamente democrática.

»Las estructuras de participación tan laboriosamente gestadas por la nación se desplomaron en gran medida y no se ha logrado encontrar el camino adecuado para crear ese consenso mínimo que constituye la osamenta de una nación.

»Toda divergencia de opinión suele ser mal vista por algunos, perseguida y fácilmente tildada de destructiva o antipatriótica. Se incrementa así el rencor, la frustración y la clandestinidad. Desgraciadamente se margina de este modo a centenares de personas que con sus propios puntos de vista hubiesen podido colaborar en una auténtica reconciliación y reconstrucción, retomando las diferentes facetas que constituyen a Chile.

»La falta de estructuras de participación y la prolongada falta de canales legales para expresar la divergencia —y lograr que se convierta en convergencia— exacerban los sistemas de control y hacen necesarios los servicios de inteligencia omnipresentes con el terrible riesgo de convertir al Estado fuerte en Estado policial... Y la experiencia histórica enseña que de ahí no se sale sin antes haber derramado muchas, demasiadas lágrimas. Los servicios de inteligencia hipertrofiados minan la confianza de un pueblo y son radicalmente destructivos de toda sana convivencia nacional...

»La prolongación del estado de sitio ha hecho que la Corte Suprema quede marginada en los casos más conflictivos que han servido para crear una mala imagen en el exterior...

»...en la práctica se ha ligado durante estos dos años las manos al Tribunal Supremo de Justicia...

»En primer lugar (se debe criticar) el liberalismo económico, dogmático y trasnochado que, desconociendo nuestra historia, nuestro modo de ser y nuestra real situación, quiere privilegiar sin contrapeso alguno la libre competencia, el individualismo, el primado absoluto de lo económico y el incontrolado afán de lucro.

»Las grandes víctimas de un desarrollo construido sobre este esquema serán los trabajadores que verán su trabajo humano convertido en vulgar mercancía.

»Difícilmente el esquema capitalista liberal podría conciliarse con el deseo expresado por la Junta en su primer bando donde se asegura a los obreros que sus derechos adquiridos serán respetados...

»Con inconsciencia increíble los nacionalismos pretenden borrar por decreto largos trozos de historia, prescindir de la vida real, de las esperanzas y alegrías, de las penas y luchas que han ido dejando una huella imborrable en un pueblo...

»Al releer los editoriales de »Mensaje« escritos en el último año de la Unidad Popular, cuando la convivencia nacional se encrespaba y amenazaba con una ruptura sangrienta, aparece el diálogo como un tema de fondo. En un momento en que los grupos se armaban y levantaban sus trincheras, nuestra revista se unía a la voz de los que pedían la cordura y la concordia. Propiciábamos entonces el diálogo leal y patriótico entre las auténticas fuerzas democráticas. Y en ese diálogo nos parecía que las Fuerzas Armadas debían jugar un papel fundamental. . .

»Este prestigio (las FF. AA.) lo habían logrado en los últimos decenios a costa de no pequeños sacrificios, incluida la muerte de un general en jefe (Schneider). . .

»Nos parecería delicado y grave para el futuro de la patria si este prestigio se perdiera definitivamente. Estimamos esencial para construir el porvenir dentro de los marcos más característicos de la nación chilena que los militares no se aten las manos ni a esquemas económicos ni a grupos que representan pequeñas minorías. Y esto no sólo en la proclamación de los principios sino también en la elección de los colaboradores y de las políticas generales a seguir. . .

»El riesgo ha sido grande de acentuar fuertemente todo lo que se opone al régimen anterior cayendo en un extremo del espectro político por evitar el extremo opuesto. Muchos colaboradores civiles tienen opciones demasiado reconocidas como para no teñir con su sola presencia la imagen del Gobierno. El pretendido »apoliticismo« de algunos de esos colaboradores no es sino un mascarón de proa que oculta tendencias políticas muy determinadas y que, como debe reconocerse, no representan a las grandes mayorías de la nación.

»Tuvimos esperanzas, y las renovamos, al leer en el segundo punto del bando cinco que citábamos más arriba, que todos los chilenos serían invitados a la mesa de Chile. . .

»Que la experiencia de dos años permita corregir los errores. . .«[392].

Quienes leyeron este editorial jesuítico, no pudieron menos de sospechar que algunos sectores del clero, bastante fuertes y con alta voz, hacen realidad una oposición que la Jerarquía rechazó diciendo: »Pero, aunque no cobre forma programática (como los »Cristianos por el Socialismo« y otros), también nos duele profundamente la utilización práctica que estos sectores hacen de la Iglesia y la confusión que ella crea en muchos fieles. Tal utilización intenta presentar a la Iglesia como una fuerza de la oposición, en conflicto con el gobierno actual o con las corrientes políticas que lo sustentan. . .«[393].

Se ve que, aun hoy día, la Jerarquía predica un tanto en el desierto, mientras ciertos clérigos se dedican a una virulenta oposición, amparados en un supuesto pasaporte de impunidad que pareciera conferirles su situación clerical.

Como decía »El Mercurio«, con fecha 12 de octubre de 1975, comentando las últimas declaraciones de Monseñor Camus Larenas, »todo el país respeta la autoridad y la autonomía de la Iglesia Católica, pero cuando sus personeros atentan contra el orden civil, hay derecho a esperar que las mismas autoridades eclesiásticas adopten las medidas apropiadas y oportunas, en

[392] »Mensaje«, septiembre de 1975.
[393] »Cristianismo y Política«. Hablan los Obispos chilenos. Publicación del documento doctrinal titulado »Fe cristiana y actuación política«. Conferencia Episcopal de Chile. Santiago, agosto de 1973. Publicación hecha en octubre de 1973. Editora Nacional Gabriela Mistral. 62 pp. (p. 47).

términos tales que se conozcan públicamente y que la ciudadanía comprenda que *el ejercicio del poder espiritual no es sinónimo de impunidad*«[394].

Los editoriales de »Mensaje«, evidentemente, hacen caso omiso de las directivas del Episcopado nacional en »Cristianismo y Política«: »la misión universal y sobrenatural de la Iglesia misma y de su Jerarquía, no consiste en resolver cuestiones económicas, sociales, jurídicas, etc., sino en santificar, enseñar y regir, suministrando a los fieles aquellas energías renovadoras de la gracia que ellos proyectarán en su tarea ciudadana, por su cuenta y riesgo, con la libertad y responsabilidad personal que corresponde a los laicos«[395].

[394] »El Mercurio«, 12 de octubre de 1975. La Semana Política.

[395] »Cristianismo y Política«. Hablan los Obispos chilenos. Publicación del documento doctrinal titulado »Fe cristiana y actuación política«. Conferencia Episcopal de Chile. Santiago, agosto de 1973. Publicación hecha en octubre de 1973. Editora Nacional Gabriela Mistral. 62 pp. (p. 11).

Capítulo XXV

ECLESIASTICOS Y GUERRILLEROS

La muerte del jefe máximo del MIR, *Miguel Enríquez, la confesión de cuatro miristas que denuncian a dos sacerdotes como miembros de sus filas, y otros signos del contubernio mirista eclesiástico, muestra un informe episcopal presentado al Sínodo de Obispos en Roma. Consigna que la »preocupación dominante (de la Conferencia Episcopal de Chile durante la Unidad Popular) fue el diálogo para no romper con los sacerdotes socialistas. . .«.*

En el intertanto murió Miguel Enríquez, jefe supremo del Movimiento de Izquierda Revolucionaria (MIR). Murió en su ley cuando, el 5 de octubre de 1974, se enfrentó a tiros con la policía que descubriera su refugio de la calle Santa Fe 728 (Población »Francisco de Miranda«).

Junto a Miguel Enríquez cayó herida *Carmen Castillo Echeverría*, hija del ex Rector de la Universidad Católica de Chile, *Fernando Castillo Velasco*, y esposa de *Andrés Pascal Allende*, segundo jefe del MIR.

Apenas sanó de sus heridas, Carmen Castillo fue enviada al exilio y se dedicó de lleno a incrementar y, en ciertos momentos, a dirigir la campaña internacional contra Chile.

Entre la documentación incautada a Enríquez, apareció Monseñor Carlos Camus tildado de »emisario del MIR«.

Como es natural, Monseñor Camus desmintió inmediatamente estos infundios, según consta en la revista »Qué Pasa« (17-10-1974). Dice ahí que todo el malentendido se debe a que »por razones humanitarias, Monseñor Camus había aceptado servir de testigo y aval en la visita del verdadero enviado del MIR (Laura Allende de Pascal) a dos de los líderes (miristas) detenidos, para un futuro análisis de la conveniencia de cesar en los planes de activismo armado del MIR y salir del país previa aprobación de los servicios de seguridad nacional«[396].

Poco antes de tales acontecimientos, en septiembre, la revista »DS«

---

[396] »Qué Pasa«, 17 de octubre de 1974.

(Diálogo Social), publicada por los jesuitas en Panamá, publicaba una carta de Miguel Enríquez al Cardenal Silva Henríquez, afirmando que había clérigos militantes del MIR[397].

»LA IGLESIA HIZO MUY POCO«

En esos mismos días de la muerte del jefe supremo de los miristas, en Roma los Obispos se reunían en Sínodo y ahí se daba a conocer un informe sobre Chile, antes y después de la caída de la Unidad Popular, redactado por Monseñores Santos, Contreras, Camus y Alvear.

Monseñor Carlos Camus Larenas debió analizar la situación de la Iglesia Católica chilena durante el Gobierno de Allende. Escribió:

»Existe la impresión de que (la Iglesia) hizo muy poco y que posiblemente no pudo hacer más. En general, se defendió y gastó sus principales esfuerzos en conservar su identidad ante las amenazas internas. Los grupos contestatarios, impregnados del pensamiento marxista, cuestionaron su magisterio y atacaron su disciplina interna. *Su preocupación dominante fue el diálogo para no romper con los sacerdotes socialistas* y evitar que importantes sectores obreros, campesinos y universitarios rompieran definitivamente los lazos de la fe...

»(Al final de la UP) la unidad de la Iglesia es muy débil... *Una gran parte de la Iglesia se siente abandonada, escandalizada y desorientada...*

»Cuando se produce el silencio político (pronunciamiento militar) los cristianos comienzan a llegar nuevamente a la Iglesia, buscando protección doctrinal y nuevos caminos para construir la sociedad. Hay ansias de paz, de fraternidad, de silencio interior, pero sin abandonar las conquistas sociales y la lucha por la Justicia«[398].

LOS CURAS DEL MIR

Cuatro miristas detenidos —Hernán Carrasco, Héctor Hernán González, Cristián Mallol y Humberto Menanteaux— ofrecen, con autorización del Gobierno, una conferencia de prensa en el Edificio Diego Portales (21-2-1975), en la cual llaman a todos sus correligionarios a deponer las armas[399].

Entregan allí una lista de miristas relevantes y sus respectivos paraderos. Dos sacerdotes, *Martín Gárate* y *Pablo Richard,* figuran como expulsados del país por ser activistas del MIR.

[397] Ibid.
[398] Ibid.
[399] »El Mercurio«, 22 de febrero de 1975.

Capítulo XXVI

EL AFFAIRE CAMUS

En septiembre de 1975, el Obispo-Secretario de la Conferencia Episcopal de Chile, Monseñor Carlos Camus Larenas, hizo inestimables revelaciones ante un grupo de corresponsales de prensa. Gracias a él se conoció todo el mar de fondo que agita a vastos sectores eclesiásticos, opuestos en casi todo al actual Gobierno. Se supo también que el Comité de Cooperación para la Paz, organismo eclesial-ecuménico de ayuda a los prisioneros, cesantes, etc., instaurado después del pronunciamiento militar, contaba con gran cantidad de marxistas en su seno.

Monseñor Carlos Camus, entre las declaraciones que hiciera a corresponsales extranjeros con fecha 30 de septiembre de 1975, confesó que a ciertas ceremonias religiosas católicas los comunistas asisten »por avivar la cueca«[400]. Sería una manera de infiltrarse en la Iglesia, a través del aplauso y el respaldo a las palabras que sus personeros pronuncien. Una manera adaptada a las condiciones de clandestinidad que viven hoy los partidos marxistas. Vale decir, una nueva manera de instrumentalizar a la Iglesia, mientras los dirigentes eclesiásticos, a juzgar por las confesiones de Monseñor Camus, están en antecedentes y lo aceptan a nombre, seguramente, de la caridad cristiana.

Con altas dosis de comunistas u otros ex militantes de la Unidad Popular entre su audiencia, el Cardenal Silva Henríquez pronunció una Homilía para conmemorar el Día del Trabajo (1°-5-1975).

De ahí las manifestaciones producidas entre la audiencia ante ciertas aseveraciones suyas.

»Hay otras cargas que no son livianas —dijo Su Eminencia—, otros yugos que no son suaves: ustedes lo saben y lo sufren más que otros...

»...que la solidaridad, expresada en esta comunión fraternal, seguirá siendo el arma más eficaz, en esta lucha de los oprimidos por conquistar su lugar en la tierra...

---

[400] Ibid., 8 de octubre de 1975.

»Por eso el Papa Paulo VI, al recordar que es necesario el crecimiento económico para el progreso humano, nos insiste al advertirnos que hay que »recordar una vez más que la economía está al servicio del hombre y que cierto capitalismo ha sido la causa de muchos sufrimientos, de injusticias y de luchas fratricidas...«.

»Los derechos del que no tiene con qué comprar lo necesario para su subsistencia, y que en una situación de extrema necesidad tiene derecho a poseer los bienes superfluos de los que todo tienen...«[401].

En enero de 1975 la revista francesa »Esprit« achacaba al Cardenal Silva Henríquez una ideología social que podría calificarse como »una concepción socialista comunitaria«. Decía esa publicación que el Cardenal compartía esta tendencia con »su grupo«, integrado por los Obispos Camus, Hourton, Alvear, Ariztía, Carlos González y Bernardo Piñera[402].

Del »grupo« de Su Eminencia, tres Obispos hay que han protagonizado incidentes de nota en lo que va del pronunciamiento militar a esta parte. Siempre en enero de 1975, un boletín de Radio Moscú reveló que Monseñor Fernando Ariztía acababa de participar en una celebración clandestina del Partido Comunista en memoria de Luis Emilio Recabarren, piedra angular del comunismo chileno[403], Monseñor Ariztía tuvo un enfrentamiento con el Ministro del Interior de la época, general Bonilla.

En cuanto a Monseñor Enrique Alvear, en agosto del 75, ofició una ceremonia religiosa, en comunión con el Obispo luterano Frenz, recién expulsado del país »por realizar actividades antinacionales y comprometer gravemente la seguridad pública«. Dicha ceremonia fue oficiada en la Basílica de Lourdes, para orar públicamente por las almas de 119 extremistas de izquierda chilenos que cierta revista fantasma argentina daba como asesinados.

El Obispo Alvear, en su alocución, habría dicho: »Se temía hacer esta reunión de oración en Cristo, pero aquí está la respuesta con la presencia de ustedes«[404].

Mientras tanto los comunistas »avivaban la cueca« y los corresponsales extranjeros se apresuraban a incrementar la hoguera del desprestigio internacional de Chile.

En las puertas de la Basílica de Lourdes, al terminar la ceremonia, hubo jóvenes (de la cueca seguramente) que repartieron panfletos que decían: »Los tribunales chilenos, las autoridades, los organismos técnicos nos han cerrado sus puertas. Todas nuestras gestiones se estrellan contra una muralla de indiferencia y de odio«[405].

Por último está Monseñor Carlos Camus con sus declaraciones a los corresponsales extranjeros, hechas el 30 de septiembre del 75. Parece conveniente transcribir algunos de sus acápites principales:

[401] »El Mercurio«, 2 de mayo de 1975.

[402] »Esprit«, enero de 1975.

[403] Boletín de Radio Moscú, enero de 1975.

[404] »El Mercurio«, 7 de agosto de 1975.

[405] Ibid.

El odio... va

»Yo creo que la gente más bien intencionada del Gobierno, las personas que tienen las ideas mejores, quisieran que las cosas se encaminaran bien sin necesidad de métodos violentos. Que no hubiera discrepancia, que hubiera unidad nacional por el convencimiento... Pero yo lo creo muy difícil, por los pasos que se han dado y por la forma... en fin, estas cosas no se pueden imponer a la fuerza...

»Al contrario, creo que se puede ir creando, y se va creando inmediatamente, el sector opuesto, el polo opuesto. Un poquito lo que pasó en Portugal. Portugal, después de 40 años en que quisieron imponer una manera de pensar, de la noche a la mañana se produce una revuelta y aparece un Partido Comunista muy poderoso y aparecen los desquicios.

»Yo creo que todos estos sistemas son como que adormecen, incluso llegan a engañar a las personas, porque impiden escuchar la voz de la oposición o discrepancia. Son los peores consejeros para los que gobiernan, porque los ilusionan, los engañan...

»Yo creo que hay odio, clima de odio. Honestamente hay algunos que quisieran que no hubiera odio, pero hay odio. Qué le vamos a hacer. Es la constatación de un hecho«[406].

Antorcha de la Libertad

Un periodista le pregunta: »En esta diferencia entre la Iglesia y el Gobierno, ¿tendría algo que ver esto de la antorcha, que se iba a instalar en Maipú y se fue a la punta del cerro?«

Respuesta de Monseñor Camus: »Claro, ese es un caso típico ¿ve? Hacen una antorcha que llaman antorcha de la libertad. Para los que no están de acuerdo es una manera de provocarlos... El día que puedan van a echar abajo la antorcha o van a tirar dinamita o cualquier cosa. Eso no une, porque es más bien estar pisando los callos como decimos aquí en Chile. Entonces después anuncian en la prensa, sin haberle pedido permiso a nadie, que la antorcha la van a colocar en Maipú, en el Templo de Maipú. Es como si a usted le dicen que se la van a poner en el patio de la casa. Primero pregunten si quiero ponerla o no, si tengo hueco, ¿no?«[407].

No hay libertad de prensa

»En Chile sabemos nosotros que en la prensa no se publica nada que no esté autorizado por personas responsables«[408].

La tontera del 11 de septiembre

»La verdad es que nos ponen en situaciones conflictivas. Nosotros no quisiéramos. Eso de la antorcha, ni siquiera mencionarlo. ¿Para qué nos mandan los

---

[406] »El Mercurio«, 8 de octubre de 1975.
[407] Ibid.
[408] Ibid.

recados por un diario? Lo mismo lo del 11 de septiembre. Nosotros habíamos acordado silenciosamente todos los Obispos no hacer problemas con el 11 de septiembre. No hacer misas. Y de repente comienzan a presionar. Obligados a hacer una celebración de nuevo ¡tontera!

»Si a uno lo obligan a entrar en la pelea... nosotros no queremos hacer oposición, pero si a uno le buscan el odio, como se dice, se lo encuentran«[409].

IGLESIA VERSUS FUERZA BRUTA

»En Chile, la gente aplaude al equipo chico que se bota a choro. Entonces, el hecho de que haya alguien que tenga el valor de enfrentarse a la fuerza bruta es siempre aplaudido...

»Creo que sería muy poco puro si la Iglesia buscara este tipo de popularidad. Pero se produce.

»La Iglesia ha defendido al perseguido político, ha defendido al trabajador cesante, ha defendido a la familia que no tiene qué comer, y eso es la mayoría de los chilenos...

»Ven que hay una defensa del pobre, del que lo necesita, que es también geográficamente la mayoría...«[410].

INDICE DE CESANTÍA

»La cesantía, ciertamente, pasa del 20 por ciento... Hay una parroquia donde el párroco me dijo: el 90 por ciento está cesante en mi parroquia. Pero resulta que en su parroquia todos son obreros de la construcción«[411].

INFANTILISMO DEL GOBIERNO

»Creo que algunos sectores del Gobierno, pareciera que hubieran querido arrastrarnos el poncho con los evangélicos (que inauguraron su Catedral con asistencia del Presidente Pinochet. »Así que ahora, para que vean, no nos hicieron misa ustedes (para el 11 de septiembre), entonces nosotros hacemos un Tedéum evangélico«... O sea, es como muy infantil«[412].

MARXISTAS EN PRO PAZ

»Hay muchos funcionarios del Comité Pro Paz que son de ideas marxistas, porque es lo lógico. Al principio, y cuando recién se inauguró, nadie quería correr riesgos... Así es que muchos fueron en un comienzo de ideas marxistas. Además eran los que quedaron cesantes. Entonces, también era una obligación atenderlos a ellos dándoles trabajo...

»El que haya personas que en su vida privada sigan con su ideología,

[409] Ibid.
[410] Ibid.
[411] Ibid.
[412] Ibid.

o desarrollen algún tipo de actividad es posible, también. Pero nosotros les pedimos que en el Comité se haga abstracción de cualquier cosa partidista«[413].

EL RÉGIMEN DEL TERROR

»Si una persona ha tenido una experiencia dura de sufrimiento, si ha visto que a otra persona, que tenía la misma situación, la han detenido o la han torturado y la han destruido, etc., yo creo que algo se amedrentan. Si no por convicción, por lo menos por miedo. Mucha gente está amedrentada. La cosa ha sido muy dura. Hablar con una persona que ha sido torturada... es una persona que queda destruida por muchos años. Yo he conocido dirigentes muy activos, gente muy valiente, que están ahora muy destruidos humanamente«[414].

SE FARREARON LA OPORTUNIDAD

»Yo creo que el gran, gran error de este Gobierno es que se ha farreado la oportunidad histórica de Chile. Después del gobierno de la Unidad Popular era el momento de hacer una recapacitación, de haber hecho un análisis, de haber hecho cosas maravillosas, porque se ha vivido una experiencia. En cambio, ellos han hecho olvidar todo lo anterior. Toda la gente que estaba hastiada de las colas, de toda la prepotencia, el sectarismo, de todas esas cosas, se olvidó de eso. Salimos del fuego para caer en las brasas, y ese ha sido el gran error«[415].

El autor de tales declaraciones es el mismo Obispo Carlos Camus Larenas firmante, en julio de 1969, de un documento de la Conferencia Episcopal de Chile que decía textualmente:

»*No nos corresponde, ni queremos, asumir atribuciones que son propias de los políticos y no nuestras. Nadie en Chile quiere ver al Episcopado o al clero actuando en política. Nosotros tampoco*«[416].

Eran los prolegómenos de la elección en que triunfó Allende. Carlos Camus —Obispo— prometía guardar silencio y mantenerse neutral. Ahora que cayó el marxismo, él habla. Y habla por otros chilenos que no pueden hacerlo. Sus palabras, pese a conformar una declaración »off the record«, fueron difundidas al día siguiente por Radio Moscú. Luego, por agencias cablegráficas. Con el consiguiente desprestigio para Chile.

Las declaraciones de Monseñor Camus provocaron intenso mar de fondo. Unos a favor, otros en contra y, los más, escandalizados.

Entre miles de »cartas al Director« que llovieron sobre los diarios, destaca la siguiente, enviada a »El Mercurio«:

»Señor Director:

En relación a las declaraciones del Sr. Carlos Camus Larenas, quiero manifestarle una profunda tristeza en mi calidad de católico practicante...

Ojalá los católicos hubiéramos oído a los señores obispos hablar tanto en contra de la pasada barbarie marxista como lo están haciendo ahora en con-

[413] Ibid.
[414] Ibid.
[415] Ibid.
[416] »El Mercurio«, 26 de septiembre de 1970.

tra de un Gobierno honesto. El cómplice silencio de aquella triste época contrasta mucho con la verborragia demagógica de hoy.

Uno de los puntos que molestan al Sr. Camus es la censura que él dice que hay... ¿Es que en su airada imaginación supone él que podría decir tantos injustos improperios contra el Gobierno en algún país marxista? Con su altanería demuestra precisamente lo contrario de lo que sostiene...

Mario Faure R.
Carnet N° 7775497
(Stgo., Extranjería)«[417]

Con fecha 11 de octubre, *Gastón Cruzat Paul* escribió a los »Excmos. Señores Manuel Sánchez, Arzobispo de Concepción, Francisco de B. Valenzuela, Obispo de San Felipe, Augusto Salinas, Obispo de Linares y Orozimbo Fuenzalida, Obispo de Los Angeles«, recriminándoles sus declaraciones desfavorables respecto de Monseñor Camus (todos estos Obispos habían enfatizado ante los periodistas no estar de acuerdo con lo dicho por su hermano en el Episcopado). Gastón Cruzat, acto seguido, envió copia de esta carta a los diarios. Dice así:

»Respetados señores Obispos:

Me he impuesto por »El Mercurio« de las declaraciones formuladas por Uds. a propósito de la entrevista de los corresponsales extranjeros a Monseñor Carlos Camus, secretario del Episcopado Nacional.

Comprendo la preocupación ecuménica de Uds. al reprobar expresiones que, aunque carentes de verdadera importancia en cuanto a los cristianos evangélicos, hayan podido mortificarlos. En descargo de Monseñor Camus hay que decir que sus opiniones no estaban destinadas a la publicidad. Hubo de su parte exceso de confianza y, quizás, falta de prudencia.

Pero en nombre de esa misma caridad ecuménica, me atrevo a preguntarles si *la expulsión del Obispo luterano Helmut Frenz* —hecho de extrema gravedad, oficial y público, que lo separa de su Iglesia y lo priva de su ministerio— *no merecería con mayor razón la protesta y la solidaridad de los católicos y de sus Pastores.*

Hay sin duda una gran desproporción y contraste entre las reacciones de Uds. por las discutibles expresiones de Monseñor Camus (me refiero sólo al problema de los evangélicos) y su silencio ante la dolorosa e injusta situación del Obispo luterano. Objetivamente medida la trascendencia de ambos hechos y sin caer en las distorsiones de los medios de comunicación, no parece haber lugar a dudas.

Inconscientemente quizás están Uds. ayudando a la bien orquestada campaña en contra de su hermano en el Episcopado, posible preludio de medidas oficiales en su contra.

Humildemente pero con cristiana franqueza, me atrevo a llamar la atención acerca de esta incongruencia.

Los saluda muy atentamente,

(FDO.) Gastón Cruzat Paul«[418]

[417]Original de la carta.
[418]Copia de la carta, enviada por su autor a »El Mercurio«.

218

Las declaraciones de Monseñor Camus hacen pensar que, si en el Episcopado suceden estos deslices, a nivel del clero que se comprometió ferviente y públicamente con la revolución socialista, algunas demasías tienen, por fuerza, que estar aconteciendo.

Muchos representantes de los »Cristianos por el Socialismo«, y movimientos afines, permanecen en Chile. Están en libertad y ejercen su ministerio. ¿Puede pensarse que su devoción por la »teología« de la liberación haya cambiado, solamente por el hecho de haber cambiado el Gobierno? Al contrario, tal vez el fervor revolucionario se les haya exacerbado.

Desde la Comunidad Villa Francia (»Guía eclesiástica' de Santiago, 1975«), un Mariano Puga, ex miembro del Comité Central de la Izquierda Cristiana, seguirá sin duda en el proselitismo promarxista con su mejor buena fe. Al menos de tal dio muestra con una prédica revolucionaria suya que levantó furor de proporciones en la Parroquia de Santo Toribio, en mayo de 1975.

Sacerdotes así debe haberlos por docenas en el país. Para ellos piden »justicia« los jesuitas de »Mensaje« cuando, bajo la dirección responsable del padre *Fernando Montes,* editorializan en junio del 75:

»¿Cómo no inquietarnos y alzar nuestra débil voz por la detención de 16 personas —entre ellas dos sacerdotes— el pasado 26 de abril en la población »Malaquías Concha«, durante un acto de comunidad cristiana? ¿Cómo no decir una palabra sobre el trato recibido por esos hermanos nuestros en su deambular por los diversos lugares de detención. . .?

»Con esta breve pero clara mención creemos prestar un servicio a nuestra Patria. Lo hacemos, convencidos de que no se trata de un caso aislado, producto de algún malentendido, sino de hechos atentatorios al hombre y que se han repetido con demasiada frecuencia. . .

»Cuando hay errores o abusos, es antipatriótico soportar en silencio que tales cosas sucedan. Un medio de comunicación cristiano debe señalar las faltas con altura de miras. El no hacerlo sería desistir de una parte importante de su misión. Y cuando protesta, su protesta es un servicio a la comunidad toda y a las mismas autoridades.

»Tampoco parece constructivo guardar el »secreto« y comunicárselo en privado a los responsables, porque a menudo bajo ese secreto se esconden los excesos y se crean los asfixiantes ambientes de camarilla. . .

»Denunciar cristianamente lo sucedido en »Malaquías Concha« nos parece cumplir hoy lo que habría hecho el Cardenal Mindszenty y realizar su legado. Tal vez él hubiera ido más lejos«[419].

Este lenguaje, curiosamente, recuerda la retórica meliflua de Volodia Teitelboim cuando, a nombre de su partido, el Comunista, hablaba para convencer a los chilenos de que marxismo y cristianismo tenían un camino común que recorrer.

---

[419] »Mensaje«, junio de 1975.

EL AFFAIRE CAMUS

Monseñor Carlos Camus, entre las declaraciones que hiciera con fecha 30 de septiembre de 1975, confesó que a ciertas ceremonias religiosas católicas los comunistas asisten »por avivar la cueca«. Sería una manera de instrumentalizar a la Iglesia, a través del aplauso y el respaldo a las palabras que sus personeros pronuncien. Una manera adaptada a las condiciones de clandestinidad que viven hoy los partidos marxistas, vale decir, una nueva forma de instrumentalizar a la Iglesia, mientras los dirigentes eclesiásticos, a juzgar por las confesiones de Monseñor Camus, están en antecedentes y lo aceptan a nombre, seguramente, de la caridad cristiana.

El Obispo luterano Helmut Frenz (izquierda), expulsado del país por actividades políticas de izquierda.

Helmut Frenz recibiendo la medalla Nansen de manos del Alto Comisionado de las Naciones Unidas para los Refugiados.

Capítulo XXVII

INGENUIDADES PRO PAZ

Descripción del local donde funcionaba el Comité de Cooperación para la Paz, de los folletos que editaba y de ciertas actividades que algunos de sus miembros desplegaban.

»¡Queremos encontrarlos!, gritaba el cartel que colgaba de la pared del segundo piso de la calle Santa Mónica N° 2360. Y después consignaba un largo poema de Neruda: la »Oda del Día Feliz«. Y después citaba a un »Acto Religioso por Nuestros Desaparecidos«. Y después firmaba: »Comisión de Prensa, marzo primero 1975«.

En las dos casas que dan a Santa Mónica N° 2360 vivía el »Comité de Cooperación para la Paz en Chile« y estaba a punto de celebrar sus dos años »de humanitaria labor« (boletín del Centro Nacional de Comunicaciones del Episcopado —CENCOSEP— 1° de octubre 1975). Este boletín también se repartía en la calle Santa Mónica, al igual que folletos impresos con comentarios recientes de *Esteban Gumucio*, SS.CC. y de *Ronaldo Muñoz*, SS.CC., ambos ex miembros relevantes de los »Cristianos por el Socialismo«.

Monseñor Carlos Camus, en sus invalorables declaraciones a los corresponsales extranjeros, aseguró con fecha 30 de septiembre de 1975: »Hay muchos funcionarios del Comité Pro Paz que son de ideas marxistas, porque es lo lógico«[420].

Entre ellos el co-presidente de la institución, Obispo luterano Helmut Frenz, quien debió quedarse fuera de nuestro país por orden expresa del Ministerio del Interior. ¿Causal? »Por realizar actividades antinacionales y comprometer gravemente la seguridad pública«[421].

Frenz había sido, mucho antes, repudiado por su propia Iglesia: lo acusaban de comunista. Sin embargo, muchos católicos se hallan sumidos en la más enternecedora compasión por el alejamiento del Obispo Frenz.

Cristián Precht, sacerdote, y secretario ejecutivo del Comité, declaró a

---

[420] »El Mercurio«, 8 de octubre de 1975.
[421] Ibid., 26 de octubre de 1975.

»El Mercurio« (26-10-1975): »Creo que se trata de un hombre (Frenz) llegado a Chile con ideas liberales, pero que se impactó con los problemas propios de un país en desarrollo como el nuestro. Lo que ocurre, a mi juicio, es que tiene un carácter francote y dice las cosas directamente sin preocuparse demasiado por la forma y por el tono. *Ojalá el Ministerio del Interior reconsidere la medida tomada. Es lamentable«* [422].

Este secretario ejecutivo (Precht) es el sucesor de *Fernando Salas* (jesuita) que ayudaba personalmente a saltar los muros de las embajadas a conspicuos miembros de la Unidad Popular deseosos de eludir la justicia. Se dice también que, en cambio, »no ayudaba a que los tribunales pudieran establecer responsabilidades« [423].

En tiempos del jesuita Salas, el diario »Excelsior« de México, por mano de su propio Director, Julio Scherer, se dedicó a bombardear a Chile con toda clase de calumnias, durante varios días. Scherer venía de visitar nuestro país y, según dijo, su fuente de información habría sido el »Comité de Cooperación para la Paz en Chile«, (»Qué Pasa« 31-5-1974) [424].

Este organismo que preside Monseñor Fernando Ariztía, pese a ser ecuménico, desde el punto de vista legal constituye un ente de la Iglesia Católica. El Cardenal Raúl Silva Henríquez también integra dicho Comité, a través de su representante oficial, *Patricio Cariola* S.J.

En mayo de 1974, la revista »Qué Pasa«, consignaba que uno de los colaboradores fervorosos del Comité era *Diego Irarrázaval*, miembro de los Doscientos.

Entre los folletos que publica o reparte el »Comité para la Paz«, destaca uno titulado »El Cansancio de los Pobres« y constituye un »testimonio aportado en la IV Semana Social de Chile; Santiago, septiembre 1975«. Este evento constituyó »una reflexión profunda, con gran acopio de antecedentes sobre la pobreza«, dice el boletín del Centro Nacional de Comunicaciones del Episcopado, en una de cuyas páginas interiores aparece el padre *Pablo Fontaine* (ex miembro de los Ochenta) como asesor nacional de la Asociación Universitaria Católica (AUC) ahora, en 1975 (CENCOSEP N° 109, 15 octubre 1975) [425].

En »El Cansancio de los Pobres«, el padre Esteban Gumucio describe dramáticamente la situación que crea en poblaciones y campamentos »el grado de cesantía y miseria en que se debate la población de los pobres en nuestra patria«. Añade:

»Podrían pensar ustedes que ese cansancio (de los pobres) afecta sólo a una que otra persona; pero, en realidad, es un fenómeno de mucho más vasta proporción, y esta afirmación *me obliga a poner en duda el índice de cesantía que es posible calcular para las estadísticas«.*

Luego Gumucio insiste en »la miseria y el temor« y afirma que »veda-

[422] Ibid.
[423] Ibid.
[424] »Qué Pasa«, 31 de mayo de 1974.
[425] CENCOSEP. Boletín del Centro Nacional de Comunicaciones del Episcopado. N° 109. Santiago, 15 de octubre de 1975.

do el campo político« (a los jóvenes pobres), muchos »fácilmente caen en el alcoholismo y las drogas«.

En seguida, insiste y ahonda: »*la angustia, la persecución, el hambre, la desnudez, el peligro y la espada se dejan caer sobre ellos (sobre los pobres)*«. Pero afirma: »(los pobres) adquieren una apasionada serenidad que ni ángeles ni poderes ni ninguna otra cosa creada podrá aplastar«[426].

El padre Esteban Gumucio es hombre de inmenso corazón. El sufrimiento injusto de los pobres lo mantiene en estado de perpetua rebeldía; y con razón.

Sólo cabe lamentar que, habiendo vivido 11 años en una población marginal, recién hoy piense que la injusticia está entronizada en el poder. Al parecer, se equivocó de hora, porque los pobres pagan hoy el precio de un gobierno que él —Esteban Gumucio, ss.cc.— bendijo y aplaudió como mesiánico y como redentor de los pobres.

Porque cuando Salvador Allende estaba en la Presidencia de Chile, dedicado a demoler la economía del país (y en toda demolición nacional de economía los pobres son las víctimas propiciatorias), Esteban Gumucio militaba beatíficamente en los »Cristianos por el Socialismo«, los »Ochenta« y los »Doscientos«.

Razón tiene Cristián Precht cuando exclama: »Nadie puede impedirnos que abandonemos nuestras tareas humanitarias porque estamos corriendo el riesgo de que nos utilicen« (»El Mercurio«, 26-10-1975)[427].

Por desgracia, estos cristianos de buen corazón sólo sacaron del precepto evangélico el ser »sencillos como palomas«; se olvidaron de aprender a ser »astutos como serpientes«[428].

De ahí que, todavía, la Iglesia Católica chilena, a través de muchos de sus miembros, se deje instrumentalizar por los marxistas. Y los marxistas están en todas partes bajo el amparo bienhechor de tantos representantes de la Iglesia que, en lugar de inteligencia, parecen tener un sensiblero corazón empotrado en el cerebro.

[426] »El cansancio de los pobres«. Esteban Gumucio, ss.cc. Testimonio aportado en la IV Semana Social de Chile. Santiago, septiembre 1975. Comité de Cooperación para la Paz en Chile. 6 pp.

[427] »El Mercurio«, 26 de octubre de 1975.

[428] Mt., 10, 16.

INGENUIDADES PRO PAZ

El sainete eclesiástico-mirista que presenciaba la ciudadanía, católica y no católica, desbordaba toda imaginación. Los actores: dos jesuitas (Fernando Salas y Patricio Cariola; este último, representante oficial del cardenal Silva Henríquez ante el Comité de Cooperación para la Paz en Chile); ellos deciden la »seguidilla de traslados« de los extremistas, en reuniones que efectúan en el CIDE *(Centro de Investigación y Desarrollo de la Educación), organismo de la Compañía de Jesús.*

Otras religiosas de Notre Dame que colaboraron en esas actividades fueron Pabla Armstrong y Peggy Lepsig, pertenecientes a la congregación de Maryknoll.

Informaciones tergiversadas se propala-
ron en el extranjero. El Gobierno se ve en
la necesidad de entregar a la ciudadanía
una información veraz y detallada de los
hechos:

»Como resultado de las investigaciones
de los servicios de seguridad nacional
ha quedado establecido que la doctora
Sheila Cassidy, de nacionalidad inglesa,
atendió a Nelson Gutiérrez, extremista
prófugo herido en una pierna con dos ba-
lazos durante el enfrentamiento que se
suscitó en la parcela »Santa Eugenia«,
de Malloco. La mencionada doctora
atendió al prófugo en el convento de las
monjas de Notre Dame, ubicado en ca-
lle Padre Orellana 1128 de esta capital,
lugar donde fue conducida para esta
atención por el sacerdote Fernando Sa-
las del Comité Pro Paz y por la religiosa
Helen Nelson, de nacionalidad norte-
americana, perteneciente a dicha con-
gregación«.

»La doctora Sheila Cassidy fue detenida
el día sábado primero de noviembre en
calle Larraín Gandarillas N° 350, casa
de reposo de los padres Columbanos
(irlandeses), donde se refugió junto a un
individuo no identificado cuando tuvo
conocimiento de que se le iba a dete-
ner«.

Capítulo XXVIII

LA IGLESIA Y LOS MILITARES

Los Obispos emiten un nuevo documento de trabajo (abril de 1975), titulado »Evangelio y Paz«. Entre otras cosas recuerdan los peligros del marxismo, intrínsecamente ateo.

»*Por el amor de Chile, nosotros tampoco callaremos*«, acaban de prometer los Obispos en su Documento titulado »Evangelio y Paz«, emitido luego de la Asamblea Plenaria del Episcopado en abril de 1975«[429].

Esta promesa es como un leitmotiv. La hicieron también en octubre de 1968, diciendo: »*No tenemos derecho a callar*«[430].

Pero después, a fines de 1973, reconocieron con sinceridad lo sucedido durante los tres años de la Unidad Popular.

»Todos tenemos culpa y tenemos pecado. Pecamos por acción y mucho más por omisión. Hay cobardías. *Hay silencios culpables*«[431].

Como los Obispos, pues, han decidido decir su palabra para el momento presente, sólo cabe respetuosamente escuchar:

»No damos soluciones técnicas. No somos economistas, ni sociólogos, ni políticos.

»Somos los profetas de un mensaje que viene de Dios y que es capaz de inspirar a los políticos, a los sociólogos y a los economistas...

»Mientras nos sirvamos del Evangelio para apoyar nuestras luchas terrenales, mientras instrumentalicemos la Palabra del Dios vivo al servicio de nuestra obra de muerte, el Evangelio no será para salvación sino para condenación...

»*Algunos han pensado que podría haber marxismo sin ateísmo, que el marxismo podría desprenderse de su ateísmo sin perder nada de su fuerza ni de su eficiencia. Algunos cristianos piensan así, pero muy pocos son los*

---

[429] »Evangelio y Paz«. Documento de Trabajo del Comité Permanente del Episcopado de Chile. Santiago, 5 de septiembre de 1975. Ediciones Mundo. 35 pp. (p. 6).

[430] »El Diario Ilustrado«, 5 de octubre de 1968.

[431] »El Mercurio«, 6 de junio de 1973.

231

marxistas que los acompañan en esa posición. El ateísmo sigue siendo elemento esencial del marxismo. Para el marxismo, toda religión es alienación, es creación humana, es ilusión o mistificación, inocente o culpable, y debe desaparecer, por una persecución sangrienta o por una progresiva asfixia, según las circunstancias lo aconsejen...

»El marxismo, en su dureza, en el uso que hace de la mentira y de la calumnia, para desprestigiar y destruir al adversario en el poder que se atribuye sobre la vida y la muerte, la felicidad y el dolor de los hombres, va directamente en contra del Evangelio.

»Nosotros, sin embargo, no tenemos otra regla de conducta que no sea la de las bienaventuranzas evangélicas. Y es de acuerdo con ellas que resistimos al marxismo, convencidos de que en definitiva la única manera de vencer el error es asumir plenamente la parte de verdad que a ese error vaya unida, es purificarnos de la parte de error que haya entre nosotros, y que muchas veces tiene culpa en la persistencia del error que combatimos, es negarnos a emplear las armas del adversario que repudiamos, es tener fe en nuestra propia manera de pensar y actuar, y es por último, creer en la definitiva victoria de la fe y el amor, es creer en la fuerza del Espíritu.

»Unos nos juzgarán ingenuos, otros nos creerán débiles, quizás algunos nos llamarán cómplices. Sin embargo, creemos que es la fuerza de Dios la que actúa a través de la debilidad de los hombres que creen...

»*La Iglesia no pretende desarmar el brazo de la autoridad legítima cuando cumple con su deber, por duro que éste sea.* Sólo pide que haya coherencia entre los principios y los actos, y de los unos y de los otros con la inspiración cristiana a que se les refiere...

»Sabemos que existe una campaña internacional contra Chile que deforma la realidad. Comprobamos con pena que la escasez de la ayuda económica que recibimos en parte debida, sin duda, a esa misma campaña, hace aún más dura la condición de los pobres.

»Como el Señor, cuyo ejemplo (de patriotismo) acabamos de evocar, llevamos nuestra Patria muy adentro, y a nuestro gobierno actual, como a todos los anteriores, le damos una colaboración, a veces crítica, pero siempre desinteresada y constructiva. Queremos sinceramente el éxito del gobierno, porque el verdadero éxito de un gobierno es el »reino de la justicia, del amor y de la paz«[432].

Los mismos Obispos que, a fines de 1973, decían: »Todos tenemos culpa y tenemos pecado. Pecamos por acción y mucho más por omisión. Hay cobardías. Hay silencios culpables«[433], ahora vuelven al lenguaje cristalino y tajante que los caracterizó en 1962 cuando, angustiosamente, advertían: »Del triunfo del comunismo en Chile, la Iglesia y todos sus hijos no pueden esperar sino persecución, lágrimas y sangre«[434].

Estos hombres consagrados a Dios, muchos de los cuales integraban la

---

[432]»Evangelio y Paz«. Documento de Trabajo del Comité Permanente del Episcopado de Chile. Santiago, 5 de septiembre de 1975. Ediciones Mundo. 35 pp. (pp. 7-8-19-20-22-30-31).
[433]»El Mercurio«, 6 de junio de 1973.
[434]Ibid., 30 de septiembre de 1970.

Conferencia Episcopal tanto en 1962 como en 1973 y siguen integrándola ahora, reconocen tácitamente un clima tal en el país, a partir del pronunciamiento militar, que ya puede volver a llamarse al marxismo por su nombre, sin »silencios culpables«. Por eso, ahora, dicen:

».. .todo el mundo sabe que las relaciones entre el marxismo y los partidos o gobiernos de inspiración marxista, por un lado, y el cristianismo y las Iglesias cristianas, por el otro, tienen una larga y dolorosa historia en muchos países y que esta historia no ha terminado...

».. .en cuanto el marxismo es error, somos antimarxistas. Lo somos en la exacta medida en que el marxismo va en contra de Dios, del Evangelio, de la Iglesia y del hombre... jamás podremos aceptar que se diga que Dios no existe, que la fe religiosa no es sino un producto nefasto del calculado cinismo de los opresores o de la imaginación afiebrada de los oprimidos. Jamás podremos aceptar que el servicio de una causa meramente humana sea ley y medida suprema de la conducta y justifique todos los abusos y todos los crímenes. Jamás renunciará el pueblo chileno ni nuestro continente latinoamericano a la fe ni al Evangelio. Y quienes condicionan, aunque no lo digan, la liberación de los hombres y el establecimiento de la justicia al ateísmo y a una ética que es la negación del Evangelio, cargarán con su responsabilidad ante la historia por querer marginar de esa lucha a los creyentes y por querer llevar en último término a los hombres por un camino sin salida.. .«[435].

Mártires antes que oportunistas

Ojalá estas palabras de la Jerarquía no caigan al olvido, aun cuando algún día —Dios no lo quiera— pudiera Chile pasar por otra prueba semejante a la de los tres años de la Unidad Popular. Estas palabras de los Obispos de la Iglesia Católica chilena deben quedar *buriladas* en el corazón de cada uno, sea laico, sea religioso, sea sacerdote, sea Obispo.

»De ateísmo marxista —dice la Conferencia Episcopal— deriva, en efecto, un *oportunismo ético* que bien puede expresarse en el lema: el fin justifica los medios. Es lícito, es bueno, es heroico lo que sirve a la causa. Es malo y despreciable lo que va contra ella«[436].

Este »oportunismo ético« ha sido una tentación constante para los católicos en su relación con los marxistas. Se ha transigido demasiadas veces por buena fe, por un genuino afán de conquistar al adversario, buscando un alto fin por caminos torcidos.

Este »oportunismo ético«, no puede, nunca más y por ningún motivo, ser arma de combate del cristiano. Porque los cristianos están, desde hace dos mil años, vocados al martirio por causa de su fe.

Los cristianos no tienen vocación de componenda. Transigir por salvar la vida o por acomodar las propias ideas, equivale a perecer para Dios.

»Sangre de mártires, semilla de cristianos«, aseguraba Orígenes hace dieciocho siglos. Sus palabras tienen vigencia todavía.

[435] »Evangelio y Paz«. Documento de Trabajo del Comité Permanente del Episcopado de Chile. Santiago, 5 de septiembre de 1975. Ediciones Mundo. 35 pp. (pp. 16-20-21).

[436] Ibid. (p. 19).

Capítulo XXIX

EPILOGO »OFF THE RECORD«

El 4 de noviembre de 1975, el Gobierno se vio en la necesidad de revelar, por infidencia de un sacerdote-periodista, una concatenación inverosímil de acontecimientos en los cuales aparecen coludidos sacerdotes, religiosos y religiosas con miembros del Movimiento extremista de Izquierda Revolucionaria (MIR), prófugos de la justicia y catalogados como »delincuentes comunes«. El Arzobispado de Santiago emitió una declaración abogando por la »indiscriminada misericordia« del cristianismo, de acuerdo a la cual habrían actuado dichos sacerdotes, religiosos y religiosas, encubriendo delincuentes comunes. Unos encubridores son detenidos, otros logran huir, los extranjeros son expulsados del país. Algunos Obispos desaprueban radicalmente la actuación de representantes de la Iglesia en estas lides. El capítulo se cierra con fecha 12 de noviembre de 1975: la avalancha de sucesos extremista-religiosos es tal que, de no hacerlo así, la primera edición de este libro no hubiese podido entrar en prensa.

27 de octubre de 1975. Declaración del Comité Permanente del Episcopado sobre la conversación de Monseñor Carlos Camus Larenas con corresponsales de prensa extranjera (30 de septiembre). En el punto 3) de la letra b), dice así:

»No en uno, sino en cuatro momentos diferentes de la conversación, se expresó por parte de Monseñor Camus o de los corresponsales, el deseo de hablar »off the record«. *En tales circunstancias, publicar lo conversado es inaceptable desde el punto de vista de la ética periodística como de cualquiera ética*«[437].

Monseñor *José Kuhl Mergen* (Canónigo honorario de la Catedral, miembro de la Fraternidad de Schönstatt, secretario ejecutivo de la »Mutual Pax« de previsión del clero, secretario ejecutivo de CALI »Contribución a la Iglesia«, funcionario del Arzobispado de Santiago), tenía que conocer, por fuerza y a fondo, este recordatorio de los Obispos. Más aún, si se piensa que Monseñor Kuhl fue el emisario que los corresponsales extranjeros utiliza-

---

[437] »El Mercurio«, 5 de noviembre de 1975.

ron para invitar a Monseñor Camus. Más todavía: la grabadora de Monseñor Kuhl era una de las dos que grabaron la conversación de Monseñor Camus.

Sin embargo, Monseñor Kuhl, en su calidad de corresponsal en Santiago de la Agencia Católica de Noticias, se apresuró a despachar a Washington, para ser distribuido en Estados Unidos y Europa, con fecha 4 de noviembre, el siguiente golpe noticioso:

»*Hace dos semanas hubo encuentro violento entre Fuerzas Armadas y Policiales con* MIR, *en Malloco (Provincia Santiago); hubo bajas fatales, pero algunos miristas escaparon, entre ellos Pascal Allende, sobrino ex Presidente. Parece que policía tiene sospecha que algunos personeros de Iglesia mantienen ocultos a prófugos, lo que explicaría medidas recientes.*

Sábado pasado, 10 P.M. aproximadamente, numerosos policías uniformados y civiles rodearon Casa-Provincial padres Columbanos (Irlandeses) disparando contra ella. Cuando empleada-cocinera de dicha casa abrió puerta para ver lo que sucedía, fue alcanzada por ráfaga de balas, muriendo instantáneamente.

Grupo entró a casa, tomando presa a Dra. Sheila Cassidy, nacionalidad inglesa, la que atendía en esos instantes a paciente; ella, 4 años en Chile, desea ingresar a comunidad Maryknoll; trabaja actualmente entre pobres, Posta 4 Servicio Nacional Salud, Policlínica Zona Norte Vicaría Episcopal y Comité de Paz. Según se informa, ella habría atendido a un mirista prófugo, gravemente herido en encuentro Malloco.

Provincial columbanos, padre Guillermo Halliden, dio cuenta sucedido a policía, Cardenal Silva y Embajada Inglaterra. Se supo que ayer y hoy contactos alto nivel Iglesia y Gobierno, para aclarar hechos y puntos de vista (asilo)...»[438].

Hasta aquí el despacho del corresponsal Kuhl. Su indiscreción precipitó las cosas. (Tal vez su »ética periodística« no le impedía lanzar esta noticia »off the record«, pero la ética sacerdotal quizás le indicaba que no tenía ningún derecho a violar el silencio que se habían jurado entre sí altos personeros de la Iglesia y del Gobierno). Gracias a monseñor Kuhl, el Gobierno, se vio en la obligación de revelar los siguientes hechos:

»A raíz de las investigaciones realizadas en torno a los sucesos acaecidos hace algunos días en la parcela »Santa Eugenia«, de Malloco, y en las que aparecen comprometidos algunos sacerdotes, en conversación sostenida en el día de hoy (4 de noviembre) entre el señor Ministro del Interior, general César Raúl Benavides, y el Cardenal Arzobispo de Santiago, Monseñor Raúl Silva Henríquez, *se acordó guardar reserva sobre esos antecedentes en tanto no se completen las investigaciones del caso.* No obstante, *como ese silencio fue roto por informaciones tergiversadas que se propalaron en el extranjero,* el Gobierno se ve en la necesidad de entregar a la ciudadanía una información veraz y detallada de los hechos:

»Como resultado de las investigaciones de los Servicios de Seguridad Nacional ha quedado establecido que la doctora *Sheila Cassidy,* de nacionalidad inglesa, atendió a Nelson Gutiérrez, extremista prófugo herido en una pierna

[438]Copia fotostática del télex enviado a »Cathnews, Washington DC from Sgo. 260 P. Kuhl«. Fecha: 4.11.75.

con dos balazos durante el enfrentamiento que se suscitó en la parcela »Santa Eugenia«, de Malloco. La mencionada doctora atendió al prófugo *en el Convento de las Monjas de Notre Dame* ubicado en calle Padre Orellana 1128 de esta capital, lugar donde *fue conducida para esta atención por el sacerdote Fernando Salas del Comité Pro Paz y por la religiosa Helen Nelson,* de nacionalidad norteamericana, perteneciente a dicha congregación.

En dicho Convento se encontraban, además del herido Nelson Gutiérrez, María Elena Bachman, conviviente del extremista; Andrés Pascal Allende y Mary Anne Beausire. La atención médica prestada a Nelson Gutiérrez comenzó en ese Convento, el sábado 18 de octubre prolongándose hasta el 24 del mismo mes del presente año.

Otras religiosas de Notre Dame que colaboraron en esas actividades fueron *Pabla Armstrong* y *Peggy Lepsig,* pertenecientes a la *Congregación de Maryknoll.*

El automóvil Volkswagen, color rojo, que fue robado por los extremistas a un particular que asaltaron en el camino a Valparaíso, fue dejado el viernes 17 de octubre (en la noche) abandonado en una calle del Barrio Alto por el sacerdote Fernando Salas del Comité Pro Paz.

Como condición para ser ocultados en el Convento de Notre Dame los extremistas debieron entregar los dos fusiles AKA, que portaban. Estos fusiles fueron abandonados en el Barrio Alto de la capital por los sacerdotes Fernando Salas y *Gerardo Whelan.* Este último, de la *Congregación Holy-Cross.*

Andrés Pascal Allende abandonó el refugio del Convento de Notre Dame, ocultándose posteriormente en casa de sacerdote *John Philip Devlin,* de nacionalidad norteamericana, y perteneciente también a la congregación de Holy-Cross. El paradero actual del prófugo Pascal Allende se desconoce.

En cuanto a Nelson Gutiérrez y su conviviente, debido a las malas condiciones en que se encontraban las heridas de su pierna, fue igualmente trasladado por el sacerdote Gerardo Whelan, en el automóvil Peugot, color blanco, perteneciente a la Congregación de Notre Dame.

Dicho traslado fue decidido en una reunión efectuada en el CIDE, a la cual concurrieron los sacerdotes Fernando Salas, Gerardo Whelan y *Patricio Cariola.*

Del estado de salud de Nelson Gutiérrez, antes de su traslado, fue informado Monseñor Enrique Alvear Urrutia. Se desconoce, del mismo modo, el paradero actual de estos otros dos prófugos.

La doctora Sheila Cassidy fue detenida el día sábado primero de noviembre en la calle Larraín Gandarillas N° 350, Casa de Reposo de los *Padres Columbanos* (irlandeses), donde se refugió junto a un individuo no identificado cuando tuvo conocimiento de que se le iba a detener.

Al llegar a dicho sitio *personal de los Servicios de Seguridad Nacional, fue recibido a tiro de pistolas y de fusiles* AKA, presumiblemente por la doctora y su acompañante, fuego que respondieron los funcionarios de Seguridad.

Inmediatamente después del tiroteo la doctora logró escabullirse y esconderse en un closet de la casa, tapándose con ropas hasta que fue descubierta. Su acompañante logró darse a la fuga.

A raíz del enfrentamiento resultó herido en un brazo un hombre de los Servicios de Seguridad con proyectil calibre 765 de pistola. Igualmente *fue alcanzada la empleada de la casa con un proyectil de fusil* AKA, disparado por el acompañante de la doctora Cassidy desde el interior de ese domicilio, al interponerse la víctima en la línea de fuego. Momentos después falleció en la Posta Central de la Asistencia Pública.

En el interior de la casa se encontraron tres vainillas de fusil AKA y tres de pistola calibre 765. Al producirse el allanamiento en la casa de reposo de los padres Columbanos se encontraban en ella solamente una religiosa enferma, y en cama, y un sacerdote de edad avanzada, que permaneció en el segundo piso, además de las dos personas implicadas y la víctima del enfrentamiento.

El día 2 de noviembre de 1975 en casa del sacerdote Gerardo Whelan, en el lugar llamado La Ponderosa, Lo Barnechea, fue detenido Martín Humberto Hernández Vásquez, alias »Jaime« o »Leonardo«, extremista profesional perteneciente a la Comisión Política del MIR, tercero en la línea de mando y lugarteniente de Nelson Gutiérrez, quien es otro de los fugados de la parcela »Santa Eugenia«, de Malloco.

Este individuo después de huir de Malloco llegó a la *Parroquia de »San Gerardo«,* a pedir ayuda al sacerdote *Víctor Gislain,* quien lo llevó donde otro sacerdote de la zona oeste del Episcopado en su propia motocicleta. De dicho lugar fue sacado más tarde por el sacerdote *Rafael Maroto,* cura obrero, quien lo llevó a la *Parroquia »Santa Rosa«,* de Lo Barnechea, donde el padre *Fermín Donoso* lo hospedó por una noche. Al día siguiente el sacerdote Fermín Donoso lo trasladó a la casa de Gerardo Whelan, lugar en que fue aprehendido a las 9 de la mañana del día 2 de noviembre.

Durante esta seguidilla de traslados el prófugo recibió además el ofrecimiento, por parte del padre Maroto, de ocultarlo en la Parroquia de »Las Condes«, hecho que no se concretó por razones que no están aún establecidas.

El sacerdote Gerardo Whelan se encuentra actualmente detenido por encubrir a delincuentes comunes, contra los cuales existen órdenes de detención de la Segunda Fiscalía Militar, por heridas graves a bala a dos carabineros en la parcela »Santa Eugenia«, de Malloco.

También está detenido por la misma causa y por servir de enlace al MIR en numerosas oportunidades, según propia confesión, el sacerdote Rafael Maroto, el cual es desde hace seis años simpatizante del MIR.

El padre Maroto se desempeñó hasta diciembre de 1973 como Vicario Episcopal en la Zona Centro de Santiago, con oficinas en el edificio del Arzobispado.

Hasta la fecha no han sido ubicados el sacerdote Fernando Salas y las religiosas Helen Nelson y Peggy Lepsig, quienes aparecen igualmente comprometidas en el encubrimiento de los asaltantes y cuasihomicidas Pascal Allende y Nelson Gutiérrez.

En poder del padre Maroto se encontró abundante documentación del MIR. Portaba al cuello una medalla con cordón rojo y negro, que por una de sus caras contenía la siguiente leyenda: »Miguel: la Resistencia Popular triunfa-

rá. *¡Hasta la Victoria, Siempre! 5 octubre 1975«. En el reverso se observa una alegoría revolucionaria*[439].

Estas revelaciones del Gobierno sumieron en verdadero pasmo a la ciudadanía, católica y no católica. El sainete eclesiástico-mirista que presenciaba desbordaba toda imaginación. Los actores:

a) Dos jesuitas (Fernando Salas y Patricio Cariola; este último, representante oficial del Cardenal Silva Henríquez ante el Comité de Cooperación para la Paz en Chile); ellos deciden la »seguidilla de traslados« de los extremistas, en reuniones que efectúan en el CIDE (Centro de Investigación y Desarrollo de la Educación), organismo de la Compañía de Jesús.

b) Dos sacerdotes de la congregación Holy Cross —Notre Dame—, famosos por sus hazañas promarxistas de varios años atrás en el colegio Saint George (Gerardo Whelan y John Philip Devlin).

c) Otros dos sacerdotes-párrocos (Fermín Donoso, de la parroquia Santa Rosa de Lo Barnechea, y Víctor Gislain, de la parroquia San Gerardo).

d) Una monja de la congregación Holy Cross-Notre Dame, y dos monjas de Maryknoll.

e) Una doctora inglesa (Sheila Cassidy) que, según Monseñor Kuhl, pretende tomar los hábitos en la congregación de Maryknoll y, según el Embajador de Gran Bretaña, aspira a convertirse en religiosa del Sagrado Corazón. El hecho es que la doctora no atendía enfermo alguno cuando la sorprendió la policía en la Casa de Reposo de los Columbanos, contrariamente a lo que dice en su despacho monseñor Kuhl. Además, según los Servicios de Inteligencia, se defendió disparando presumiblemente una pistola calibre 765; las víctimas propiciatorias del tiroteo resultaron ser un hombre de los Servicios de Seguridad (herido) y la empleada doméstica de los Columbanos (muerta). Cabe destacar que la muerte de la empleada no se debió a los disparos de la policía, como deja entrever Monseñor Kuhl, sino a la ráfaga lanzada desde dentro de la Casa de Reposo, con fusil marca AKA.

f) Por último está Rafael Maroto Pérez (62 años de edad, ordenado sacerdote en 1943, con estudios de Derecho y Bachiller en Teología, ex profesor del Seminario Pontificio, ex Vicario Episcopal, actual cura obrero con domicilio en la Comunidad Villa Francia, donde comparte sus desvelos con los padres *Roberto Bolton* y *Mariano Puga*, dirigentes del famoso grupo clerical pro marxista que se autodenominó »Doscientos«. El padre Maroto, según consta en fotografías publicadas por todos los diarios, había cambiado sus insignias religiosas por un escapulario del MIR.

Actitudes como las del padre Maroto y otros religiosos no deben llamar a escándalo entre los cristianos ni a estupor entre los no creyentes porque aparte del signo indeleble del sacerdocio está el individuo pasionalmente comprometido con una revolución marxista. Vale decir: personeros de la Iglesia que *cambiaron* su compromiso espiritual por uno absolutamente terrenal y violento.

[439] »El Mercurio«, 5 de noviembre de 1975.

El único problema radica en el empecinamiento de estas personas por permanecer *dentro de la Iglesia* y, más aún, ejerciendo en ella el ministerio sacerdotal. Por eso hay que desenmascararlos hasta lograr de ellos una definición tajante: o son sacerdotes o son guerrilleros. Ambas cosas a la vez *no pueden seguir siendo*, porque la Iglesia sufre hondo perjuicio, tal como desea el marxismo, cuya táctica de convertir a miembros del clero en peones suyos está siendo puesta en evidencia demasiadas veces como para continuar tratando con mano blanda —con una singular »misericordia«— a quienes se amparan en un supuesto fuero clerical para dedicarse impunemente a la prédica política violentista.

HABLA EL ARZOBISPADO

Con fecha 5 de noviembre, el Arzobispado de Santiago emitió la siguiente declaración:

»La Dirección de Informaciones de Gobierno ha considerado necesario informar a la ciudadanía sobre actividades extremistas en las que estarían envueltos, en grado y por motivos diversos, algunos sacerdotes y religiosas.

El Arzobispado de Santiago concuerda en la necesidad de una información veraz, detallada y oportuna respecto a todo suceso concerniente a la seguridad y suerte de los ciudadanos. En el caso presente debe quedar constancia de que las autoridades eclesiásticas que se entrevistaron sobre el particular con el señor Ministro del Interior han respetado rigurosamente su compromiso de guardar reserva sobre los antecedentes que motivaron dicha entrevista y su contenido.

La posición de la Iglesia respecto de la violencia y de quienes creen en ella como método y finalidad de una estrategia política es suficientemente conocida. Acaba de ser reafirmada en el documento Evangelio y Paz.

Quien profese una moral basada en el Evangelio de Cristo, no puede preconizar el odio y la destrucción ni colaborar al éxito de sus postulados por mucho que ellos invoquen presuntos ideales reivindicacionistas.

La autoridad eclesiástica de esta Arquidiócesis reprueba, en consecuencia, como contraria al espíritu de Cristo cualquier acción debidamente comprobada de sacerdotes, religiosas o laicos que implique su adhesión y directa cooperación a dichos postulados de violencia y de odios.

Distinto es el caso de quienes inspirados en las exigencias del mensaje Evangélico han creído en conciencia que debían brindar a quien lo requería los auxilios elementales para la preservación de la vida, cualesquiera que fuesen sus opciones políticas. Conviene recordar que la originalidad del amor cristiano radica, precisamente, en su indiscriminada misericordia.

Quienes así hayan actuado tienen el derecho de ser escuchados, comprendidos y respetados por una opinión pública formada mayoritariamente en el espíritu cristiano. La Iglesia confía en que los responsables de la seguridad ciudadana sabrán también apreciarlo bajo esa luz.

El Arzobispado de Santiago expresa, finalmente, su certeza de que la justicia competente dispondrá investigar a fondo los sucesos, en particular la muerte de una víctima inocente, para dilucidar las diversas responsabilidades comprometidas en ellos y dentro —conforme a su tradición— del pleno respeto a los derechos de las partes.

En el intertanto, un clima de serenidad y mesura será el más apropiado para el esclarecimiento de situaciones que todos lamentamos«[440].

Esta declaración del Arzobispado de Santiago tuvo la virtud de provocar un despacho malintencionado de la Agencia France Presse, disparado hacia gran parte del mundo: »*La Iglesia Católica justificó hoy oficialmente la ayuda prestada por sacerdotes a izquierdistas prófugos* . . .«[441].

Importa destacar que en la declaración del Arzobispado se advierte lo siguiente: »debe quedar constancia de que las autoridades eclesiásticas que se entrevistaron, sobre el particular con el señor Ministro del Interior, *han respetado rigurosamente su compromiso de guardar reserva sobre los antecedentes que motivaron dicha entrevista, y su contenido*«[442].

Cabe lamentar, entonces, que personeros del mismo Arzobispado, como Monseñor Kuhl, estuvieran en conocimiento de tales antecedentes y no fueran capaces de guardar el secreto.

LOS PADRES DE LA SANTA CRUZ

El padre *Gerardo Whelan,* actualmente detenido »por encubrir a delincuentes comunes«, tiene una larga trayectoria de coqueteos con el marxismo. Es de origen norteamericano, con 15 años de permanencia en Chile, nacionalizado chileno recién durante la Unidad Popular (1972), religioso de la Holy Cross (Santa Cruz), ex Rector del Colegio Saint George y, como tal, fervoroso partidario del proyecto de la Escuela Nacional Unificada (ENU) que lanzara el Gobierno de Allende con propósitos de concientización marxista masiva de los chilenos, »desde la cuna hasta la ancianidad«.

La tarea de penetración marxista del colegio católico Saint George, a cargo del padre Whelan y varios ayudantes más (sacerdotes en gran parte), comenzó en 1969, al convocar ellos a una Semana de Educación para »formar al hombre latinoamericano de hoy«. Entre otras cosas se aconsejaba, durante ese ciclo de estudios, »mencionar al Ejército como ejemplo de la corrupción educacional«, y menudeaban los eternos proletariados, explotaciones, capitalismos, etc. Entre los profesores del evento aparecían Jorge Gustavo Miranda Navea (marxista), Juan Urrutia (marxista) y el padre *Robert Plasker,* expulsado de Chile en 1974 por exceso de activismo.

Mientras los padres y apoderados ponían el grito en el cielo, a raíz de la Semana de Educación y otras manifestaciones de marxismo en el Saint George, el Rector de aquel entonces, padre George Highberger, aseguró que en el colegio no existía infiltración comunista o mirista. Los desmanes siguieron su curso, ahondando en las conciencias estudiantiles.

Entre tales conciencias había estado, años antes, la de *Andrés Pascal Allende,* líder del MIR recientemente asilado, en cuyo prontuario figura casi

[440] Ibid., 6 de noviembre de 1975.

[441] Copia fotostática del télex correspondiente. »Iglesia-Santiago«, Nov. 5 (AFP).

[442] »El Mercurio«, 6 de noviembre de 1975.

todo cuanto un buen violentista debe adeudar a la sociedad. Pascal Allende fue formado por los padres de la Holy Cross y egresó del Saint George en 1961 luego de, incluso, dirigir la Academia Literaria del Colegio.

Este alumno aprovechado que compartió después la clandestinidad, la gloria y la derrota con Miguel Enríquez, Luciano Cruz y otros próceres del mirismo, también gozó de los favores de Fernando Castillo Velasco, Rector de la Universidad Católica de Chile, cooperando en la formación del Centro de Estudios de la Realidad Nacional (CEREN), según propia confesión a la periodista Silvia Pinto (»Los días del arcoiris«, 1973)[443].

»A poco de triunfar la Unidad Popular, un diácono de la congregación Holy Cross, *Diego Irarrázaval C.,* presentó a la comunidad del Saint George un manifiesto de corte marxista, de apoyo al Gobierno de entonces, y en el cual se formulaban apreciaciones sobre el nuevo papel que el plantel debía tener.

»Se formó un CUP (Comité de Unidad Popular), con la participación de alumnos y funcionarios, y la revista »The Lance«, se convirtió en una tribuna de elementos marxistas« (Thomas P. Hac Hale. »Extremismo en Orden Religiosa y en un colegio católico«. »El Mercurio«, 9-11-1975)[444].

Mientras tanto, el padre Plasker concientizaba a los niños que preparaba para la Primera Comunión. Los profesores marxistas pululaban. Otros fervientes colaboradores de la »nueva educación« eran los padres *Jorge Cánepa* y *John Philip Devlin,* este último recientemente implicado en el caso Pascal Allende y compañeros.

Cuando, en 1971, hicieron irrupción los »Cristianos por el Socialismo«, los padres de la Holy Cross no quisieron quedarse atrás. Su principal nexo con ese grupo era el padre *Martín Gárate,* profesor de la unidad de Ciencias Sociales del Saint George, miembro de la congregación y alto dirigente de cuanta organización de sacerdotes pro marxismo viera la luz en este país.

Martín Gárate, Guillermo Redington, Sergio Concha y *Mauricio Laborde,* fueron cuatro dichosos padres de la Holy Cross que participaron en un viaje a Cuba invitados por Fidel Castro, en 1971.

Por su parte, Diego Irarrázaval, Holy Cross y profesor de la Facultad de Teología de la Universidad Católica, compartía con Gárate los honores de organizar el diálogo que Fidel Castro sostuvo en Santiago (de Chile) con ochenta sacerdotes católicos.

Después de varias aventuras más, Diego Irarrázaval logró salir de Chile, pese a que su célula mirista (Población Nueva Palena) fue desbaratada. (En la misma célula militaban: Mario Irarrázaval, Juan Cortés, Martín Gárate y Mauricio Laborde[445]. »El Mercurio« 26-5-1974, página 37). Sergio Concha, por su parte, sigue trabajando tranquilamente en la Población la Faena (Guía Eclesiástica de Santiago, 1975)[446].

[443]»Los días del arcoiris«. Silvia Pinto. Editorial del Pacífico. Santiago, 1972. 266 pp. (p. 187).

[444]»Extremismo en Orden religiosa y en un colegio católico«. Tomás P. Mac Hale. »El Mercurio«, 9 de noviembre de 1975.

[445]»El Mercurio«, 26 de mayo de 1974.

[446]»Guía Eclesiástica de Santiago/1975«. Arzobispado de Santiago. Editora Nacional Gabriela Mistral. 409 pp. (p. 213).

»Hay curas en el Partido Comunista« (Corvalán)

La implicancia sacerdotal en actividades guerrilleras o políticas de extrema izquierda —la politización del clero chileno y su vuelco apasionado hacia el marxismo— es una triste historia que da brotes por todas partes. Ahora lo estamos viendo: como un absceso, luego de largo tiempo de inflamación y dolor, ha reventado. Más dolor, asco y molestia; pero ha reventado al fin.

Con esta dramática redada de sacerdotes violentistas —madeja inaudita cuyos cabos recién están comenzando a atarse— se inicia una purificación, una clarificación sobre las verdaderas intenciones de una porción del clero que se cree nacida para combinar el altar con la guerrilla. Después de una década o más de incubación llegó la hora de operar y extirpar.

Durante una década muchos no quisieron ver la gestación del absceso; otros, viéndola, no le pusieron atajo: éstos »tienen mayor pecado«.

En 1972 (abril) un grupo de sacerdotes advirtió públicamente: »No es para eso (la política) que fuimos ordenados sacerdotes. No tenemos derecho a oscurecer, de este modo, el verdadero rostro de la Iglesia, ni a defraudar las legítimas expectativas de nuestro pueblo. El pueblo espera, y tiene derecho a exigirnos que seamos lo que somos: padres, pastores y educadores de la fe«[446a].

Mientras tanto, ese mismo año Luis Corvalán, Secretario General del Partido Comunista de Chile, mantenía el siguiente diálogo con Eduardo Labarca, autor del libro »Corvalán 27 horas« (Editora Nacional Quimantú):

—Periodista: ¿Hay algún cura militando en el Partido Comunista?

—Corvalán: Sí, hay algunos.

—Periodista: Yo conozco también una monja comunista.

—Corvalán: Yo no tengo el agrado de conocerla, pero puede haber en el Partido monjas y curas comunistas...

—Corvalán: Lo que a mí me interesa subrayar es el hecho que la Iglesia, como institución, tiene en lo fundamental una actitud positiva y amistosa hacia el Gobierno, incluido el Cardenal, el Jefe de la Iglesia[447].

Algo así, pero más en profundidad, dice *Gonzalo Arroyo* s.j. desde su exilio voluntario. Repetimos los siguientes párrafos de su libro »Coup d'Etat au Chili« (Golpe de Estado en Chile), Editions du Cerf, París 1974, por considerar claves estas revelaciones en relación con el fruto marxista-cristiano dentro del clero que hoy cosechamos:

»La existencia de esta corriente entre los cristianos (cristianos que rechazaron la tercera vía de la DC y se comprometieron con el socialismo marxista) —corriente minoritaria pero *integrada por buen número de sacerdotes y pastores comprometidos con los más pobres, y apoyada por teólogos de renombre*— determinó, al menos en parte, *la actitud de neutralidad que la Jerarquía adoptó en las elecciones de 1970 y, luego, las buenas relaciones que ella mantuvo con el Gobierno de la Unidad Popular.*

»Sin duda, las relaciones entre Obispos y cristianos revolucionarios jamás fueron fáciles. Sin embargo, *no hubo nunca ruptura:* los Obispos aceptaron

---

[446a] »El Mercurio«, 27 de abril de 1972.

[447] »Corvalán 27 horas«. Eduardo Labarca. Editora Nacional Quimantú, 1972. 238 pp. (pp. 207 y 209).

la legitimidad (dentro de ciertos límites) de una opción socialista, ver promarxista (por parte de tales cristianos), y los »Cristianos por el Socialismo«
nunca buscaron romper con la Jerarquía por razones, a la vez teológicas y políticas.

»La mayoría de los sacerdotes y de los pastores protestantes de comunidades de base, consagrados a la causa política de campesinos y trabajadores, *permanecieron unidos a la institución eclesiástica y creen que es necesario seguir unidos con la Jerarquía,* signo de la unidad de la Iglesia de Cristo.

»Saben, además, que la Iglesia jerárquica conserva un gran ascendiente sobre las masas de los países latinoamericanos... En muchos de estos países, *una condena oficial lanzada por la Jerarquía hubiese paralizado toda la
acción que la izquierda cristiana desarrolla en otros medios cristianos...*«[448].

Esta condena que nunca llegó o, más bien dicho, sobrevino sólo después
del pronunciamiento militar, esta paralización que nunca tuvo efecto, constituyó parte de un lamentable proceso cuyo epílogo estamos viviendo.

Cuando trascendió que Miguel Enríquez, líder máximo del MIR, escribió una carta al Cardenal Silva Henríquez (junio de 1974), para revelarle que
algunos clérigos eran miristas, Federico Willoughby, Secretario de Prensa de
la Junta de Gobierno, estuvo en condiciones de asegurar a los periodistas:
»Los extremistas pretenden usar a la Iglesia. Es una situación muy lamentable, pero cierta, ya que religiosos y diáconos han sido sorprendidos en actividades conectadas con el MIR«[449].

Exactamente seis meses después, el padre *Renato Giavio,* párroco de la
Población La Victoria, antaño miembro del Comité Organizador de la Jornada »La Colaboración de los Cristianos en la Construcción del Socialismo«
(abril 1971), fue grotescamente sorprendido por los Servicios de Inteligencia
de las Fuerzas Armadas, ocultando en el Sagrario, junto a las hostias, y bajo el
altar, las siguientes armas de un grupo extremista: dos pistolas Luger, un revólver Colt y uno Star, un yatagán de fusil AKA 47 (soviético), cargadores y muni-
ciones[450].

Detenido el padre Giavio, el Vicario Episcopal de la Zona Sur de Santiago, padre Gustavo Ferraris, protestó amargamente diciendo »Me consta,
desde hace varios meses, que algunos vecinos lanzaban acusaciones veladas
contra el padre Renato, con miras a desprestigiarlo y comprometerlo ante las
autoridades en forma malévola«[451].

Al día siguiente, por desgracia, luego de entrevistarse con el sacerdote
detenido que se hallaba »en perfecto estado de salud«, el padre Ferraris tuvo
que volver sobre sus pasos. El padre Giavio le dijo, personalmente, que era culpable[452].

Triste historia que llega —ojalá— a su epílogo, tejida de la buena fe de

---

[448] »Coup d'Etat au Chili«. Gonzalo Arroyo. Les Editions du Cerf. Paris, 1974. 102
pp. (pp. 66-67).

[449] »El Mercurio«, 19 de junio de 1974.

[450] Ibid., 14 de diciembre de 1974.

[451] Ibid., 17 de diciembre de 1974.

[452] Ibid., 18 de diciembre de 1974.

unos y la viveza de otros. »Esta voluntad de diálogo no se parece en nada a la anarquía« —reclamaba el Cardenal Silva Henríquez en 1971, a propósito de unos feligreses que se »tomaron« la Parroquia de »El Monte«—. Y añadía: »*En la Iglesia, como en toda sociedad, hay autoridad*«[453].

Pero, ya por aquel entonces, el Principio de Autoridad se había perdido de vista.

Más tarde (junio de 1973) el propio Cardenal Silva Henríquez, en un encuentro episcopal y sacerdotal internacional titulado »Conversaciones de Toledo« (Toledo-España), destinado a estudiar la »Teología de la Liberación«, hizo un crudo análisis de la evolución del clero chileno. Hablando de los »Cristianos por el Socialismo«, dijo:

»Nunca nos hemos negado al diálogo (con estos cristianos) y nunca hemos dejado de tratarlos con sumo afecto, porque comprendemos que en el fondo de todo esto hay una raíz para nosotros respetable: muchos de estos sacerdotes, y los mejores, han sido golpeados violentamente por la situación de subdesarrollo, de injusticia, de pobreza, de miseria de nuestro pueblo; y ellos han creído ver que la solución no éramos capaces de darla nosotros los cristianos, y que los gobiernos cristianos como el que había y acaba de pasar (la Democracia Cristiana de Frei) hizo muchas cosas, pero no llegó a tocar la raíz del problema; y que entonces sólo la problemática y la dialéctica y la metodología marxista es la única que va a solucionar el problema . . .«[454].

Pero en esas mismas conversaciones de Toledo, el Cardenal, en una anécdota, relató cómo un dirigente obrero tenía clara visión de las desviaciones del clero y aconsejaba cortar por lo sano. Ese obrero chileno decía al Cardenal:

»Por favor, que los curas no se hagan políticos, porque le creen después lo mismo a Marx que a la Sagrada Escritura; le creen lo mismo porque ellos están acostumbrados a leer en los Libros Santos la palabra de Dios, y el libro santo pasa a ser el capítulo o el manifiesto comunista de Marx«[455].

HABLAN LOS OBISPOS

Los hechos que se vienen sucediendo a partir del 1° de noviembre del año en curso, revisten tal gravedad, magnitud y vertiginosidad que, por fuerza, estas páginas quedarán con un epílogo incompleto. Día tras día aparecen más sacerdotes implicados en la reorganización de las fuerzas extremistas marxistas que se incuba en la clandestinidad. Clandestinidad de gran efecto cuando colaboran a ella parroquias, conventos, sacerdotes y religiosas, todos revestidos de un cierto fuero sacramental, cosa que transforma el delito en doblemente hipócrita e imperdonable.

Monseñor Emilio Tagle, Arzobispo de Valparaíso, ha sido tajante para enjuiciar a los sacerdotes y religiosas descubiertos recientemente en franca

---

[453] Ibid., 9 de septiembre de 1971.

[454] »Conversaciones de Toledo - Teología de la Liberación«. (junio 1973). Ediciones Aldecoa. Burgos (España), 1974. 469 pp. (p. 345).

[455] Ibid., (p. 343).

colaboración con la resistencia marxista. Con fecha 5 de noviembre, dijo a los periodistas:

»Estas actitudes violentas, ciertamente son una contradicción, puesto que no solamente son un error, sino que llevan al mal, llevan al odio, incluso a la muerte; son inaceptables. *Es evidentemente inaceptable cooperar en cualquier forma a la extensión del mal* . . .

»*Entre el comunismo, el marxismo y el catolicismo no hay puntos de contacto, son irreconciliables.* El marxismo tiene como ideología una negación de Dios, una negación de todos los valores espirituales. Como análisis político tiene un sistema basado en la lucha de clases, el enfrentamiento. Ellos llaman moral al uso de todos los medios, aunque sean ilícitos, para alcanzar la dominación total. Entonces quiebran todos los principios morales del BIEN y del MAL.

»Para ayudar al que se considera en una situación desmedrada, dolorosa, que pide amparo, para hacerlo hay que tomar en cuenta sobre todo que el mayor bien que se le puede hacer es que se aparte del error e impedir que siga haciendo el mal. Hay que tratar de apartarlo de eso y no colaborar en forma alguna facilitándole medios para que siga actuando en ese camino del mal.

»La Iglesia puede imponer sanciones y castigos a estos sacerdotes que colaboran con el marxismo, pero luego del término de la investigación correspondiente para verificar concretamente cuál es el alcance, la responsabilidad, los atenuantes, etc. Entonces procederá teniendo en cuenta el bien de la persona, el bien de la comunidad, el bien de la Iglesia, porque ésta sufre un daño enorme y la desprestigian. *La Iglesia está por encima de las deficiencias, de las fallas, de los errores de sus personeros.* No se debe perder la fe en la Iglesia, porque —repito— está por sobre los hombres, y así fue fundada por Nuestro Señor Jesucristo, y a la cual debemos ser fieles.

»*Esa actitud es inaceptable en todo sacerdote.* Creo que ayudar a los pobres es indispensable hacerlo, como cristianos, como chilenos. Hay labores muy hermosas de algunos sacerdotes en las poblaciones en este sentido, pero de ahí a aprovecharse para concientizar a los jóvenes que les ayudan, políticamente en favor del marxismo, es inaceptable . . .«[456].

Luego Monseñor Augusto Salinas, Obispo de Linares, enfatizó:

»Yo tengo que ver cuando se practica la caridad si acaso efectivamente estoy cumpliendo ese precepto o estaré faltando por otro lado. Aquí hay una caridad respecto al prójimo, pero hay que ver también si yo la practico respecto a la Iglesia, Jesucristo y respecto a mi Patria. Puede ser que por atender a una persona particular yo falte a esa caridad que es más importante, y entonces no esté cumpliendo el precepto, justamente, de la caridad. De tal manera que es un error pensar que yo no deba atender a cuáles son las consecuencias. En el caso concreto, entonces, en que *se ha amparado a algunos miristas, el que proceda así siendo sacerdote, religiosa, ha pensado —según las palabras que he escuchado— que cumplía un precepto de caridad. Pero sin embargo no han pensado que están ayudando a una doctrina destinada a faltar a la caridad, destinada*

---

[456] »El Mercurio«, 9 de noviembre de 1975.

a dar muerte a mucha gente, atentar contra los principios de la Iglesia y de la Patria. De modo que esto no es caridad. Es falta de caridad.

»Quienes hayan procedido a amparar a los que profesan doctrinas que son condenadas por la Iglesia, y que además atentan contra el orden público, han faltado a sus deberes. Y son dignos de toda censura y en su caso, también, aunque sea duro decirlo, del castigo respectivo.

»Sin duda alguna es una profanación de lo sagrado (utilizar templos y conventos para albergar extremistas). Debemos recordar, además, que anteriormente también hubo un sacerdote que guardó armas en el Sagrario de su Iglesia. Esto significa que se pierde el concepto de cuál es el deber. *Escoger un convento para esconderlos, es por una parte, como ya lo dije, una profanación, y por otra es una hipocresía, porque se está manteniendo esos lugares sagrados, como si fueran justamente sagrados, y al mismo tiempo se les está convirtiendo en guarida de bandidos. De manera que se está faltando tremendamente a la caridad y al deber de buen católico*«[457].

Pregunta: ¿Cree usted que esos sacerdotes y monjas que están amparando a enemigos de la paz, la libertad y de la patria misma, merecen seguir perteneciendo a la Iglesia Católica?

Respuesta de Monseñor Salinas: »El juicio respectivo a cada cual debe hacerse como en todo juicio con un proceso, porque estos principios generales que he manifestado son inamovibles, pero para juzgar ya la intención de una persona, que es indispensable para conocer su responsabilidad, tendría que verse más en particular y examinar cada caso por separado. De antemano uno puede pensar que han estado por lo menos totalmente equivocados. Evidentemente, se puede presumir, como lo dice la ley, que hay un error tremendo, donde se ha llegado al extremo inconcebible, por ejemplo, que uno de los sacerdotes a quien yo conozco hace muchos años como es el padre Maroto, haya llevado consigo una insignia o medalla mirista, como si fuera algo muy sagrado. En vez de llevar un Crucifijo, llevar una medalla extremista, es una ceguera espantosa. Es una abdicación de la razón. El error que pasa por encima de todo lo que es verdad, un error que posee no sólo ignorancia, sino que trata de alterar la verdad, ése es culpable. Y también está eso en el juicio de Dios sobre nosotros. Evidentemente que la ignorancia puede no ser culpable, pero bien puede serlo. Aquí en estos casos que nos preocupan puedo decir, y es una responsabilidad que asumo de frente, son culpables porque han hecho un daño inmenso a la Iglesia, a la Patria y al mundo entero«[458].

Pregunta: ¿La Iglesia comparte o no la actitud de estos sacerdotes y religiosas?

Respuesta: »Totalmente no. Soy parte de la Iglesia, no digo que sea toda la Iglesia, pero también lo hemos conversado entre varios hermanos Obispos, *y estamos totalmente en desacuerdo con esta actitud y estimamos que debe ser rechazada y reprimida, y juzgada,* si no con rigor, con entera verdad«[459].

[457] Ibid.
[458] Texto original de las declaraciones de Monseñor Salinas.
[459] Ibid.

Pregunta: ¿Estima Monseñor Salinas que todo esto está consiguiendo la división entre los católicos?

Respuesta: »Este es un punto muy delicado e importante, porque como lo recordábamos hace algún momento, y como lo dice el Evangelio, el Demonio se viste de ángel y de luz. *Esto es hacer aparecer como que se está defendiendo a Dios cuando la verdad es que lo están atacando.* Entonces aquí se dividen los católicos. Al menos en parte eso ha ocurrido ya porque *los que están amparando a los que van contra la doctrina, se presentan como defensores de ésta. Es una táctica del comunismo. Actualmente el marxismo universal está aparentando que defiende el Evangelio y que la Iglesia no cumple con el Evangelio. Eso es au-*dacia. En consecuencia *estos sacerdotes y esas religiosas aparecen como si estuvieran defendiendo la caridad, la Iglesia y el Evangelio, cuando es todo lo contrario«*[460].

LA IGLESIA INQUEBRANTABLE

En seguida vino la palabra de Monseñor Silva Henríquez, Cardenal-Arzobispo de Santiago, incluida en su Mensaje del Mes de María (8 de noviembre). Dijo, refiriéndose al drama del clero coludido con el mirismo:

»Ha querido la Providencia que este Mes de María lo iniciemos con sentimiento de tristeza: *hermanos nuestros son acusados de actividades reñidas con el Evangelio.*

»No podemos anticiparnos al veredicto de la Justicia. *Puede que alguno haya faltado.* En este caso, la caridad misma exige que reprobemos su falta. Pero ni aun el que falta o peca gravemente queda destituido de su dignidad de persona.

»Mucho nos duele si un sacerdote no cumple sus sagrados compromisos. Pero más, todavía *nos duele cuando al caído se le juzga sin misericordia, o cuando se pretende empañar cualquier testimonio de evangélica caridad con el estigma de cooperación al error y al delito ...«*[461].

En aquellas »Conversaciones de Toledo« ya mencionadas (junio 1973), el Cardenal Silva Henríquez relataba descarnadamente, ante su auditorio de obispos y sacerdotes de varias partes del mundo, una de las terribles preocupaciones del Episcopado de Chile. Decía:

»Nosotros nos encontramos con que nuestro clero —que es un clero muy heterogéneo, en el que hay una cantidad de extranjeros; *más de la mitad de nuestro clero es extranjero* y no de un solo país, sino que es el Arca de Noé— *nuestro clero tiene ideas muy poco claras sobre lo que hay que hacer* y cuál es la situación de Chile.

»Y entonces *el grupo de extrema izquierda dentro del clero, que ha sido el que ha promovido todas las reacciones,* digamos, de esta así llamada *Teología de la Liberación, es un grupo extranjero en más de un sesenta por ciento,* no es un grupo nacional ...

»Son, además, sumamente pesimistas sobre la realidad; creen que el

[460] Ibid.
[461] »El Mercurio«, 8 de noviembre de 1975.

cristianismo nuestro no existe, que el pueblo no es cristiano, sino que es un pueblo pagano; y comienzan a tratarlo con una dureza y con una violencia inaudita, dureza y, yo diría, violencia sectaria . . .«[462].

En este sesenta por ciento de sacerdotes extranjeros al servicio de la »teología« de la liberación, debe incluirse naturalmente parte de la lista de los que asaltaron la Catedral de Santiago, de los que dialogaron con Fidel Castro, de los que formaron en los Ochenta, en los Doscientos; de los que ahora surgen como guerrilleros o encubridores de guerrilleros.

Antonio Postigo y Paulino García (españoles), el precursor Roger Vekemans (belga), Santiago Thijssen (holandés), Guido Lebret (francés, nacionalizado chileno), Roberto Quevillon (canadiense), Esteban Piereck (polaco), P. Gilbert (holandés), Alejandro Bastiaanse (holandés), Julián Braun (luxemburgués), Francisco Graffé (luxemburgués), José Doherty (norteamericano), Carlos Welsch (norteamericano), Jorge Altapulla (panameño), Ives Perraud (francés), Jean Pierre Loquais (francés), Patricio Donovan (canadiense), Mauricio Dutour (francés), Andrés Mutlet (francés), John Phillip Devlin y Robert Plasker (norteamericanos), Gerardo Whelan (norteamericano, nacionalizado chileno), Giuseppe Murinedou y Salvatore Angelo Rozzu (italiano), etc.

La mayoría de estos miembros del »Arca de Noé« fueron expulsados del país o invitados a evacuar el territorio nacional, a causa de sus ideas revolucionarias[463].

A ellos hay que sumarles la rutinaria importación de maestros del marxismo clerical en tiempos de la UP: Blanquart, Ernesto Cardenal, Gustavo Gutiérrez, Assmann, Comblin, etc.

Porque también confidenció al respecto el Cardenal Silva Henríquez en las Conversaciones de Toledo: »Allá está Assmann, está Comblin, está Gutiérrez, que van a menudo allá (a Chile). Se puede decir que ahí es el nido donde se incuban todas estas cosas«[464].

»Se advierte claramente que existe un compromiso directo y muy grave de un grupo importante de sacerdotes y religiosas con este movimiento de izquierda revolucionaria, con el MIR«, decía recientemente el abogado Jaime Guzmán Errázuriz desde el Canal 7 de televisión. Con ello no hacía más que rubricar las preocupaciones del Cardenal Silva Henríquez, en parte manifestadas durante las Conversaciones de Toledo, y de cuyas consecuencias previniera en su condena tajante del terrorismo (»El Mercurio« 2-7-1970):

»Grupos minoritarios pretenden imponerle a la inmensa mayoría de los chilenos un clima ficticio de hostilidad y atropello a las personas, de desconfianza mutua, y hasta de terror. *Aceptarlo significa destruir las bases mismas de nuestra convivencia ciudadana*«[465].

[462] »Conversaciones de Toledo - Teología de la Liberación«. Junio de 1973. Ediciones Aldecoa. Burgos (España), 1974. 469 pp. (pp. 343-344).

[463] »Boletín Informativo Oficial«. Arzobispado de Santiago N° 72. Año 1973.

[464] »Conversaciones de Toledo - Teología de la Liberación«. Junio de 1973. Ediciones Aldecoa. Burgos (España). 1974. 469 pp. (p. 341).

[465] »El Mercurio«, 2 de julio de 1970.

En la tiniebla y el caos, abriéndose paso entre un estupor, un dolor y un escándalo, frente al espectáculo del contubernio marxista-cristiano puesto al desnudo con tanta crudeza, se alza la voz valiente, clara y serena, del Arzobispo Obispo de Valparaíso, Monseñor Emilio Tagle Covarrubias:

»(Estos sacerdotes) no representan a la Iglesia... Por encima de las fallas y errores de algunos, está el sacerdocio. Por encima de las fallas humanas, está la Iglesia inquebrantable« [466]. (»La Segunda«, 10-11-1975).

Estas palabras serán una luz en la terrible noche que ha durado tantos años y que ahora, dolorosamente, parece ir dejando paso al día, a la esperanza, a las definiciones. Mientras tanto, sólo queda pedir que en esta prueba el Señor tenga compasión de nosotros.

Santiago, 12 de noviembre de 1975

---

[466] »La Segunda«, 10 de noviembre de 1975.

EPILOGO »OFF THE RECORD«

El padre Gerardo Whelan, que fue detenido por »encubrir a delincuentes comunes«, tiene una larga trayectoria de coqueteos con el marxismo.

Es de origen norteamericano, con 15 años de permanencia en Chile, nacionalizado chileno recién durante la Unidad Popular (1972), religioso de la Holy Cross (Santa Cruz), ex rector del colegio Saint George's y, como tal, fervoroso partidario del proyecto de la Escuela Nacional Unificada (ENU) que lanzara el gobierno de Allende con propósitos de concientización marxista masiva de los chilenos, »desde la cuna hasta la ancianidad«.

El día 2 de noviembre de 1975, en casa del sacerdote Gerardo Whelan, en el lugar llamado La Ponderosa, Lo Barnechea, fue detenido Martín Humberto Hernández Vásquez, alias »Jaime« o »Leonardo«, extremista profesional perteneciente a la Comisión Política del MIR, tercero en la línea de mando y lugarteniente de Nelson Gutiérrez, quien es otro de los fugados de la parcela »Santa Eugenia«, de Malloco.

El sacerdote Gerardo Whelan fue detenido por encubrir a delincuentes comunes, contra los cuales existían órdenes de detención de la segunda fiscalía militar, por heridas graves a bala a dos carabineros en la parcela »Santa Eugenia«, de Malloco.

*Gesto dirigido a reporteros gráficos por uno de los sacerdotes detenidos
en el asunto de los miristas. (Foto del diario* La Segunda).

El padre Maroto se desempeñó hasta diciembre de
1973 como Vicario Episcopal en la zona centro de
Santiago, con oficinas en el edificio del Arzobispado.
Durante el gobierno de Eduardo Frei fue Capellán del
Palacio presidencial de La Moneda.

En poder del padre Maroto se encontró abundante documentación del MIR. Portaba al cuello una medalla
con cordón rojo y negro, que por una de sus caras contenía la siguiente leyenda: »Miguel: la resistencia popular triunfará. ¡Hasta la victoria, siempre! 5 de octubre de 1975«. En el reverso se observa una alegoría
revolucionaria.

El padre Maroto, según consta en fotografías publicadas por todos los diarios, había cambiado sus insignias
religiosas por un escapulario del MIR.

PADRE NUESTRO, que estás en los cielos,
quiero hablarte al oído y decirte mi duelo
y contarte el inmenso dolor de mi pueblo.
Yo también soy el pueblo y mi luto es muy negro.
Son tantos los dolores que llevamos por dentro,
porque ni eso es posible: mostrar el llanto abierto.
Es preciso ocultarse y sufrir en silencio;
hay que poner bandera y mostrarse contento;
hay que ignorar burlas y fusilamientos;
tener el ánimo entero y la procesión adentro.
Escuchar las "noticias" dudando si algo "sea cierto".
Sonreir en las calles, olvidando los muertos;
saber que en el Estadio torturan a los nuestros
por haber defendido el Gobierno del pueblo.
Nos matan a obreros, médicos y cantantes
y al insigne Neruda entierran sin más trámites.
Prostituyen las mentes pidiendo delaciones;
sólo se escuchan marchas; no hay versos ni canciones,
ni un poco de respeto para nuestros dolores.

Yo viví muchos años creyendo en la decencia
de nuestros uniformados que eran nuestra defensa;
y que hoy asaltan al pueblo cubriéndose de vergüenza.
Es fácil detectarlos: allanan, violan, roban
andan con metralletas asustando a las gentes.
Con armas y uniformes comprados por el pueblo;
incendian la Moneda, matan al Presidente,
persiguen a Ministros y masacran a las gentes.

¿Qué buscan, qué persiguen?

Prostituir a la Patría; entregarla de nuevo
convertirnos en parias, echando a los cubanos
para darla a los yanquis.
Pretenden que olvidemos que dimos el primer paso
y suponen ingenuos, que el fusil lo ha logrado.

Qué poco nos conocen; qué mal nos han juzgado;

Este baño de sangre consolida los lazos
y nos llama a un futuro más revolucionario.

¿Nos disuelven la CUT, apresan a Corvalán?
¿Nos niegan el reajuste, nos despiden en masa?
¿Al más grande poeta le saquean la casa?
¿Hay familias deshechas, hay huérfanos, hay viudas?
¿Hay muchos compañeros viviendo en Embajadas?
¿Se terminó el Congreso, el periodismo ha muerto?
¿La dignidad de Chile es sólo ya un recuerdo?
¿Se aleja el socialismo, resucitan los gringos?

¡ NO IMPORTA !
HAY UN MAÑANA. nos quedan fuerzas e hijos,
y una frase muy cierta que hoy decimos sin ruido:
EL PUEBLO ESTANDO UNIDO, JAMAS SERA VENCIDO
MAS TARDE O MAS TEMPRANO LO HAREMOS CONSEGUIDO ¡¡¡

Poema revolucionario escrito por el padre Maroto.

Capítulo XXX

EPILOGO SEGUNDO

Recién acaecido el pronunciamiento militar, con fecha 9 de octubre de 1973 el Cardenal Raúl Silva Henríquez ofreció una conferencia de prensa. En ella se le preguntó directamente por qué la opinión del Santo Padre sobre la Junta de Gobierno y la situación chilena era tan desgarrada (»Sufrimos, lloramos, pero esperamos todavía...«, decía, entre otras cosas, Paulo VI).[467]. Respondió el Cardenal:

»Hay informaciones que recibe el Santo Padre no por los conductos regulares, llamémoslos así, sino por mil otros conductos, y especialmente a veces por religiosos y religiosas que han tenido que salir de Chile. Todas estas informaciones llegan a las casas centrales de estos institutos religiosos y, a su vez, pasan a la Secretaría de Estado de Su Santidad. Entonces, por las informaciones de prensa que, en Europa, son tan malas en contra de Chile y por informaciones que pueda haber tenido de parte de algunas de estas personas, la imagen que el Santo Padre se ha formado no es la que nosotros quisiéramos que tuviera de Chile en este momento«[468].

Este reconocimiento del Cardenal-Arzobispo de Santiago, en aquel entonces Presidente de la Conferencia Episcopal de Chile, tienen particular importancia para comprender, en algo, el trabajo difamatorio que realizan ciertos elementos eclesiásticos, resentidos a raíz de las sanciones que contra ellos cayeron (sanciones que debieron asumir en su calidad de ciudadanos, nacionales o extranjeros; porque ningún voto religioso ni ordenación sacerdotal alguna exime del deber de cumplir las leyes del propio país o del ajeno).

Sumándose a la campaña implacable del marxismo contra Chile, tales hombres y mujeres llevaron y llevan el desprestigio chileno hasta rincones que los marxistas no alcanzan. Lo llevaron y llevan a oídos del propio Paulo VI.

Clérigos rencorosos han salido varios desde Chile. En general hacia ellos el Gobierno de la Junta practicó una paciencia y una magnanimidad

---

[467] »Boletín Informativo Oficial« del Arzobispado de Santiago, octubre de 1973.
[468] Ibid.

dignas de encomio. La lista de sacerdotes y religiosos sorprendidos en actos subversivos o afines y, rápidamente, perdonados, indultados, remitidos a su país de origen con salvoconducto de cortesía o entregado a su Obispo; es tan extensa que debiera promover la acción de gracias.

Pero no. Por el contrario: estos beneficiados, apenas dejan nuestro país, publican donde pueden las »atrocidades« del régimen. Calumnian a granel, como si sólo para esa función, tan opuesta a todo lo dicho por Cristo, hubieran nacido y hubieran consagrado sus existencias a Dios.

Ellos, realmente, no practican la »indiscriminada misericordia« que recetaba el Arzobispo de Santiago a raíz del caso de los extremistas y delincuentes comunes Andrés Pascal y Nelson Gutiérrez[469].

Misericordia para con quien desquicia; calumnia para con quien pone las cosas en su lugar y con espíritu cristiano: esta es la nueva norma del »cristianismo«.

FRENZ, PERSEGUIDOR PERSEGUIDO

Difícil seguir a tantos mensajeros de nuestro desprestigio mundial porque, a sólo cinco meses de terminado el epílogo a la primera edición de este libro (Epílogo »Off the Record«), la proliferación y concatenación de acontecimientos confirmatorios del papel de organismo »de resistencia« que muchos personeros de la Iglesia Católica quieren darle a su propia Iglesia, es abrumador.

De la maraña, y sin orden cronológico alguno, surge *Patricio Gajardo Infante,* sacerdote, Capellán de la Cárcel Correccional de Mujeres.

Patricio Gajardo fue detenido el 8 de noviembre de 1975, por promover entre las reclusas la elaboración de tarjetas de Navidad con motivos revolucionarios o de resistencia. Tales tarjetas serían vendidas en el extranjero, para incrementar los fondos del Comité de Cooperación para la Paz en Chile, familiarmente llamado »Comité Pro Paz«.

Ayudaban al padre Gajardo en esta misión *Aura Hermosilla* y *Loreto Pellisier.* También fueron detenidas y, al cuello de una de las dos se halló un medallón con motivo alegórico revolucionario, colgado de una cadena de la cual también pendían dos cruces[470].

Estos tres personajes se beneficiaron con un salvoconducto gubernamental y viajaron a Copenhagen. Gracias a los boletines de Radio Moscú, religiosamente consagrados a difamar a nuestro país, a través del programa »Escucha Chile«, se conoce hasta qué punto Patricio Gajardo y sus acompañantes se erigen en héroes y mártires con tal de servir a la campaña marxista.

»En el Parlamento de Dinamarca, en una sala atestada de representantes de todos los medios de comunicación daneses »...Gajardo contó cómo los chilenos« ofrecen regalar a sus hijos, angustiados por su imposibilidad de alimentarlos«. Añadió que »nunca había visto (como ahora) manadas de perros hambrientos por las calles«. Etcétera[471].

[469] »El Mercurio«, 6 de noviembre de 1975.
[470] Ibid., 11 de noviembre de 1975.
[471] Boletín de Radio Moscú, 14 de febrero de 1976.

Aura Hermosilla (educadora de párvulos) y Loreto Pellissier (estudiante de enfermería y colaboradora del Comité de Cooperación para la Paz) sirvieron de coro griego al padre Gajardo en esta triunfal presentación en el Parlamento de Dinamarca. Ellas abundaron en la truculencia de supuestas torturas, especialmente sexuales, con un lujo de detalles rayano en la impudicia[472].

Otro boletín de Radio Moscú, fechado 16 de febrero, consigna una nueva conferencia de prensa del padre Gajardo en Copenhagen. Finalmente, el martes 17 de febrero Radio Moscú logra comunicarse telefónicamente con Patricio Gajardo y sus colaboradoras; les ofrece la oportunidad de mandar a Chile, a través del éter, un mensaje a sus ex compañeros de tortura. Loreto Pellissier dijo:

»Compañeras: aunque estoy lejos, estoy adentro con ustedes... aunque yo esté en este momento fuera de nuestra patria, no significa que las haya abandonado... yo puedo hablar por ustedes ante el mundo y hacer que la justicia llegue«[473].

Mientras tanto, la misma Radio Moscú recoge otra noticia de otro apóstol de la difamación nacional, ex miembro también del Comité Pro Paz recién disuelto:

»En la iglesia luterana de Hannover, el Obispo luterano *Helmut Frenz* llamó a los creyentes a volcar su solidaridad con los niños chilenos y hacia la lucha por el restablecimiento de los derechos humanos en Chile. En su prédica Frenz trazó un vasto cuadro de la persecución y del terror en Chile. La reunión, con entrada pagada, fue realizada por la organización de Alemania Federal que moviliza la solidaridad hacia los niños víctimas de la política de la Junta«[474].

De seguro el Obispo Frenz remitió los dineros recaudados hacia Gemeinwirtschaft, Frankfurt 161.556.0, dirección de Hortensia Bussi de Allende, viuda del ex Presidente chileno Salvador Allende. Al menos así lo hizo en una oportunidad anterior, según consigna el »Berliner Sonntagsblatt« del 11 de enero de 1976[475].

Frenz no logra resignarse a la prohibición de regresar a Chile que pesa sobre su cabeza, desde fines de octubre de 1975. Ya en noviembre la cruzada infatigable de Frenz lo tenía en Hamburgo, asegurando que las iglesias, en Chile, son objeto de persecución; según él, conversaciones telefónicas con representantes eclesiásticos en Santiago demuestran que éstos »se encuentran desesperados con la situación imperante«[476].

Es de suponer que, luego de conocerse la campaña antichilena sostenida por Frenz a lo largo de casi seis meses —campaña que incidirá sin lugar a dudas en el bloqueo perpetrado contra Chile a través del mundo y hará más dura la situación de los mismos pobres cuyo redentor él dice ser—, es de supo-

[472] Ibid.
[473] Ibid., 17 de febrero de 1976.
[474] Ibid., 14 de febrero de 1976.
[475] »La Segunda«, 10 de febrero de 1976.
[476] »Las Ultimas Noticias«, 23 de noviembre de 1975.

ner que la revista jesuita »Mensaje« no seguirá dedicándole artículos pletóricos de sensiblería vestida de solaridad cristiana, como aquel de noviembre de 1975:

»El Obispo de la Iglesia Luterana —decía »Mensaje«— no puede volver a Chile... Una resolución del Ministerio del Interior (3 de octubre) le impide reingresar en el país. La razón aducida: »realizar actividades antinacionales y comprometer gravemente la seguridad y tranquilidad públicas«. Pero no se denuncia ningún hecho concreto. Nos preguntamos: ¿cuáles son esas actividades? ¿cuándo se realizaron?...

»Mientras no se despejen estas incógnitas, presuponemos, en solidaridad cristiana con ese obispo, que su actuación de ninguna manera ha sido acreedora de esta medida. Las palabras y la vida de Jesús, así como la larga historia del cristianismo, nos muestran que el verdadero seguimiento del Señor suele traer conflictos. Por eso *tendemos a considerar este hecho como gravemente atentatorio contra la libertad religiosa: es impedir, con medidas administrativas, que el ministro de una Iglesia ejerza su ministerio...*«[477].

El más osado de los gestos apostólicos de Frenz se conoció en nuestro país en febrero: ante la inquietud manifestada por la Iglesia Luterana de Chile, el Jefe de Gabinete del Presidente Pinochet aclaró que, según informaciones procedentes del exterior, Frenz aseguraba en países europeos que, en su última conversación sostenida con el Jefe de Estado chileno éste había reconocido »la práctica masiva de torturas en el país«. Tamaño infundio mereció una respuesta lacónica:

»El señor Frenz miente, ya que no ha tenido ninguna entrevista con Su Excelencia el Presidente de la República«, dijo el representante del Gobierno[478].

Basta con eso: he aquí la calidad moral de los Obispos que defiende »Mensaje«.

FIN DEL COMITÉ PRO PAZ

Entre los cuatro calumniadores profesionales de Chile, anotados hasta el momento en este Epílogo Segundo, corre una columna vertebral: el Comité Pro Paz los auna como colaboradores. Frenz fue co-presidente de dicha institución nacida por Decreto del Cardenal Silva Henríquez del 9 de octubre de 1973, expresamente para: »dar asistencia jurídica, económica, técnica y espiritual« a los chilenos que lo necesitan, a raíz del pronunciamiento militar[479].

Ninguna intención política tenía ese organismo pero, ya lo dijo Monseñor Carlos Camus: »Hay muchos funcionarios del Comité Pro Paz que son de ideas marxistas, porque es lo lógico«[480].

Se comprende que quienes llevaban una intención auténticamente cristiana en este tenderle la mano al prójimo —aquéllos que en su misión de ca-

---

[477] »Mensaje«, noviembre de 1975.
[478] »El Cronista«, 12 de febrero de 1976.
[479] »Comunidad Cristiana« (suplemento semanal de »Iglesia de Santiago«), 23 de noviembre de 1975.
[480] »El Mercurio«, 8 de octubre de 1975.

ridad no tienen doble fondo—, fueran poco a poco retirándose del Comité de Cooperación para la Paz en Chile. Primero lo hicieron las Iglesias Evangélicas, Bautista, Pentecostal e, inclusive, la Luterana cuando un cisma interno y purificador la liberó del Obispo Frenz. La última en hacerlo fue una de sus fundadoras: la Iglesia Ortodoxa de Chile. ¿Motivo? La participación de sacerdotes católicos, miembros de aquel organismo ecuménico, en la protección de elementos extremistas (caso Andrés Pascal y Nelson Gutiérrez).

Gabriel Salvador, representante de los ortodoxos, envió una carta aclaratoria al secretario ejecutivo del Comité, Cristián Precht. Entre otras cosas recordaba:

»Seguiré sosteniendo mi posición de ayuda al necesitado, pero basada en *los valores cristianos que son contrarios a las soluciones de violencia que algunos de mis hermanos en Cristo, interpretando las doctrinas de la Iglesia propugnan, provocando la confusión de las comunidades cristianas del país*«[481].

El vaso fue plenamente colmado y el Presidente de la República en comunicación escrita al Cardenal Silva Henríquez, pidió la disolución del Comité. En su carta-respuesta el Cardenal asintió sin precisar fecha y, en seguida, expresó que:

»confía que la sociedad y el Gobierno mismo sabrán acoger con ecuanimidad y reconocimiento a los que, con abnegación han servido dentro de la institución«, manifestando »un franco apoyo a la labor del Comité, considerándola como actividad humanitaria y evangélica, sin desconocer que, al igual que en toda obra humana, se dan limitaciones e insuficiencias«[482].

El Comité de Cooperación para la Paz en Chile fue disuelto en los últimos días de diciembre. La Conferencia Episcopal, reunida en San José de Mariquina, envió al »Señor Pbro. Cristián Precht y colaboradores del Comité de Cooperación para la Paz en Chile« una carta que, fundamentalmente, decía:

»Queremos agradecerles la labor que ustedes han realizado. Gracias a ustedes, y pese a inevitables limitaciones, millares de chilenos, en horas de angustia y aflicción, pudieron contar con una ayuda jurídica, económica y moral que les permitió ser defendidos en la mejor forma posible dentro de las prácticas vigentes...

»Su obra ha sido para el país entero un testimonio de solidaridad humana y ha contribuido a la reconciliación del pueblo chileno y al restablecimiento de la paz fundada en la dignidad y en el respeto...«[483].

Quizás por una de aquellas »limitaciones e insuficiencias« a que aluden el Cardenal y la Conferencia Episcopal, el Comité Pro Paz solía exagerar un poco. Se vio claramente cuando, en su discurso de inauguración del Año Judicial, el Presidente de la Corte Suprema de Chile, José María Eyzaguirre, pudo emitir el balance del tribunal máximo de justicia del país respecto a

---

[481] Ibid., 10 de noviembre de 1975.

[482] Ibid., 20 de noviembre de 1975.

[483] »Mensaje«, enero-febrero de 1976.

denuncias hechas por el Comité Pro Paz, sobre presunto desaparecimiento de personas:

»Los ministros visitadores —dijo— han expedido sus informes y de ellos se desprende que, *en numerosos casos, las personas cuyo desaparecimiento se investigaba se encuentran en libertad, otras han salido al extranjero, otras están detenidas en virtud del Estado de Sitio, otras procesadas en tribunales militares y, finalmente, respecto de algunas, se trata de delincuentes de derecho común cuyos procesos se tramitan*«[484].

Apenas disuelto el Comité de Cooperación para la Paz en Chile, con fecha 1° de enero de 1976 el Cardenal-Arzobispo de Santiago, Monseñor Raúl Silva Henríquez, creó la Vicaría de la Solidaridad, a cargo de quien fuera Secretario Ejecutivo del Comité disuelto, *Cristián Precht,* con título de Vicario Episcopal.

Expresamente, a través de un comunicado oficial que se transmitió el 16 de enero, el Arzobispado declara que la nueva Vicaría se crea en conformidad »a su Carta Pastoral sobre la Solidaridad«, emitida el 25 de julio de 1975. Gran cosa, pues dicha pastoral echa por tierra, de antemano, cualquiera tentación de politizar las acciones de la Iglesia.

En su parte segunda dice la Pastoral: »*Queremos insistir ante todo en el espíritu que debe animar a todas estas actividades* (de solidaridad cristiana)...

»*De ningún modo tienen ni deben tener un contenido político. Estamos consciente que no estamos llamados a resolver los problemas globales del subdesarrollo, de la inflación y de la redistribución del ingreso nacional: son problemas anteriores a la actual emergencia, más complejos, y requieren de una competencia y un poder que no son los nuestros de meros pastores*«[485].

Excelente sería que las directivas del Arzobispado —tan aclaratorias del límite que separa lo del César y lo de Dios— sean tomadas en cuenta. Con anterioridad no lo fueron: el folleto de la Pastoral de la Solidaridad fue recogido por quien esto escribe en la sede del Comité Pro Paz; parece que, pese a distribuirse gratuitamente allí, muchos personeros de la institución no habían leído nunca el párrafo recién citado.

LA CARIDAD NO ES UNA NODRIZA PLAÑIDERA

Varias ramificaciones tuvo el desenlace de aquel enojoso suceso comenzado en Malloco, propalado al exterior por *Monseñor José Kuhl* y continuado en una extraña »seguidilla de traslados« (palabras del Gobierno), con implicancia de algunos extremistas del MIR, varios sacerdotes, otras tantas monjas y una médico candidata a vestir los hábitos.

Los cuatro miristas mayores (Andrés Pascal Allende y Nelson Gutiérrez, más sus respectivas convivientes) se asilaron: Pascal y Mary Ann Beausire en la Embajada de Costa Rica; Gutiérrez y María Elena Bachman en la Nunciatura Apostólica). En enero y febrero, respectivamente, salieron del

---

[484] »El Mercurio«, 1° de marzo de 1976.

[485] »Pastoral de la Solidaridad«. Ediciones Paulinas. Santiago, 25 de julio de 1975. 23 pp.

país con salvoconducto del Gobierno. Sin embargo, estando procesados por: »maltrato de obra a carabineros en servicio, causando lesiones graves en las personas... (dos carabineros); robo frustrado con violencia e intimidación...; robo consumado con violencia e intimidación; porte y tenencia ilegal de armar prohibidas«, delitos que configuran un caso de delincuencia común la Corte Suprema dictaminó extradición para Pascal, la Beausire, Gutiérrez y la Bachman[486].

Quienes ampararon a tales terroristas y les facilitaron el camino al asilo diplomático (sacerdotes *Fernando Salas, Patricio Cariola, Rafael Maroto, Gerardo Whelan, John Philip Devlin y Fermín Donoso,* tres monjas norteamericanas y la doctora *Sheila Cassidy,* candidata a monja) dijeron actuar en nombre de la caridad cristiana. Esto, más las declaraciones de algunas autoridades eclesiásticas, vino a incrementar el mar de confusiones en que los laicos se ven sumergidos de unos años a esta parte. Todo cuanto contribuyese a llamar las cosas por su nombre era de agradecer en esos momentos (noviembre y diciembre de 1975).

Así, un artículo del Presbítero Luis Gallardo O'Neill, aparecido en »El Mercurio« y titulado »La Caridad tras la Justicia«. En parte dice:

»Al querer sacarla del templo y mezclarla en lo mundano (a la caridad), se la ha profanado, contaminándola, deformándola, distorsionándola, cuando no prostituyéndola, sacrificando su procedencia teologal en homenaje a lo tangible, para convetirla en una estéril sentimentalidad o en una sensiblería enfermiza. *De allí el falsísimo concepto de la caridad, que llega a tener lástima de los criminales, olvidando por completo a las víctimas sacrificadas y los daños ocasionados...*

»La falsa conmiseración hacia los delincuentes, lejos de revestirse de caridad, le hace a esta un flaco servicio, a la vez que invade subrepticiamente los dominios de la justicia...

»Pretender trastocar los términos es despojar a la caridad de su objetivo fundamental: DIOS. De ahí que la caridad es una virtud eminentemente teologal, teocéntrica en su esencia, ya que Dios es el centro de su acción. Mal puede, por tanto, transformarse en antropocéntrica, es decir, cuyo objetivo fundamental sea el hombre, ya que equivaldría a suplantar la causa por el efecto. Dios es la causa de la caridad y el hombre el efecto de esa causa, en cuanto en él está viva y resplandece la imagen de Dios.

»Cumple, así, la justicia su rol de mantener un equitativo equilibrio en la convivencia humana, y la caridad su misión sublime de recordar a los mortales que ella no es una ingenua vestal, ni una nodriza plañidera, ni tampoco una explotadora veta de especulación barata, sino la representación permanente de la presencia de Dios en nuestros hermanos. A los hombres se puede engañar, pero jamás a Dios«[487].

Por este detalle de no conocer o no respetar el exacto límite que separa la justicia de la caridad, fueron detenidos en el Anexo Cárcel de Capuchinos los padres Cariola, Salas, Maroto, Whelan y Donoso. Devlin se había refugiado

[486] »El Mercurio«, 9 de marzo de 1976.
[487] Ibid., 17 de noviembre de 1975.

en casa de un funcionario diplomático y, por deferencia del Gobierno de Chile hacia la Embajada de Estados Unidos que realizaba gestiones al respecto, salió del país con salvoconducto de cortesía. Su agradecimiento se concretó de inmediato: apenas llegado a USA, Devlin se consagró a declarar contra la Junta de Gobierno de Chile ante una Comisión del Senado norteamericano.

Los sacerdotes restantes fueron declarados reos del delito de »albergar, ocultar o facilitar la fuga a una persona a sabiendas que elude la acción de la justicia o de la autoridad, cuando ella se basa en la Seguridad del Estado«[488].

El Ministerio del Interior, en declaración pública, enfatizó: »*No obstante que la resolución encargatoria de reo era apelable por los afectados, éstos no interpusieron el correspondiente recurso, lo que implícitamente importa reconocer su legalidad y procedencia y significa también un tácito reconocimiento de su participación*«[489].

Así las cosas, se acercaban las fiestas de Navidad y Año Nuevo. En un gesto magnánimo y como amnistía digna de tales festividades, el propio Presidente Pinochet dio la orden de liberar 164 detenidos por transgredir las normas del Estado de Chile. El indulto benefició a todos los sacerdotes católicos que ayudaron a fugarse a los miristas Pascal, Gutiérrez y compañeros[490].

El Arzobispo de Santiago agradeció diciendo: »La declaración del Presidente de la República de desistirse del proceso judicial contra los sacerdotes Patricio Cariola, Fermín Donoso, Rafael Maroto, Fernando Salas y Gerald Whelan, la recibimos con complacencia y agradecimiento. Esta actitud indica comprensión hacia estos ministros de Dios a quienes les ha tocado actuar en una situación difícil. Creemos que esta comprensión beneficia no sólo a los interesados, sino al bien común de la nación.

»Juzgamos que la acción de estos sacerdotes no era delictual y que actuaron en cumplimiento de su misión sacerdotal de ser ministros, no de condenación sino de misericordia, sin pretender en ningún momento amparar la violencia y logrando desarmar a las personas prófugas.

»Esperamos que la opinión pública valorice en todo su alcance esta decisión del Supremo Gobierno y vea en ella un mentís a la campaña de enlodamiento y descrédito contra estos y otros miembros de la Iglesia, iniciada por algunos medios de comunicación«[491].

MIRISTAS DE MANOS LIMPIAS

Tiempo más tarde, la campaña de enlodamiento y descrédito (de la Junta de Gobierno) corrió por cuenta de Andrés Pascal y Nelson Gutiérrez, en Costa Rica y Suecia, respectivamente.

Apenas llegaron al exilio, como es natural descargaron su artillería contra quienes todos los marxistas del mundo disparan en este momento.

Lo primero que dijo Pascal en San José de Costa Rica y en conferencia

[488] Ibid., 20 de diciembre de 1975.
[489] Ibid.
[490] Ibid., 19 de diciembre de 1975.
[491] Ibid., 20 de diciembre de 1975.

de prensa fue: »En Chile no existe ningún tipo de libertad«[492]. Luego negó ser un delincuente, sindicándose como combatiente libertario. »¿Quiénes son los que delinquen?« —preguntó, según el diario costarricense »La Nación«, para luego responder: »Los que luchamos por defender nuestra Constitución de aquellos reaccionarios que se adueñaron del poder y tienen plagado nuestro país de campos de concentración y que torturan a mujeres y niños y que han matado a más de 40.000 personas y han transformado nuestro país en una laguna de sangre«[493].

»*Mi mayor deseo es regresar a Chile para continuar la lucha*«, terminó diciendo el líder del MIR[494], especificando que sus planes son viajar a Cuba (puesto que, según él, el pedido de extradición no prosperará; cosa que se cumplió a la letra) y prepararse para regresar a este país de donde le ayudaron a salir varios sacerdotes, en un acto de »indiscriminada misericordia«.

De igual manera Nelson Gutiérrez, no bien desembarcado en el Aeropuerto de Arlanda (Estocolmo), rubricó que se propone »regresar lo más pronto posible« a su país para proseguir la lucha contra la Junta Militar. »No soy solamente yo quien lo desea, sino que también es una promesa y el deseo del MIR«, añadió[495].

Estos son los delincuentes comunes que, hace varios años, un sacerdote llamado *Diego Palma* enjuició con »intuición« digna de mejor causa: »*Los del MIR son un grupo pequeño, de vanguardia, para hacer tomar conciencia. Pueden hacerlo porque tienen las manos limpias*«[496].

Parece, eso sí, un tanto inexcusable que otros sacerdotes en 1975, habiendo transcurrido una década de fechorías miristas (asaltos bancarios, ensañamiento contra carabineros, intentos de infiltración de las Fuerzas Armadas, tiroteos y violencia de toda índole, etc.), no tomaran para nada en cuenta este prontuario y ampararan y ayudaran a fugarse a Pascal y Gutiérrez, a nombre de la caridad cristiana. En realidad los simples ciudadanos, sin mayores estudios, se preguntaran frente a esto, angustiados, dónde se hallan finalmente la verdad y el patriotismo.

Para contribuir al apaciguamiento convendría, tal vez, repetir las palabras de Monseñor Augusto Salinas, Obispo de Linares:

»*Yo tengo que ver cuando se practica la caridad si acaso efectivamente estoy cumpliendo ese precepto o si estaré faltando por otro lado. Aquí hay una caridad respecto al prójimo, pero hay que ver también si yo la practico respecto a la Iglesia, a Jesucristo, y respecto a mi Patria. Puede ser que por atender a una persona particular yo falte a esa caridad que es más importante, y entonces no esté cumpliendo el precepto, justamente, de la caridad. De tal manera que es un error pensar que yo no deba atender a cuáles son las consecuencias (de mi acción de encubrimiento).*

»*En el caso concreto, entonces, en que se ha amparado a algunos miris-*

[492] Ibid., 3 de febrero de 1976.
[493] Ibid., 14 de febrero de 1976.
[494] Ibid.
[495] Ibid., 23 de febrero de 1976.
[496] »Los días del arcoiris«. Silvia Pinto. Editorial del Pacífico. Santiago, 1972. 266 pp. (p. 43).

tas, el que proceda así siendo sacerdote, religiosa, ha pensado —según las palabras que he escuchado— ha pensado que cumplía un precepto de caridad. Pero sin embargo no ha pensado que está ayudando a una doctrina destinada a faltar a la caridad, destinada a dar muerte a mucha gente, a atentar contra los principios de la Iglesia y de la Patria. De modo que esto no es caridad. Es falta de caridad«[497].

LAS ALEGRÍAS DE SHEILA CASSIDY

Otra practicante de tan curioso tipo de caridad fue la doctora británica Sheila Cassidy. Detenida el 1° de noviembre de 1975, por su implicancia en el caso Pascal-Gutiérrez, fue dejada en libertad y enviada a su país de origen con salvoconducto de cortesía el 29 de diciembre del mismo año. Partió de Pudahuel con una sonrisa de tal magnitud y constancia que ha pasado a ser histórica.

Nada, pues, hacía presagiar que la doctora, tan saludable y feliz, tejiera en Londres una intriga de tal calibre contra Chile que lograra crear una delicadísima situación entre Gran Bretaña y la Junta de Gobierno chilena, con llamado del Embajador Británico a Londres y promesa de acusaciones ante la Comisión de Derechos Humanos de las Naciones Unidas[498].

De la felicidad que, en el aeropuerto chileno, irradiaba Sheila Cassidy, da fe Monseñor Jorge Hourton, Obispo Auxiliar de Santiago y Vicario de la Zona Norte. Suyo es el »Adiós a la Dra. Sheila Cassidy«, que, con este título, se publicó el 11 de enero de 1976 en »Comunidad Cristiana«, suplemento semanal de la revista »Iglesia de Santiago« (publicación oficial del Arzobispado). Cabe destacar que »Comunidad Cristiana« se reparte gratuitamente y en abundancia en las parroquias santiaguinas.

A continuación, el adiós de Monseñor Hourton, publicado y difundido en Santiago mientras en toda Europa los »testimonios« de la doctora Cassidy hacían de Chile un matadero de los derechos humanos:

ADIÓS A LA DRA. SHEILA CASSIDY

La fuimos a despedir el lunes 29 en una radiante tarde de sol. Sólo la divisamos a través de los cristales de las puertas de Pudahuel; luego subió feliz al bus que la acercó al avión. Entre otros bultos negros subió las escalinatas del gigantesco aparato, blanca figura recortada sobre el horizonte de la lejana ciudad. De una jaula en otra, por los huecos libres que encontraba, sacaba su largo brazo y mostraba su alegre risa para responder a la afectuosa despedida de sus amigos. Agitaba al aire la misma mano que tocó tantos cuerpos enfermos en nuestra Policlínica de la Zona Norte, donde tantos la conocían y querían, mano abierta y franca, incapaz de doblez y de violencia; lo sabemos muy bien.

Su última jaula fue el inmenso pájaro de acero que la tragó generoso. Cuando se elevaba entre el fragor de las turbinas, pareció que el majestuoso pájaro llevaba prendido en la proa una inmensa rama de olivo.

† JORGE HOURTON
Vicario Zona Norte[499]

[497] »El Mercurio«, 9 de noviembre de 1975.

[498] Ibid., 30 y 31 de diciembre de 1975.

[499] »Comunidad Cristiana« (suplemento semanal de »Iglesia de Santiago«), 11 de enero de 1976.

De las incontables historias de terror difundidas por la doctora Cassidy vale la pena consignar aquella que publicara la revista italiana »Gente«, obra del periodista Franco de Giorgi, reporteada en Londres y consignada bajo un título taquillero: »*Torturata da Pinochet*« (Torturada por Pinochet). Hay varias frases decidoras:

»Es una de las pocas personas que lograron salir con vida de semejante experiencia« (asegura el periodista, refiriéndose a la detención y liberación de la doctora). »Lo convencí (a Nelson Gutiérrez) —dice la doctora— de que buscara un refugio más seguro... No denuncié lo acaecido a la policía porque aquello equivalía a su condena a muerte« (la condena a muerte de Gutiérrez). »Andrés Pascal Allende, explica la doctora, un pariente del Presidente asesinado...«. »Las torturas me habían provocado también una infección a la próstata«..., termina diciendo la doctora, según transcripción del periodista italiano[500].

ACTIVISMO SACERDOTAL EN COPIAPÓ

Noviembre de 1975: un mes lacerante. No bastaba el escándalo de los guerrilleros miristas (Pascal y Gutiérrez), que arrastraron consigo a sacerdotes, monjas (las tres implicadas abandonaron Chile con salvoconducto de cortesía el 8 de noviembre) y a la propia doctora Cassidy, cuyas represalias se hicieron sentir hasta la saciedad. No bastaba el padre Gajardo y sus reclusas bordadoras. Como si fuera poco desprestigio para la Iglesia Católica, en Copiapó (10 de noviembre) estalló la siguiente noticia:

»Una célula mirista en que participaban activamente dos sacerdotes cayó completa en poder del Servicio de Inteligencia Militar. Su principal actividad era la de reclutar nuevos postulantes para el MIR y desacreditar al Gobierno, por medio de panfletos que ellos mismos imprimían en mimeógrafos de fábrica y rudimentarios. La aprehensión se hizo efectiva luego que el día 4 del actual aparecieron banderas del MIR en uno de los cerros que circundan la ciudad...«[501].

Los sacerdotes implicados resultaron ser: *Giuseppe Murinedou Rozzu* (italiano, 35 años, especialista en formación de juventudes cristianas) y *Salvatore Angelo Rozzu Canu* (italiano, 33 años, especialista en creación de comunidades cristianas). ¿Pertrechos? Al allanar la Parroquia de San José Obrero (Población Las Canteras), donde ambos sacerdotes ejercían su apostolado, los investigadores se incautaron de: panfletos contra el Gobierno, textos sobre la fracasada Escuela Nacional Unificada de la Unidad Popular, mimeógrafo con un stencil tipiado para la impresión de los panfletos antigobiernistas (el mimeógrafo yacía bajo el altar de la parroquia), literatura marxista, dos posters autografiados por el Che Guevara (pertenecientes al padre Salvatore Angelo Rozzu), cassettes con grabaciones denigrantes para Chile transmitidas desde Radio Moscú, un revólver dentro de un libro expresamente acondicionado para ocultarlo, microfilmes con instrucciones para la

---

[500] »Gente«, marzo de 1976.
[501] »El Mercurio«, 11 de noviembre de 1975.

resistencia y organización de aparatos político militares, una nómina completa de las características y patentes de los vehículos manejados por oficiales del Regimiento de Infantería de Copiapó, etc.[502].

Tan graves implicancias de dos sacerdotes de su Diócesis hizo decir al Obispo de Copiapó, Monseñor Fernando Ariztía, que existe una velada campaña contra la Iglesia Católica y contra la independencia que ella debe mantener. »Es muy fácil lanzar acusaciones —agregó el Obispo— contra quien está impedido de hablar«. Luego de poner en duda las informaciones del Intendente de Atacama sobre tan enojoso asunto, Monseñor Ariztía manifestó su confianza en ambos sacerdotes italianos, negando terminantemente que hayan estado mezclados en actividades extremistas[503].

Veinte días después de su detención, zarparon a Roma con salvoconducto de cortesía Giuseppe Murinedou y Salvatore Angelo Rozzu. Sólo un problema al partir: exceso de peso y falta de dinero para pagarlo; el inconveniente fue obviado en pocos minutos dada su escasa importancia[504].

EL ARCA DE NOÉ

A sacerdotes extranjeros como aquellos de Copiapó se refería el Cardenal Raúl Silva Henríquez, con honda preocupación, en las ya citadas »Conversaciones de Toledo« (junio de 1973). Es un párrafo que merece repetirse:

»Nosotros nos encontramos con que nuestro clero —que es un clero muy heterogéneo, en el que hay una cantidad de extranjeros; más de la mitad de nuestro clero es extranjero y no de un solo país, sino que es el Arca de Noé— nuestro clero tiene ideas muy poco claras sobre lo que hay que hacer y cuál es la situación de Chile.

»Y entonces *el grupo de extrema izquierda dentro del clero, que ha sido el que ha promovido todas las reacciones, digamos, de esta así llamada Teología de la Liberación, es un grupo extranjero en más de un sesenta por ciento, no es un grupo nacional...*«[505].

En enero de 1976 »El Mercurio« dio a publicidad una »Carta a Sacerdotes y Religiosas Extranjeros que trabajan en Chile«, firmada por el Comité Permanente del Episcopado. Decía en parte:

»Les escribimos con gratitud y cariño a ustedes, sacerdotes y religiosos (sas) extranjeros, que trabajan con tanto sacrificio y amor en nuestra Iglesia chilena.

»Hemos visto la necesidad de escribirles esta carta, en respuesta a inquietudes expresadas por ustedes, con motivo de la salida injustificada, según nuestras propias informaciones, de los dos sacerdotes italianos de Copiapó, por no haber logrado hasta ahora que pueda regresar a Chile el Padre Provincial de los sacerdotes holandeses del Sagrado Corazón, y con motivo de la salida

---

[502] Ibid.
[503] Ibid., 13 de noviembre de 1975.
[504] Ibid., 30 de noviembre de 1975.
[505] »Conversaciones de Toledo - Teología de la Liberación«. Junio de 1973. Ediciones Aldecoa. Burgos (España), 1974. 469 pp. (p. 343).

penosa de las religiosas norteamericanas (implicadas en el caso de los miristas Pascal y Gutiérrez) publicitada en forma innoble por algunos medios de comunicación social del país.

»Honestamente creemos haber hecho lo posible por superar positivamente estas situaciones; sabemos que se han cometido errores e injusticias con estos sacerdotes y religiosas, lo que realmente lamentamos...

»Sobre el concepto de lo que es la Iglesia, lo que es el quehacer de los cristianos, sacerdotes y Obispos, es posible situar en gran parte las dificultades de la Iglesia con algunos sectores de la actual Administración y con los sectores de cristianos que se vanaglorian de llamarse »católicos tradicionales«...

»En los años pasados la fe fue utilizada, consciente o inconscientemente, por grupos políticos que trataron de colocar la Fe al servicio de las ideologías que estos grupos sustentaban. Antes fue la utilización de los sectores de izquierda; y hubo sacerdotes chilenos y extranjeros que le hicieron el juego a estas corrientes, como fue el caso de los »cristianos por el socialismo«. Hoy día se repite el fenómeno; pero ahora el problema surge de los sectores opuestos.

»En nombre de un anticomunismo agresivo y negativo, se pretende utilizar la Fe para defender esas posiciones. A modo de ejemplo, bastará leer algunos recientes libros que tratan de la presunta infiltración marxista en la Iglesia para entender gráficamente lo que estamos tratando de precisar...

»Pidamos al Señor la gracia de ser serenos y objetivos en nuestros juicios, para que la pasión por defender lo que creemos mejor no nos cierre los ojos y nos impida ver la verdad total...

»Les saludan cordialmente:

Raúl Silva Henríquez, Cardenal Arzobispo de Santiago; Juan Francisco Fresno, Arzobispo de La Serena, presidente de la Conferencia Episcopal de Chile; José Manuel Santos, Obispo de Valdivia; Carlos González, Obispo de Talca, y Carlos Camus Larenas, Secretario General del Episcopado«[506].

Dos días después de publicada esta carta, aparecía en »El Mercurio« una aclaración. »La carta —decía— fue escrita en la reunión del Comité Permanente del Episcopado a fines de diciembre... Posteriormente, en la visita de tres Obispos del Comité al señor Presidente de la República, éste les prometió dar las instrucciones correspondientes para que pueda regresar a la brevedad el Reverendo Padre Provincial de los sacerdotes holandeses del Sagrado Corazón.

Carlos Camus L.
Obispo Secretario de la Conferencia Episcopal de Chile[507].

El prometido regreso del Padre Provincial (Cornelio Wifjes) sería una »inquietud« menos entre las manifestadas por el clero extranjero y un »error e injusticia« menos para lamentar por parte de los Obispos.

---

[506] »El Mercurio«, 23 de enero de 1976.
[507] Ibid., 25 de enero de 1976.

»No hay Jefe de la Iglesia chilena«

Mientras tanto la Conferencia Episcopal tuvo su Asamblea Anual Ordinaria en diciembre y, de acuerdo a sus reglamentos, eligió nuevo presidente: Monseñor Juan Francisco Fresno, Arzobispo de La Serena, reemplazó a Monseñor Raúl Silva Henríquez en el mando del organismo máximo de los Obispos chilenos.

En una entrevista exclusiva concedida por Monseñor Fresno a »El Mercurio« surgieron interesantes entretelones sobre aquella reunión episcopal que confirmara en su cargo de Secretario a Monseñor Camus, pese a encontrarse renunciado a raíz de sus conversaciones con corresponsales de prensa (30 de septiembre de 1975), consignadas en este libro y que tanto malestar causaron.

Declaró Monseñor Fresno: »No soy Jefe de la Iglesia chilena. Hay en esto una grave confusión. Soy Presidente de la Conferencia Episcopal o asamblea de los Obispos chilenos, pero cada uno de éstos depende directamente del Papa y no hay, pues, un Jefe de la Iglesia o del Episcopado.

»*El centralismo nacional hace pensar a muchos que el Arzobispo de Santiago es la cabeza de la Iglesia. A veces me dice alguien:* »*Vamos a hablar, señor Arzobispo, con el Cardenal para que nos cambie el párroco...*«. *Y nada puede hacer el Cardenal, porque los párrocos dependen de los respectivos Obispos o Arzobispos.*

»*Actualmente ni siquiera hay un Primado de la Iglesia chilena. Tuvo este título Monseñor Caro, por su especialísima personalidad y por su gravitación extraordinaria en el país* Fue un título estrictamente personal que le otorgó la Santa Sede a él. Pero Santiago no tiene este privilegio, como ocurre con la Arquidiócesis de Toledo, por ejemplo.

»*Entre nosotros no hay, pues, un Jefe de la Iglesia sino que los diversos Obispos y Arzobispos ejercen su jurisdicción dentro de sus territorios, que procuran ser los mismos de las provincias o regiones del país.*

»Fui elegido Presidente de la Conferencia Episcopal en San José de Mariquina y en la misma oportunidad los Obispos designaron a Carlos Camus como Secretario. *Debo confesarles que, con la franqueza fraternal con que los Obispos debatimos estas cosas, yo estuve en una posición muy determinada frente a la renuncia de Carlos Camus. Pero, en virtud de que la mayoría era de la otra opinión, me incliné como siempre ocurre en nuestras reuniones. Y cuál no sería mi sorpresa cuando los Obispos me eligieron a mí como Presidente.*

»Me acerqué entonces a Carlos Camus —de quien por lo demás soy muy amigo— y le dije: Tenemos que trabajar juntos; hay que arar con los bueyes que tenemos«[508].

La Pastoral de la Liberación en Chile

En ese malentendido del »Jefe de la Iglesia chilena« también incurrió Fidel Castro cuando visitó al Cardenal Silva Henríquez, en 1971. Así consta en las »Conversaciones de Toledo« por boca del propio Cardenal:

[508]Ibid.

»*Y entonces le pregunté (a Fidel Castro) por qué había querido venir a verme y él me dijo que por tres razones: Una, porque me admiraba a mí; segunda, porque estaba muy agradecido de la manera como yo había tratado al régimen político en Chile (en nuestros países creen que el Cardenal de la Capital es el jefe de la Iglesia, el que manda toda la Iglesia, yo soy para ellos el Cardenal que manda a los demás; los Obispos son subalternos)*«[509].

Todas estas revelaciones, tan sinceras, confieren un interés trascendental a la intervención del Cardenal Raúl Silva Henríquez en las »Conversaciones de Toledo«, intervención que oficialmente se llamó »Pastoral de la Liberación en Chile«.

Importa especialmente reproducir los párrafos referentes al período del Gobierno de Allende, para conocer el pensamiento íntimo del Cardenal Arzobispo de Santiago sobre dicho régimen marxista. Serán sólo algunos párrafos, pero colocados en el mismo orden que Monseñor Silva Henríquez quiso dar a sus ideas frente al auditorio de Toledo:

»...Entonces llegó el momento, según la Constitución chilena, en que debía elegir el Congreso, dado que no había mayoría absoluta, quién debía gobernar. *La solución estaba en manos de la Democracia Cristiana, que tenía* en el Parlamento un gran número de diputados y un gran número de senadores; *éstos pensaron que no podían dar el voto a la derecha, pues pensaron que no dárselo al que tenía la mayoría relativa iba a crear una solución violentísima en el país y que iba a crear la revolución violenta en Chile.* Además ellos estaban de acuerdo y sabían que la larga tradición en estos casos en Chile había sido siempre que el candidato que tenía la mayoría relativa era confirmado por el Congreso, y esta jurisprudencia pesaba mucho. Por todas estas razones *y pidiéndole al candidato triunfante de la izquierda, Sr. Salvador Allende, que firmara una reforma, que aceptara la reforma a la Constitución y viendo que daba ciertas garantías, ellos dieron el voto en el Congreso, y fue elegido Presidente don Salvador Allende,* que entró a gobernar un conglomerado de partidos en que predominan, como he dicho, los comunistas y los socialistas (aunque tienen mayoría los socialistas sobre los comunistas). Según su programa, estos partidos realizan un gobierno de preparación hacia el marxismo, no es propiamente un gobierno marxista, sino es un gobierno que está dirigido al marxismo...«[510].

»*Cuando, después de las elecciones, algunos de la mayoría relativa de los marxistas, que tenían la primera opción, vinieron a hablar conmigo, con el Cardenal, y a pedirme que yo fuera a visitar al Presidente, al probable Presidente, que era el señor Allende, me hicieron muchas presiones. Eran los jefes del partido comunista los que vinieron a hablar conmigo y a decirme:* »Señor, vaya usted a ver al Presidente, Sr. Allende; pues su palabra tiene un poder extraordinario en el país«. Y yo les dije: »Miren, yo no quiero inmiscuirme en esto. No quiero ser yo la causa determinante de quién va a ser el Presidente de Chile. Esto les toca a los políticos, les toca a los laicos. Y yo les respeto. Desde el

[509] »Conversaciones de Toledo - Teología de la Liberación«. Junio de 1973. Ediciones Aldecoa. Burgos (España), 1974. 469 pp. (p. 348-349).

[510] Ibid., (p. 334).

día en que el Congreso diga por quién va a votar y se sepa quién va a ser el elegido, yo voy a visitarle el día siguiente. No tendré ningún inconveniente en visitar al señor Allende«. Y así lo hice.

»Llegó Allende a la Presidencia. Y el primer día en que se reunió el Congreso Pleno, en que el Presidente saliente entrega los distintivos del mando al nuevo Presidente y éste jura cumplir con la Constitución y las leyes, *el Presidente Allende, marxista, ateo, pidió que hubiera un »tedéum« en la Catedral de Santiago, para agradecer al Señor a nombre de todos los cristianos que son la mayoría del país y que votaron por él, por su elección. Y el Cardenal fue; y tuvimos un »tedéum« magnífico,* en el cual yo le dije varias verdades, algunas de las cuales están en un libro que se ha recopilado sobre las diversas actuaciones del Cardenal en esta materia pública y económica en estos años.

»Un jefe comunista, que era rector de una universidad técnica en que predominan los comunistas en Santiago, en la recepción que hubo en la Embajada Soviética a la cual fui invitado y asistí, me dijo: »Sr. Cardenal nunca había asistido yo a una ceremonia religiosa que me tocara tan hondo«. *Allí efectivamente se hizo la transmisión del mando de Chile, en la Iglesia Catedral de Santiago.* Ya esto es una cosa extraña, una cosa atípica; nosotros estamos en diálogo con un gobierno que es marxista, que es ateo, pero que hasta este momento no ha sido contrario a la Iglesia. Esta es la verdad. *Y la Iglesia tampoco quiere ser contraria al gobierno.*

»¿Qué ha dicho la Iglesia a más de esta actitud? Lo siguiente: Nosotros, vamos a apoyar al gobierno en toda acción de bien común. El gobierno va a encontrar nuestra colaboración leal; no vamos a ser obstáculo para reformas; nosotros las hemos preconizado antes que nadie, las aceptamos, las queremos. *¡Ojalá que el gobierno tenga éxito en esta reforma y que dé al pueblo chileno, sobre todo a los pobres de Chile, al proletariado de Chile, la liberación que tanto añora!*

»*No hemos sido obstáculo para nada;* pero sí nos reservamos el derecho de decir nuestro parecer cada vez que por las contingencias de la vida política puedan presentarse situaciones que merezcan y deban ser iluminadas por la fe, o cada vez que haya que corregir alguna de las situaciones que nos parecen poco claras, ambiguas o incluso contrarias a los grandes valores cristianos. Y así *hemos podido vivir en una cooperación muy leal, y yo diría bastante fácil con las altas autoridades del gobierno.*

»No ha dejado de haber, eso sí, dificultades con las autoridades subalternas, donde suelen aparecer con relativa frecuencia personas que tienen una mentalidad un tanto hostil a la Iglesia. *Sin embargo todos los problemas siempre llegan a nosotros y hablamos con el Presidente, hablamos con los Ministros, y las cosas se van solucionando.*

»Hay cosas tan inconcebibles como ésta: La Iglesia tiene un número grande de escuelas y colegios y nosotros sabemos que en un punto donde vamos a tener dificultades es precisamente en el campo de la educación. Nos ha parecido que esto era obvio y que esto va a venir; con los gobiernos anteriores incluso con el gobierno democratacristiano, la Iglesia hizo presente que debía recibir una ayuda sustancial para hacer que sus colegios fueran gratuitos, que no se podía pedir a los padres católicos, por el hecho de escoger un colegio católico, que contribuyeran doblemente, una con la contribución que dan al Estado, y otra con la contribución que dan para mantener a sus hijos en la escuela católica; que esto era una injusticia, que es una injusticia, que pesa sobre todo sobre las clases pobres que desean y que tienen una preferencia inmensa por los colegios de la Iglesia.

»Nosotros pedimos a la Democracia Cristiana que solucionara esto; y no lo solucionó por temor, por no aparecer comprometidos con la Iglesia. *En este gobierno, el Presidente me ha llamado y me ha dicho que él quiere solucionar esto y que le van a dar a la Iglesia los medios de hacer que sus colegios sean gratuitos.*

»*No sé si lo irá a hacer o no, no lo sé, pues no hay duda alguna de que él no cree y no lo hará por amor a Jesucristo ni por amor a la Iglesia; pero sí como un medio de propaganda para hacer ver la relación que existe, que puede existir entre un país marxista y la Iglesia, él quisiera efectivamente solucionar el problema.*

»Después viene otro problema grave, que es: ¿Cuál va a ser la educación que se va a dar en los colegios de la nación? Porque los colegios de la Iglesia están dentro del gran sistema de educación nacional. ¿Cuáles van a ser los programas? Y entonces aquí llega un problema gravísimo que es la educación socialista. ¿Cómo va a ser?

»En este punto, evidentemente, hay un tema de discusión que no sabemos cómo se va a solucionar. Pero es curioso que habiendo presentado el gobierno ya este año un programa de escuela única unificada —que era una copia del programa de las escuelas de Alemania Oriental, copiado al pie de la letra lo que allí se dice, que involucra una educación que va desde el niño recién nacido hasta el anciano, y que dice que los padres no tendrán que preocuparse de los niños porque el Estado se va a preocupar de ellos—, este sistema provocó una reacción tan violenta en el país entero que se pidió a la Iglesia que nos pronunciáramos y nosotros nos pronunciamos.

»*Y fui al Presidente y le dije: »Presidente, yo siento, lamento mucho decirle que nosotros consideramos que este programa como está elaborado hiere derechos de la persona humana que nosotros defendemos y grandes valores cristianos«. »Si es así, señor Cardenal, —me dijo— yo retiro este programa; y lo retiro, y quiero que se haga un programa nuevo. Yo considero éste desafortunado, y lo que quiero es que se haga un programa nuevo«. Porque nosotros, los Obispos, dijimos primero que hay que respetar el derecho de los padres de familia y que tiene que hacerse una estructuración en este sentido valiéndose de los organismos legales que son los llamados a dictaminar en estos casos. Por esto él me dijo: »yo estoy dispuesto a aceptar«: y a todo el mundo dijeron que porque la Iglesia había dicho que este programa que ellos habían propugnado no estaba de acuerdo con ella, por eso lo retiraban. Es una cosa que también da que pensar y de la cual nosotros no nos hacemos demasiadas ilusiones, porque creemos que muchas de estas cosas son táctica. Pero, en el hecho, la situación es ésta.*

»*Poco antes de venirme para acá, vinieron a nombre del Partido Comunista a hablar conmigo unos subdirigentes y a pedirme por favor, qué podía hacer yo para evitar la guerra civil. Nosotros hemos hablado en contra de la guerra civil;*

271

si ustedes hojean algunas de esas páginas del libro atrás mencionado, podrán ver lo que hemos dicho sobre esto[511]. *Hoy día los comunistas temen inmensamente la guerra civil; la temen porque no están seguros de ganarla; si estuvieran seguros de ganarla creo que se lanzarían a la guerra civil, pero no están seguro de ello; tienen mucho miedo de perder. Y entonces van donde el Cardenal a pedirle que influya evidente y eficazmente para evitar la guerra civil. En realidad, desde que comenzamos con esta situación y comenzó el gobierno marxista, nosotros no hemos sufrido hasta este momento por ninguna persecución que venga de parte del gobierno. Tanto es así que no pocos, fuera de nuestro país, se han admirado de la situación de Chile, y nos han dicho (es una humilde expresión por parte de ellos) que ellos están aprendiendo de lo que nosotros hacemos.* No lo sé; en realidad nosotros hemos querido llevar hasta el extremo una doctrina del Concilio que la consideramos iluminadora de esta situación; la Iglesia es la servidora de la sociedad civil, del mundo, no pretende beneficios, quisiera sobre todas las cosas tener el orgullo de servir y de servir en cualquier contingencia.

»O como yo le decía a un periodista polaco, comunista, la Iglesia en este momento no exige nada, lo único que quisiera es que realmente el gobierno que se inicia tuviera éxito en realizar la liberación del pueblo, el único ideal que quisiera la Iglesia es éste. Y aunque tuviera que sufrir, si éste es el pago de una verdadera liberación de nuestro pueblo, lo daría por bien empleado. Esta es la postura nuestra, discutible como todas las posturas pastorales. Yo, como digo, no quiero dar lecciones, yo digo solamente lo que nosotros hemos hecho (...)[512].

»El régimen marxista que impera en el país, ha llevado al país al descalabro más grande de su historia en materia económico social. Al descalabro más grande de su historia.

»Piensen ustedes que en un año, al primero de junio de este año, en un año, la inflación llegó al 240%; vale decir que es una inflación del 20% mensual. Y esto que los marxistas habían dicho que era la lacra y que era el flagelo de los pobres, son ellos los que se los han impuesto a los pobres en un grado como antes nadie lo había hecho.

»¿Qué otra cosa ha sucedido? Que cuando el Estado ha empezado a ser patrón y ha tomado en sus manos las grandes minas, han comenzado —a pesar de que él dice que el proletariado no puede hacer huelga al proletariado y que el proletariado es el que gobierna— han comenzado las huelgas de los obreros en contra del patrón Estado. Huelgas tremendas: hace cuarenta y tantos días que hay una huelga en una mina de cobre que produce doscientas mil toneladas de cobre fino al año; doscientas mil toneladas de cobre es una fortuna inmensa; y la huelga le cuesta al Estado más de cincuenta millones de dólares, en este momento, como dicen, en que Chile no tiene un dólar ni para hacer cantar a un ciego.

»¿Y esto por qué? Porque los obreros se ven frustrados en sus derechos

---

[511] »La misión social del cristiano: conflicto de clases o solidaridad cristiana«. Raúl Silva Henríquez. Ediciones Paulinas. Santiago de Chile, 1973.

[512] »Conversaciones de Toledo - Teología de la Liberación«. Junio de 1973. Ediciones Aldecoa. Burgos (España), 1974. 469 pp. (pp. 337-340).

adquiridos en una lucha que yo no diría secular pero de decenios. Y ¿quién les apoya en este momento? El Partido Demócrata Cristiano.

»La situación para los marxistas es muy difícil, porque existe en Chile un partido popular obrero que presenta una alternativa que se creyó que no era la mejor, pero hoy día la situación actual, la falta de producción agrícola, la falta de producción en los campos de la industria y del comercio, el desabastecimiento general (no hay carne, no hay pan, no hay leche; para comprar cualquier cosa hay colas interminables y la gente tiene que perder horas y horas, tres, cuatro, cinco horas; a las cuatro de la mañana llega la gente a situarse en los negocios para tomar el primer número de la cola que les posibilite comprar lo que necesitan; hay un mercado negro desorbitado), todas estas cosas están haciendo madurar al pueblo; y *la alternativa que se presenta es sin lugar a dudas la alternativa de la Democracia Cristiana.*

»¿Será posible que llegue la solución democratacristiana, o no? No lo sé. La situación estriba en que si juegan los valores democráticos, es bien posible que sí, pero también hay una realidad que puede imponerse. Cuando Fidel Castro, y con esto termino, fue a Chile, pidió hablar conmigo; y me hizo una visita que yo no había solicitado y él la solicitó. Yo no me negué a recibirle por una razón de cortesía; y además porque me recordaba al Papa Juan que había recibido al yerno de Kruschef. A Juan XXIII le gustaba mucho hablar; yo llegué en esos días a Roma y me contó todas las contingencias de la visita; que había tenido que consultar también a la Sagrada Congregación del Santo Oficio, para ver si podía o no recibir, y él lo recibió; y me dijo: »yo no podía dejar de recibir a alguien que viene a hablar con el Papa; no puedo. Si alguien quería hablar con Jesucristo, no podía menos de recibirlo«. Bueno, yo hice más o menos igual dentro de mi pequeñez, y recibí a Fidel Castro.

»Y entonces le pregunté por qué había querido venir a verme, una cosa tan extraña, y él me dijo que por tres razones: Una porque me admiraba a mí; segunda, porque estaba muy agradecido de la manera como yo (en nuestros países, creen que el Cardenal de la Capital es el Jefe de la Iglesia chilena, el que manda toda la Iglesia, yo soy para ellos el Cardenal el que manda en los demás; los Obispos son subalternos suyos) había tratado el régimen político en Chile; y en tercer lugar, me dijo, porque cuando yo vine a Chile, el gobierno chileno me hizo la lista de las personas a las cuales yo debía visitar y a las cuales no debía visitar, y entre las que debía visitar está Ud.

»Yo me di cuenta entonces por qué, pero me di cuenta, que no era política, en absoluto, ni era propaganda. Estaba el salón lleno de fotógrafos y de la televisión; y sacaron todas las fotografías que quisieron. En el momento en que comenzamos a hablar, le dije: »Mire, Sr. Ministro, yo soy un hombre de la Iglesia, un hombre que creo profundamente en mi fe. Y estoy convencido de una cosa: de que la Iglesia no es retrógrada, de que la Iglesia no está en contra de los cambios que tienden a hacer más humana la vida del hombre y a producir mayor justicia en América Latina. Y estoy convencido de otra cosa Sr. Ministro: que la solución para América Latina va a ser imposible si la Iglesia no la apoya«. El me dijo que él creía también en ello y que él se alegraba de ver que la Iglesia no era como tal vez algunos lo pensaban. Enseguida le ofrecí una

Biblia de regalo y me la aceptó. Y le pedí que me dejara mandar unas diez mil Biblias a Cuba, cosa que también se hizo.

»A la salida de allí un periodista le preguntó: »¿Usted fue educado en los colegios católicos?« »Sí«. »Y usted era cristiano ¿y ahora no cree en nada?« »No«. »Pero, ¿cómo perdió la fe?«. Dijo: »Nunca tuve fe«. »¿Cómo no?«. »No, nunca tuve fe«. »Pero entonces en los colegios, ¿qué le enseñaron?«. »Mire —dijo—, en el colegio nos enseñaron a hacer unas prácticas religiosas, pero jamás me enseñaron a conocer lo que era la fe y yo nunca la tuve«. Hay que tomar con beneficio de inventario las palabras de este caballero, sin lugar a dudas. Pero es una enorme crítica que puede tener su cierto viso de verdad (. . .)[513].

»*Yo no sé hasta qué punto los comunistas dicen la verdad, son de esas cosas que uno pone en duda.* Y sin embargo conversando con ellos, con los dirigentes, ellos me han manifestado que hay que olvidarse, me dijeron ellos, del pasado y que tenemos que elaborar juntos una nueva historia. ¿Será así? Dios lo quiera, y así sea. Es difícil. Una cosa sí es cierta y es lo que les decía yo a los grupos dirigentes de »Cristianos para el socialismo«: nosotros queremos dialogar con los comunistas, dialogar con los marxistas, dialogar con los ateos; pero para dialogar con ellos no tenemos que renunciar a nuestros principios, porque entonces no hay ningún diálogo, sino que nos entregamos al servicio de una causa que no es la nuestra; y el aporte que el mundo espera del cristiano es precisamente el aporte cristiano. Son los valores cristianos que debemos nosotros aportar, dar, para transformar el mundo. (. . .)[514].

La instrumentalización del 8 de diciembre

Lo extraño de las relaciones entre Iglesia y Estado en Chile radica en que, según el Cardenal Silva Henríquez, durante el régimen de Salvador Allende, presidente »marxista y ateo«, la Iglesia no sufrió »ninguna persecución que venga de parte del gobierno«. En cambio pasado el 11 de septiembre de 1973 comenzaron las tiranteces que, frecuentemente, se transformaron en guerra abierta, hasta el extremo de hacer decir a Monseñor Tomás González Morales, Obispo de Punta Arenas: »En pocas épocas nuestra Iglesia ha debido sufrir tanto como en la actualidad, en que durante un gobierno que se dice cristiano nos vemos enfrentados a tanta persecución«[515].

Esta constante fricción entre algunos personeros de la Iglesia Católica chilena y la Junta de Gobierno —fricción inexplicable para el pueblo cristiano que, con simplicidad de corazón, escuchó decir a sus gobernantes actuales en la »Declaración de Principios« que »el Gobierno de Chile respeta la concepción cristiana sobre el hombre y la sociedad«, que »entendemos al hombre como un ser dotado de espiritualidad«, que los derechos del hombre »tienen su origen en el propio Creador«[516]—, esta situación a ratos in-

[513] Ibid., (pp. 347-349).
[514] Ibid., (p. 350).
[515] »La Tercera de La hora«, 1° de abril de 1976.
[516] »Declaración de Principios del Gobierno de Chile«. Editora Nacional Gabriela Mistral. Marzo 1974. 38 pp. (p. 13).

274

sostenible entre los dos poderes, divino y humano, quizás tenga su origen en lo revelado por Monseñor Carlos Oviedo Cavada, Arzobispo de Antofagasta: corrientes contrarias al Gobierno desean utilizar el prestigio moral y la fuerza espiritual de la Iglesia con fines políticos, porque en tiempos de receso político se busca a las organizaciones neutras, como la Iglesia para canalizar inquietudes partidistas[517].

Si es así —si la Iglesia está siendo instrumentalizada nuevamente por activistas marxistas o »en receso«— el Gobierno tiene la obligación moral de limpiar, aun con sanciones penosas, los lugares santos de individuos infiltrados que siembran el caos social, porque la ley debe ser pareja. Seguramente aquí radica la causa de la discordia.

El espíritu cristiano que anima a los gobernantes cristaliza, invariablemente, en un respetuoso silencio frente a las acusaciones injustas que algunos representantes eclesiásticos les hacen; en una extraordinaria magnanimidad para indultar sacerdotes que ocultan extremistas de izquierda, aduciendo, el Gobierno, que perdona »con el objeto de propender a la paz y unidad nacional«; en una largueza singular para conceder salvoconductos de cortesía a clérigos extranjeros que no respetan las leyes del país; en palabras de fe y de concordia como aquellas pronunciadas por el Presidente Augusto Pinochet, refiriéndose al caso Pascal-Gutiérrez y a los sacerdotes que cometieron el delito de »albergar, ocultar o facilitar la fuga a una persona, a sabiendas de que elude la acción de la justicia o de la autoridad cuando ella se basa en razones de seguridad del Estado« (Decreto-Ley N° 1.009, artículo 3). Refiriéndose a este triste caso, el Presidente de la República exclamó: »Las pequeñeces de unos pocos desviados no alcanzan a la Iglesia, que es una institución con dos mil años de existencia«[518].

Las aseveraciones de Monseñor Carlos Oviedo, sobre instrumentalización actual de la Iglesia Católica chilena con fines políticos, se confirmaron ampliamente el 8 de diciembre de 1975. La Arquidiócesis de Santiago programó ese día, fiesta de la Inmaculada Concepción, un »acto religioso masivo« para peregrinar al Templo de Maipú. El 4 de diciembre surgió una restricción al respecto, de parte de la Jefatura de Zona en Estado de Emergencia de la Provincia de Santiago, porque dicha Jefatura »tiene antecedentes que permiten presumir que, con motivo de esa ceremonia, elementos marxista-leninistas procurarán infiltrarse en su desarrollo portando carteles, panfletos o letreros con consignas políticas, pretenderán proferir gritos encaminados a la propagación de sus ideas y elevarán plegarias que contengan evidente intención crítica a los actos del Gobierno«[519].

Este Bando N° 91 advertía, de paso, que »en Chile existe la más absoluta libertad de credos, pero el ejercicio de esta libertad no puede ser pretexto para que elementos, tradicionalmente enemigos de toda religión, se apro-

---

[517] »El Mercurio«, 17 de noviembre de 1975.
[518] Ibid., 11 de noviembre de 1975.
[519] »Iglesia de Santiago« (publicación oficial del Arzobispado de Santiago de Chile). Diciembre 1975 - enero 1976.

vechen de un acto religioso para alterar el orden público y la finalidad del acto religioso a celebrar«[520].

Por lo cual, el Bando N° 91 dictaminaba que el acto del 8 de diciembre »se llevará a efecto dentro del Templo Votivo de Maipú«, comprendida también el área externa que forma parte de éste. Así mismo decía: »Prohíbese ese día la realización de todo tipo de marchas o peregrinaciones«, y añadía: »Las personas que concurran al Templo Votivo de Maipú deberán hacerlo en forma individual y de ninguna manera en grupos organizados«[521].

En ausencia del Cardenal, que se hallaba en Roma, los Obispos Auxiliares y los Vicarios Episcopales de la Iglesia de Santiago (léase Arquidiócesis de Santiago) cortaron por lo sano, no aceptaron ninguna de las restricciones impuestas por el Estado de Emergencia y dispusieron »que durante todo el día 8 de diciembre no tenga lugar acto litúrgico alguno en el Santuario de la Virgen del Carmen, Madre y Reina del pueblo de Chile«. Esta disposición figuraba en una declaración pública de dichos personeros eclesiásticos titulada »La Iglesia protesta con dolor«, del siguiente tenor: »Las restricciones decretadas por el Bando N° 91 afectan de modo directo la naturaleza misma, esencialmente comunitaria, del acto religioso que habíamos convocado. Perjudican además, decisivamente, el clima de confianza y espontaneidad indispensable para una celebración religiosa de estas proyecciones, generando un ambiente disuasivo e intimidatorio. El celo por la íntegra preservación del orden público no puede ni debe urgirse hasta el extremo de cohibir el libre ejercicio de actos netamente religiosos...«[522].

Mientras los Obispos Auxiliares y los Vicarios Episcopales de la Iglesia de Santiago, sin transigir un ápice, hacían la declaración pública anterior, rubricando una vez más sus desavenencias con el Gobierno, de mano en mano circulaba entre chilenos otra declaración pública firmada por un Frente Cristiano de Avanzada, seguramente en la clandestinidad. Eran los que, según Monseñor Oviedo, desean utilizar el prestigio moral y la fuerza espiritual de la Iglesia en fines políticos. Eran los que, según el Bando N° 91, »con motivo de esta ceremonia..., procurarán infiltrarse... portando carteles, panfletos o letreros...«. Eran los de siempre, los que provocan la brutal, incomprensible desunión entre un Gobierno honestamente cristiano y una Jerarquía eclesiástica que, por momentos, se siente perseguida.

He aquí los volantes repartidos a profusión, a través de los correos chilenos, por el Frente Cristiano de Avanzada:

»Frente a la orden militar de suspender la peregrinación a Maipú a que había convocado la Iglesia Católica para el día 8 de diciembre, el Frente Cristiano de Avanzada declara:

»*Esta decisión del Gobierno es parte de la orquestada campaña de hostigamiento a la Iglesia Católica y a Iglesias de otras denominaciones, que viene impulsando la ultra derecha civil y uniformada. Esta decisión es lógica*

---

[520] Ibid.
[521] Ibid.
[522] Ibid.

expresión del carácter terrorista-fascista del Gobierno, el que por sustentar-
se con la sola fuerza de las armas y el terror, no puede permitir ningún acto de
expresión libertaria, ni siquiera los de naturaleza religiosa...

»La actitud de la Jerarquía de la Iglesia Católica ha sido muy cauta y mesurada, tratando de evitar un enfrentamiento con el Gobierno, juzgando que ello es conveniente para todo el país. Con este propósito ha evitado toda declaración que pudiera parecer altisonante o conflictiva, ha cedido a muchas presiones del Gobierno, ha dejado pasar más de algún atropello del Gobierno a la Jerarquía. Expresión concreta de esta actitud ha sido la aceptación de la disolución del Comité de Cooperación por la Paz en Chile, accediendo a un requerimiento que el Gobierno ni siquiera se atrevió a formular de modo abierto, pero que quedó evidente tras el lenguaje solapado utilizado por el fascista mayor...

»*Estamos en presencia de un ataque extraordinariamente grave a la Iglesia Católica;* no sólo a su Jerarquía, sino a la Iglesia como tal; el cual tiene consecuencias, también, para las Iglesias de otras denominaciones. Se ha puesto en cuestión, con burdos pretextos, la libertad de expresión religiosa. Es la pendiente inevitable del fascismo. Se comienza suprimiendo la libertad de expresión política; se termina suprimiendo toda forma de expresión. Se impide a la Iglesia ejercer su misión propia, con lo que se persigue destruir a la Iglesia en su naturaleza más esencial, ya que una Iglesia que no puede ejercer su misión queda vacía de contenido...

»*Llamamos a todos los cristianos progresistas a renovar nuestro compromiso con el pueblo de nuestra patria y no descansar hasta el derrocamiento del Gobierno terrorista-fascista y de la construcción de una nueva sociedad justa, libre y fraterna, una sociedad socialista. Los llamamos a fortalecer la comunión con nuestra Jerarquía, con nuestros hermanos cristianos comprometidos en la lucha de liberación popular y con todos aquellos que comparten nuestros propósitos. Los llamamos a fortalecer el Frente Cristiano de Avanzada.*

Santiago, diciembre de 1975[523].

BASTA DE PALABRAS HIRIENTES E INÚTILES

Regresó el Cardenal. Sus palabras, antes de partir a Roma como peregrino del Año Santo, pronunciadas el 15 de noviembre, cobraban inusitada vigencia en esta convulsión, en este malestar nacional entre Iglesia y Gobierno: »*Pido que nos esforcemos por reencontrar el silencio, después y antes de tantas palabras, con frecuencia hirientes e inútiles*«, había dicho Su Eminencia[524].

Sin embargo, a su regreso menudeaban las mismas hirientes e inútiles palabras, y el silencio... el silencio del amor cristiano no lo había por ninguna parte.

A mediodía del 8 de diciembre, el Cardenal Raúl Silva Henríquez celebró el Bicentenario de la Iglesia Catedral, con una misa en dicho templo.

---

[523] Copia mimeografiada de la »Declaración Pública del Frente Cristiano de Avanzada«.
[524] »El Mercurio«, 16 de noviembre de 1975.

La Catedral estaba tan repleta de público que muchos trepaban por los púlpitos barrocos. Su Eminencia fue recibido con aplausos, vivas y agitar de pañuelos. Un palmotear de manos insistente, acompasado, provenía del público que más parecía estar presente en un acto de índole política: »¡Libertad total, Viva el Cardenal!«, voceaban los manifestantes a gritos, mientras algunas señoras timoratas protestaban por lo bajo: »Esto no puede ser«, decían[525].

Dijo el Cardenal en su Homilía:

»Si el Obispo ha de ser, en Cristo, signo de unidad y reconciliación, su camino no puede ser otro que la cruz. Ella será no sólo su manantial inagotable de fecundidad, sino también el sello que autentifica su condición de imagen transparente de Cristo. . .

»Pero no sólo es el Pastor el que sufre. También quienes comparten más de cerca la carga del ministerio pastoral; sus sacerdotes, unidos a él en su presbiterio. Para ellos vaya, hoy, un recuerdo, una palabra de afecto, de padre y de amigo —en particular para quienes sufren por obedecer a su conciencia de evangélica misericordia.

»Comprendemos y apreciamos su generosidad, y queremos expresarles que nada podrá alejarlos de nuestro cariño de Pastor. . .

»Sabemos que esta concepción universal e indiscriminada de la misericordia tan propia del Evangelio, ha sido y será fuente de incomprensión. . .«[526].

Al salir Monseñor Silva Henríquez, tras la Cruz procesional y por la nave central del Templo Metropolitano que, en 1968, fuera profanado (según expresión cardenalicia) por sacerdotes, monjas y laicos promarxistas, hubo tal congestión que, del altar a la sacristía, Su Eminencia, se demoró veinte minutos.

»¡Libertad total, Viva el Cardenal!«, coreaban los feligreses, para luego entonar el Himno Nacional, dándole así al acto religioso un matiz extrañamente político[527].

Razón tenía Monseñor Carlos Camus, secretario de la Conferencia Episcopal, cuando decía: »Algunos (comunistas) irán (a las ceremonias religiosas) por avivar la cueca«[528].

Desgraciadamente, la »cueca« repercute allende las fronteras y contribuye al ensañamiento internacional contra Chile. Valga como ejemplo aquel cable llegado de Moscú y fechado 19 de noviembre de 1975:

»MOSCU, 19 (AFP). La agencia TASS rindió homenaje hoy a la Iglesia Católica de Chile y a su jefe, el Arzobispo Raúl Silva Henríquez, por su participación »en la lucha contra las represiones policiales en su país«.

»En un comentario del observador de la agencia soviética, Anatoli

[525] Ibid., 9 de diciembre de 1975.
[526] »Iglesia de Santiago« (publicación oficial del Arzobispado de Santiago de Chile). Diciembre 1975 - enero 1976.
[527] »El Mercurio«, 9 de diciembre de 1975.
[528] Ibid., 8 de octubre de 1975.

Medvedenko, respecto a las informaciones que proceden de Santiago, el periodista anota que la Iglesia de Chile »se pronuncia con una gran energía en defensa de los derechos violados y protesta contra la política de represiones masivas efectuadas por el régimen de Pinochet«.

»Subraya luego que el Arzobispo Henríquez estigmatizó recientemente, en una declaración oficial, las detenciones y los internamientos arbitrarios.

»La Iglesia Católica chilena, anota la Agencia, lejos de limitarse a sus críticas de los crímenes fascistas, concede igualmente toda la ayuda posible a los patriotas«, participando en las colectas de socorro a las familias de los presos políticos«...[529].

Felizmente algunos personeros eclesiásticos desmienten, con sus declaraciones en el extranjero, estas alabanzas de Moscú. Constancia deja el siguiente cable de marzo (1976):

»CIUDAD DEL VATICANO, 22 (AP). El Arzobispo chileno Francisco de Borja Valenzuela Ríos dijo el domingo, a través de los micrófonos de Radio Vaticana, que la imagen de Chile en el exterior »está teñida de colores demasiado oscuros, nada verdaderos«.

Monseñor Valenzuela que tiene título personal de Arzobispo, aunque desempeña la Diócesis de San Felipe, dijo en una entrevista:

»La verdad es que un chileno sabe que la realidad no es como la pintan en el extranjero. No se puede negar que la situación económica, crítica también en otros países, en Chile es quizás más difícil. En esta situación, la Iglesia debe dar fe de auténtica y total caridad«.

Preguntado si en Chile existen condiciones por las cuales los derechos humanos son conculcados, Monseñor Valenzuela respondió:

»A esos que tanto hablan de derechos humanos conculcados en Chile creo que se les debe recordar cuanto se dice en el Evangelio: »Quien esté libre de pecado que tire la primera piedra«. Que los gobiernos que se consideren inocentes tiren la primera piedra«.

El prelado chileno dice que en Chile »ha habido, ciertamente, violaciones de los derechos humanos, pero creo también que existe la buena voluntad de adoptar medidas para que esto no se repita más«[529a].

LA MARCHA DEL PADRE GUMUCIO

Llegó febrero (1976) y con él una carta del Padre *Esteban Gumucio* SS.CC. a la autora de este libro. Era una carta privada y su privacidad merece religioso respeto, pese a pertenecer su destinataria al gremio periodístico, frecuentemente confundido con un gremio de »gangsters« por quienes son puestos al descubierto por los medios de comunicación.

La carta privada, sin embargo, incluía copia de otra carta, pública esta vez. Por ello se inserta. Dice así:

[529]Ibid., 20 de noviembre de 1975.
[529a]Ibid., 23 de marzo de 1976.

»Santiago, 22 de febrero 1976.
Srta. Teresa Donoso Loero.
Presente.
Señorita:

En la página 95 de su libro »Historia de los cristianos por el socialismo«, Ud. afirma: »este mismo padre Gumucio que, después del pronunciamiento militar, organizaba en 1975 una marcha del hambre sobre el centro de la capital, para »celebrar« un discurso del Ministro de Hacienda sobre nuevas medidas anti-inflacionarias y para mostrar el escándalo de los pobres... etc.«. La misma afirmación se repite en la página 172.

Le puedo decir categóricamente que su afirmación es absolutamente falsa y gratuita.

En un libro que pretende ser »historia« es imperdonable dar por un hecho lo que sólo está en la imaginación del autor o de sus informantes secretos.
De Ud.,

Esteban Gumucio V.«[530]

En el párrafo final de su carta privada el padre Gumucio advertía que trataría de hacer pública esta breve nota. Quizás lo hizo.

En todo caso, aquí, en las páginas del mismo libro que a su juicio miente, ahora logrará publicidad. Pero con una respuesta; la respuesta valiente, admirable, de los »informantes secretos« que, cosa insólita, se hallan ubicados en el mismo corazón del pueblo, en la misma población Joao Goulart que habita el padre Gumucio, y están hastiados de ver su religión convertida en cátedra política.

Lamentando, por primera y única vez, tener que llevar este libro al terreno de la polémica personal, inserto en la página 144 el documento de los »informantes secretos« sobre la »Marcha del Hambre« del padre Esteban Gumucio.

Valga tan desagradable paréntesis para rubricar que las fallas de ciertos personeros de la Iglesia no siempre son fruto de »innobles« campañas periodísticas, como suele decirse últimamente. Por desgracia, esta implicancia numerosa de clérigos en asuntos de política contingente, precisamente cuando la política se halla en receso, resulta ser una triste verdad de cada día. Y ningún otro motivo, fuera del amor a la Iglesia, mueve a ciertos cristianos —cristianos, pese a su condición de periodistas...— a decir verdades que, de permanecer incubadas al calor de la hipocresía, causarían mayores daños al cuerpo eclesial.

»Mensaje«, revista de Iglesia

No eran de la misma opinión, por cierto, los editorialistas de »Mensaje«, que, en noviembre de 1975, defendían a Monseñor Carlos Camus luego de sus

---

[530]Copia de la carta de Esteban Gumucio V. a Teresa Donoso Loero, mecanografiada por su autor.

declaraciones a corresponsales extranjeros (30 de septiembre de 1975), frecuentemente consignadas en este libro. »Mensaje«, luego de titular con grandes caracteres en la portada »Ataque contra Monseñor Camus«, decía en su interior:

»Dos noticias se producen casi simultáneamente: la cancelación del permiso de ingreso al país del Obispo luterano Helmut Frenz y el escándalo creado —y mantenido tenazmente— en torno a una conversación que sostuvo Monseñor Carlos Camus, secretario de la Conferencia Episcopal de Chile.

»No es sólo la coincidencia de fechas lo que hace pensar. En el caso del Obispo Frenz hubo una larga campaña previa, conducida también a través de la prensa (y de los mismos órganos de prensa), con idénticas acusaciones de »politización«, con igual falta de respeto por la persona. Al término de esa campaña, ya nadie sabía muy bien cuál era el pecado concreto que supuestamente había cometido quien era objeto de los ataques. Mucho menos recordaba su defensa. Lo sostenido en las publicaciones contrarias y —curiosamente— la vaguedad de los cargos, contribuyeron a crear una imagen, tan irracional como eficaz, de personaje antipático: contra él podía justificarse cualquier cosa. El cisma primero, la expulsión después.

»En el caso de Monseñor Camus, hay síntomas alarmantes de que nos encontraríamos frente a las primeras etapas de un proceso similar...«[531].

A estas alturas (abril 1976) los temores de »Mensaje« son absolutamente vanos: ni el Gobierno sancionó a Monseñor Camus, ni la Conferencia Episcopal le aceptó su espontánea renuncia, confirmándolo en el cargo de Obispo Secretario una vez más.

»Mensaje« de enero-febrero 1976 traía, en primera página, una fotocopia de la carta que, con fecha 30 de diciembre de 1975, dirigiera la propia Conferencia Episcopal de Chile al »Padre Director«, Sergio Zañartu sj. El documento, firmado por el nuevo presidente de la Conferencia, Monseñor Fresno, y por el recién confirmado Secretario, Monseñor Camus, dice así:

»La Conferencia Episcopal de Chile en su última Asamblea Plenaria ha tomado conocimiento de diversas comunicaciones privadas o semiprivadas que han estado circulando últimamente en torno a la Revista »Mensaje«. Por ello, la Asamblea Plenaria ha tomado el acuerdo de hacerle llegar, a través del Comité Permanente, esta carta de apoyo.

Como es de su conocimiento, la orientación de la Revista en años anteriores, fue objeto de ciertas reservas por parte de la Conferencia Episcopal de Chile.

La respuesta dada en aquellos años por la Dirección de la Revista, fue el que ella no era propiamente una revista de la Iglesia, como tampoco de la Compañía de Jesús, sino de un grupo de jesuitas acompañados de un equipo seglar.

---

[531] »Mensaje«, noviembre de 1975.

Sabemos que esta no es la situación actual. La Revista ha ido cambiando algunos de sus redactores y *ha tomado una orientación que la vincula más estrechamente a la tarea de la Iglesia.*

Nos parece, por otra parte, necesaria para el bien del país la existencia de un órgano público que tenga una orientación según el espíritu de la Iglesia y permita debatir temas que son de interés nacional.

Es obvio que, dada la naturaleza de la Revista, algunos de sus artículos han de abocarse a temas de carácter técnico que no pueden, por ello mismo, comprometer la posición de la Iglesia.

Es un anhelo ferviente de la Conferencia Espiscopal de Chile que la Revista »Mensaje« continúe, como lo ha hecho en sus últimos números, en su labor positiva de clarificación y pueda ser un medio de iluminación de las mentes y de unificación de todos los habitantes de nuestra tierra.

Con nuestros agradecimientos por el servicio prestado a la Iglesia y los mejores deseos de que el Señor los acompañe e ilumine su labor, los bendecimos cordialmente en el mismo Señor,

JUAN FRANCISCO FRESNO LARRAIN
Arzobispo de La Serena
Presidente de la Conferencia Episcopal
de Chile

CARLOS CAMUS LARENAS
Obispo Secretario de la Conferencia
Episcopal de Chile«[532]

Es de felicitarse que los Obispos chilenos hayan incluido en su carta de apoyo a »Mensaje« aquella salvedad sobre »algunos de sus artículos que han de abocarse a temas de carácter técnico«. Estos, rubrica la Jerarquía, »no pueden comprometer la posición de la Iglesia«.

Oportuna y providencial tal advertencia porque, en el número inmediatamente posterior al que da cabida a dicha carta, »Mensaje« publica un trabajo de *Joseph Comblin,* sindicado por el propio Cardenal Silva Henríquez (en Toledo) como uno de los grandes maestros de la »Teología marxista de la Liberación«. El artículo de Comblin se titula »La Doctrina de la Seguridad Nacional« y, desde allí, basándose en el caso brasileño, destruye meticulosamente uno a uno los conceptos más estimados y repetidos por la Junta de Gobierno chilena a partir de su »Declaración de Principios«.

Si »Mensaje« fuese, en »artículos de carácter técnico«, »una revista de la Iglesia«, la extensa publicación de Comblin provocaría un nuevo enfrentamiento entre el Gobierno de Chile y la Iglesia Católica.

Es de todos los chilenos conocido hasta qué punto la doctrina de los gobernantes que asumieron el 11 de septiembre de 1973 destaca conceptos tales como Nacionalismo, Geopolítica, Seguridad Nacional, Bien Común, De-

---

[532] Ibid., enero-febrero de 1976.

sarrollo Global Nacional, Objetivos Nacionales, configuración de una nueva Democracia vigorizada, etc.

He aquí cómo ve Comblin esos mismos conceptos; he aquí cómo, por boca de terceros, »Mensaje« juzga las intenciones del Gobierno del general Pinochet:

»La Geopolítica adquirió una gran importancia en los círculos pangermanistas... Las ideas de esa escuela fueron asumidas por el movimiento nazista y sus temas fueron proclamados por Hitler. La geopolítica entró de cierto modo en las bases de la ideología nacional-socialista. Eso le valió un rechazo radical de parte de los Aliados... (J. Atencio).

»Sin embargo, después de la guerra, otros autores norteamericanos y también franceses y otros, se dieron cuenta de que la geopolítica era separable del nacional-socialismo... Sin embargo, si podemos aceptar como evidente que la geopolítica no expresa necesariamente el nazismo alemán, no resulta tan evidente que ella pueda existir en forma independiente de programas políticos bastante análogos al programa nacional-socialista... (Amiral Pierre Ceferier).

»Todos los geopolíticos, consciente o inconscientemente, consideran al Estado como un gran sujeto, dotado de voluntad propia, de finalidades propias. El Estado es un ser que actúa en virtud de intenciones y planos que le son propios y son independientes de las finalidades de las personas individuales... (Golbery).

»El territorio y la población no tienen voluntad autónoma: son instrumentos orientados por el Estado y transformados por su voluntad soberana en instrumentos de poder. El Poder es la palabra mágica de toda geopolítica...

»Después de la Segunda Guerra Mundial, la perspectiva cambió... la geopolítica no le ve (al Estado) tan preocupado por su expansión o su espacio vital y sí por su seguridad... la geopolítica proporciona un telón de fondo a la doctrina de la seguridad nacional...

»Los fines del Estado son la seguridad, o sea, crear y mantener el orden político, económico y social, y el desarrollo, o sea, la promoción del Bien Común (Amaral Gurgel).

»Lo más notable de esa concepción es la ausencia total del concepto de pueblo que no interviene jamás en los escritos de seguridad nacional...

»Nunca interviene la más leve alusión que haría pensar en una posible oposición entre los ciudadanos y el Estado. La noción de pueblo como realidad de los hombres frente al Estado, eventualmente luchando contra los excesos de un Estado o tratando de limitar su poder, es completamente ajena a la doctrina de la seguridad nacional...

»Estamos por lo tanto ante una innovación capital, un cambio radical en la historia de las ideas políticas que data al menos desde el siglo XIX. Se supone siempre la identificación entre los ciudadanos y el Estado como situación ideal. Esta es una posición que el marxismo ha defendido desde su realización en los Estados comunistas; es también la posición fascista...

»Los autores (brasileños citados) hablan en términos elevados de libertad y democracia: son Objetivos Nacionales Permanentes de gran valor.

Son elementos permanentes de la herencia de Occidente. Pero, tratándose de política, se habla más de la lucha por la libertad y la democracia que de su ejercicio. La lucha por la libertad y la democracia requiere que se prescinda de ellas. En nombre de la libertad, la seguridad requiere el sacrificio momentáneo de todas las libertades. Claro que el sacrificio se presenta como temporario y que la libertad prometida es tanto más deseable cuanto más importantes hayan sido los sacrificios consentidos. Sin embargo, no aparece claramente cómo el sacrificio de la libertad podrá llevar un día al restablecimiento de la libertad...

»En lo concreto de la historia lo que prevalece son las necesidades de la Seguridad Nacional.

»La doctrina de la Seguridad Nacional se presenta como un nacionalismo absoluto...

»...debemos reconocer que la ideología de la Seguridad Nacional es un instrumento y una expresión adecuada al servicio de tal nacionalismo...«[533].

El padre Joseph Comblin comienza su artículo diciendo: »Una nueva ideología se está proyectando cada vez más en el continente americano. Su nombre es progresivamente reconocido y aceptado: se trata de la doctrina de la Seguridad Nacional«[534].

Extraña pues que, en la misma revista, trece páginas antes, el padre *Rolando Muñoz* ss.cc. sostenga que *Jesús fue »juzgado como un ser abyecto que es necesario eliminar por la seguridad nacional«*[535].

No se comprende cómo un Doctor en Teología, que »dedica su vida a pensar en las cosas de Dios«, según Monseñor Bernardino Piñera en el prólogo al libro »Nueva Conciencia de la Iglesia en América Latina« de Ronaldo Muñoz, pueda estar tan imbuido de las cosas del siglo como para atribuir directamente a San Juan, capítulo 11, versículos 45-54, intenciones de Seguridad Nacional. Sobre todo si se piensa que Comblin, experto en tales materias, habla de »nueva ideología« (siglo veinte).

Malabarismos teológicos de Ronaldo Muñoz

Después de leer el libro de Rolando Muñoz (»Nueva Conciencia de la Iglesia en América Latina«)[536], obra que en realidad es su »memoria para la obtención del título de Doctor en Teología ante la Facultad Teológica de la Universidad de Ratisbona (Alemania)«, su compañero de congregación Pablo Fontaine ss.cc. a quien, en compañía de Manuel Ossa sj. y Norbert Schiffers, está dedicado el libro, ya no podrá escribir cuanto escribía en »Mensaje« de agosto de 1971: (Hay en la Iglesia chilena) »una decadencia teológica. No

---

[533] Ibid., marzo-abril de 1976.
[534] Ibid.
[535] Ibid.
[536] »Nueva Conciencia de la Iglesia en América Latina«. Ronaldo Muñoz. Ediciones Nueva Universidad. Vicerrectoría de Comunicaciones. Universidad Católica de Chile, Santiago, 1973. 559 pp.

parece que se dé un pensamiento del vigor de otras partes de Latinoamérica. Ni siquiera conocemos la literatura teológica de nuestro continente«[537].

El libro del padre Muñoz es, por decir lo menos, escalofriante. No sólo, como explica Monseñor Piñera, »ha reunido y clasificado con prolijidad y luego analizado minuciosamente toda la literatura reciente, proveniente de ambientes católicos, referente a la crisis de América Latina y orientada en su sentido critico y revolucionario«[538]; no sólo eso: Ronaldo Muñoz dedicó 106 páginas de su obra a transformar en números y siglas todo ese torrente teológico-revolucionario que cayó en sus manos.

Dada la dificultad de reproducir estos verdaderos códigos de la teología contemporánea valga, como ejemplo, la transcripción de uno —simplísimo— de dos líneas:

»1.1.1.4. BRA 2 La, 67, p. 174; ARG 4 Sa La, 68, p. 113; AL 41 Clar, 69, p. 15. (Ver también 1.1.1.0.)«.

Enigmas como este los hay hasta de veinticinco líneas. Son el fruto de infinitas restas, sumas y síntesis de documentos emanados de Conferencias Episcopales Latinoamericanas, de la Jerarquía Eclesiástica de cada país, de Obispos individuales, de un grupo de sacerdotes, de un grupo de laicos, etc. »Todos proceden de la época postconciliar de la Iglesia«, como es natural. El autor los divide en dos grandes corrientes: documentos »de la Iglesia establecida« y »de los grupos cristianos« (como aquéllos de la »Iglesia Joven« en Chile, por ejemplo).

De toda esta mezcolanza el autor ha logrado, a juicio de Bernard Welte quien, junto a Monseñor Piñera, prologa el libro, »ha logrado hacer patente su íntima conexión y profunda coherencia«[539].

Los frutos están a la vista. En el capítulo titulado »Comprometerse en la Liberación de los Oprimidos« se lee:

»Comprometerse con los pobres y explotados, para su liberación.

Particularmente los cristianos, hemos de comprometernos con los pobres y explotados, en la defensa de sus derechos, para su liberación...

La misma fe nos lleva a rechazar un sistema que oprime al hombre.

No buscar soluciones de evasión personal, sino aceptar la dureza de la lenta lucha de la promoción humana. Permanecer con el pueblo en el momento de la prueba.

No optar por la lucha de los oprimidos es colaborar a la violencia de los opresores...

No hemos de temer ser perseguidos como »subversivos«; hemos de temer más bien traicionar el Evangelio y la esperanza de los pobres.

Comprometerse en la lucha contra los explotadores.

Hay que comprometerse en la lucha de los pobres y explotados contra la clase explotadora.

---

[537] »Mensaje«, agosto de 1971.

[538] »Nueva Conciencia de la Iglesia en América Latina«. Ronaldo Muñoz. Ediciones Nueva Universidad. Vicerrectoría de Comunicaciones. Universidad Católica de Chile. Santiago, 1973. 559 pp. (p. 11).

[539] Ibid., (p. 16).

Esta lucha de clases ya está desencadenada por los ricos, al explotar a los trabajadores.

Es la violencia permanente e institucionalizada.

Como cristianos, hemos de amar incluso a los explotadores, pero luchar contra la explotación.

En efecto, el amor a los enemigos —en este caso, de los pobres y oprimidos—, no significa que no pueda o no debe combatírselos.

Hay una distinción —en la práctica difícil, pero posible— entre lucha de clases y odio de clases.

No podemos olvidar que Cristo quiere liberar también a los ricos, de la servidumbre del dinero.

El cristiano ha de amarlos (a los ricos) combatiéndolos, para liberarlos de su pecado...«[540].

Soló resta reiterar una frase ya citada en este libro: »Para quien no está acostumbrado a semejante »capovolgimiento« (volcamiento), quizás extrañe la insistencia de seguir hablando de teología«[541].

LA VOZ DE LA CORDURA

Tiempo de Cuaresma, tiempo de conversión. »Después de tantas palabras, con frecuencia hirientes e inútiles —dijo el Cardenal—, pido que nos esforcemos por reencontrar el silencio«[542].

Es en busca de este silencio perdido, sin duda, que Monseñor Silva Henríquez emitió su Pastoral de Cuaresma para 1976. Las verdades contenidas en ella son abrumadoras; constituyen el resumen de las causas de todos los males que en la Iglesia Católica chilena se han venido viviendo recientemente. »La Iglesia no necesita reformadores sino santos«, dijo Georges Bernanos, y el Cardenal-Arzobispo de Santiago vuelve a esa fuente para, desde allí, predicar a sus fieles de la siguiente manera:

»*Cuarenta días (Cuaresma) para expurgar de nosotros todo aquello que, por nuestra culpa, ensombrece el rostro y empaña la hermosura de nuestra madre la Iglesia, la esposa de Cristo...*

»*Por eso es que en este tiempo sagrado de Cuaresma, en lugar de entregarnos a enojosas querellas o estériles lamentaciones sobre el pasado y presente de la Iglesia, queremos consagrarnos a la única tarea que realmente importa y construye: ser santos, como Dios nuestro Padre es santo. Ser santos, como la Iglesia, nuestra madre, es santa*«[543].

[540] Ibid., (pp. 261-263).
[541] »Tierra Nueva«, octubre de 1973 (p. 54).
[542] »El Mercurio«, 16 de noviembre de 1975.
[543] Ibid., 21 de marzo de 1976.

Quiera Dios que en el corazón de la Cuaresma —en esta Hora en que Cristo se dispone a subir a la Cruz para lograr la Paz sobre la Tierra—, quiera Dios que en su Sangre sacrosanta tenga lugar el Milagro del Silencio.

Que la Iglesia, en Chile, sea purificada del exceso de lenguajes, teorías, teologías, querellas, lamentaciones, martirios imaginarios, etcétera.

Cuando todas las esperanzas humanas se pierden, como podría suceder después de leer estas páginas, resplandece, purificada de ataduras terrenales, »la« Esperanza que Cristo vino a conquistar para este mundo.

Santiago, 11 de abril de 1976.

EPILOGO SEGUNDO

»(Estos sacerdotes) no representan a la Iglesia... por encima de las fallas y errores de algunos, está el sacerdocio. Por encima de las fallas humanas, está la Iglesia inquebrantable«.
(Monseñor Emilio Tagle Covarrubias - La Segunda, 10-11-1975).

INDICE ONOMASTICO

PERFILES BIOGRAFICOS*

Aguirre Ode, Gonzalo   Sacerdote. Nació en Santiago (Chile) en 1930. Ordenado en 1960. En 1968 participó en la »toma« de la Catedral de Santiago. En 1970 se retiró del clero (no consta de su deserción).

Almeyda Medina, Clodomiro   Abogado. Nació en Santiago (Chile). Titulado en la Universidad de Chile. Militante del Partido Socialista, 1952; Ministro del Trabajo 1953: Ministro de Minas. Miembro del Comité Central del ps. 1961-1965: Diputado. 1970-1973: Ministro de Relaciones Exteriores del Gobierno de Allende.

Alvear Urrutia, Enrique   Obispo. Nació en Cauquenes (Chile) en 1916. Ordenación sacerdotal: 1941. Consagración episcopal: 1963. Obispo de San Felipe. Actualmente: Obispo Auxiliar del Arzobispado de Santiago.

Allende Gossens, Salvador   Médico. Nació en Santiago (Chile) en 1908. Titulado en 1932 en la Universidad de Chile. Memoria de título: »Higiene mental y delincuencia«. Médico de la Casa de Orates, Sanidad y Beneficencia. Fundador y Secretario Regional del Partido Socialista en Valparaíso. 1931-1941: Diputado por Valparaíso. 1939-1942: Ministro de Salud. 1943: Secretario General del Partido Socialista. 1945-1961: Senador por Tarapacá y Antofagasta. 1961: elegido Senador por Aconcagua y Valparaíso. En algunas oportunidades fue presidente del Senado. Candidato a la Presidencia de la República en 1952, 1958, 1964 y 1970. En 1970 fue elegido Presidente de la República. 11 de septiembre de 1973: se suicidó al ser derrocado por un pronunciamiento militar.

Ambrosio, Rodrigo   Sociólogo. Nació en Chile en 1941. Discípulo del jesuita Roger Vekemans, en la Escuela de Sociología de la Universidad Católica. 1964: becado en L'Ecole Pratique des Hautes Etudes de la Universidad de París. Dirigente de la Asociación de Universitarios Católicos (auc). Presidente de la Juventud Demócrata Cristiana. 1969: Secretario General del Movimiento de Acción Popular Unitaria (mapu). 1971: Uno de los redactores del documento-base de la jornada sobre »La Colaboración de los Cristianos en la Construcción del Socialismo«, organizada por los »Ochenta« (sacerdotes). 19 de mayo de 1972: murió en un accidente automovilístico.

Arellano, José   Sacerdote español de la ocsha. Vicario ecónomo de la Parroquia San Mateo (Población San Joaquín, Santiago). 1971: Miembro del Comité Organizador de la jornada sobre »La Colaboración de los Cristianos en la Construcción del Socialismo«.

Ariztía Ruiz, Fernando   Obispo. Nació en Chile en 1925. Ordenación sacerdotal: 1951. Consagración episcopal: 1967 (Obispo titular de Timici). 1962-1963: Párroco de San Cayetano (Santiago). 1973-1975: Presidente del Comité de Cooperación para la Paz en Chile. Administrador Apostólico de Copiapó.

*En este Indice Biográfico se utiliza la expresión *Reducido al Estado Laical.* De acuerdo con el lenguaje eclesiástico habitual esto significa que el sacerdote ha sido autorizado por la jerarquía correspondiente a abandonar los votos inherentes a su compromiso sacerdotal. Lo corriente es que dichas personas soliciten esta Resolución de la Autoridad Eclesiástica.

ARROYO CORREA SJ., Gonzalo   Sacerdote jesuita. Estudios teológicos en Lovaina. Ingeniero agrónomo. Doctor en Economía. Nacido en Chile en 1925. Ordenado en 1963. Profesor de la Universidad Católica de Chile y Director del Centro de Estudios Agrarios de la misma Universidad. Desde 1970: Redactor de la revista marxista »Víspera«. Líder del grupo sacerdotal revolucionario de los »Ochenta«. 1971: Organizó una jornada sobre »La Colaboración de los Cristianos en la Construcción del Socialismo«. 1971: Miembro del Comité Coordinador del Diálogo Fidel (Castro) - Ochenta (sacerdotes). 1972: Organizador del »Primer Encuentro Latinoamericano de Cristianos por el Socialismo«. 1973: Huyó de Chile a raíz del pronunciamiento militar.

ASSMANN SJ., Hugo   Sacerdote jesuita brasileño. »Pertenece a la élite revolucionaria marxista de América Latina... Durante el Gobierno de Allende ocupaba cargos de importancia en la dirección de la revolución marxista, figurando oficialmente como uno de los directores (junto con los marxistas Armand Mattelart y Héctor Schmucler) de la revista marxista »Comunicación y Cultura« (Poradowski. »El Marxismo invade la Iglesia)«. »Hugo Assmann desborda a los Ochenta por su Izquierda« (Tierra Nueva, octubre de 1973).

BAEZA DONOSO, Alfonso   Sacerdote chileno. Ordenado en 1960. Asesor del Movimiento Obrero de Acción Católica (MOAC). Miembro de los »Ochenta«. 1971: Miembro del Comité Organizador de la jornada sobre »La Colaboración de los Cristianos en la Construcción del Socialismo«. 1971: Miembro del Comité Coordinador del diálogo Fidel (Castro) - Ochenta (sacerdotes). Actualmente: Asesor del MOAC (Guía Eclesiástica de Santiago 1975).

BECA INFANTE, Raimundo   Economista. Nació en Santiago (Chile) en 1940. Estudió en el Colegio Saint George y en la Universidad Católica. Becado a la Universidad de París con su esposa: María Cristina Hurtado. 1966-1967: Economista en la Universidad de Chile y en ODEPLAN. Desde 1971: Gerente General de ECOM. Interventor de MADEMSA.

BLANQUART OP., Paul   Sacerdote dominico francés. Profesor de sociología en el Instituto Católico de París. Uno de los principales animadores del grupo titulado »Cristianos para el Movimiento Revolucionario« en el seno de la Juventud Estudiantil Católica y de la Acción Católica Universitaria de Francia. Ferviente partidario del marxismo »cristiano«. 1971: Invitado al Congreso Cultural de La Habana. 1971: Invitado a Chile por Salvador Allende para participar en la »Operación Verdad«. Invitado por la Facultad de Teología y otros organismos de la Universidad Católica de Chile para, en ese centro de estudios, dictar una conferencia sobre »Los Cristianos y el Socialismo«.

BLEST RIFFO, Clotario   Nació en Santiago (Chile) en 1899. Ingresó al Seminario en 1909 y abandonó el Seminario en 1921, luego de ser tonsurado. Presidente de la Agrupación Nacional de Empleados Fiscales (ANEF). Presidente de la Central Unica de Trabajadores (CUT). 1968: Participó en la »toma« de la Catedral de Santiago.

BOLTON GARCÍA, Roberto   (Monseñor). Nació en Santiago (Chile) en 1919. Ordenado en 1946. En 1969: Rector del Seminario Mayor, Primer Ciclo. Vicario ecónomo de la Parroquia de Santiago el Mayor (Santiago). Subdirector Arquidiocesano del Secretariado Catequístico. 1971: Dirigente de los »Doscientos«. 1972: Miembro del Comité Organizador de la jornada sobre »Lucha de Clases y Evangelio de Jesucristo«. 1975: Ejerce su ministerio en la Comunidad Villa Francia y pertenece a la Arquidiócesis de Santiago (Guía Eclesiástica de Santiago, 1975).

CAMARA, Helder   Arzobispo de Olinda y Recife (Brasil). Nació en 1909. Conocido por sus ideas revolucionarias. Miembro del grupo titulado »Obispos del Tercer Mundo«. Llegó a Chile en abril de 1969, invitado por la Universidad Católica. En conferencia de prensa expresó que respeta las figuras de Camilo Torres y del Che Guevara, »como respeto a todo el que pueda dar su vida en defensa de sus ideales y por sus convicciones«.

CAMUS LARENAS, Carlos   Obispo. Nació en Valparaíso (Chile) en 1927. Ordenación sacerdotal: 1957. Consagración episcopal: 1968. Obispo de Copiapó. Actualmente: Secretario de la Conferencia Episcopal de Chile y Encargado Nacional de la Pastoral de Multitudes.

CANEPA CSC., Jorge   Sacerdote de la Santa Cruz (Holy Cross). Nació en Chile en 1928. Fue ordenado en 1956. Profesor del Colegio Saint George. Promotor de ideas de la Unidad Popular en dicho plantel.

CARDENAL, Ernesto   Sacerdote y poeta nicaragüense. Nació en 1925. Alumno de los jesuitas. Ingresó en la Trapa en 1957. Fue ordenado como sacerdote secular en 1965. En Solentiname (Nicaragua) fundó un monasterio sui generis en el que, según propia confesión, se alterna la lectura del Evangelio con trozos del Che Guevara. Sus inclinaciones marxistas se exacerban en 1970 cuando visitó La Habana, invitado por la »Casa de las Américas«. 1972: Publicó en Buenos Aires su libro titulado »En Cuba« en el cual recomienda fervorosamente el castrismo. 1971: Visitó Chile invitado por Fernando Castillo, Rector de la Universidad Católica. En ese centro de estudios dictó una charla enalteciendo el marxismo »cristiano«. Difundió su mensaje a través del Canal 13 TV-UC y en diversas tribunas que, posteriormente, le proporcionó la Unidad Popular.

CARIOLA BARROILHET SJ, Patricio   Sacerdote jesuita. Nació en Chile en 1928. Entró a la Compañía de Jesús en 1944. Fue ordenado sacerdote en 1958. Formuló el Cuarto Voto (de Obediencia al Papa) en 1962. En 1973-1975: representante oficial del Cardenal Raúl Silva Henríquez en el Comité de Cooperación para la Paz en Chile. Noviembre 1975: Detenido, procesado y declarado reo por el delito de »albergar, ocultar o facilitar la fuga a una persona a sabiendas que elude la acción de la justicia o de la autoridad, cuando ella se basa en la Seguridad del Estado« (Caso Pascal Allende y Nelson Gutiérrez). Diciembre 1975: Puesto en libertad por deseo expreso del Presidente de la República, como un indulto de Navidad y Año Nuevo.

CASSIDY, Sheila   Médica. Ciudadana inglesa. Nació en 1938. Noviembre 1975: Detenida y procesada por violar las disposiciones de la Ley de Estado de Sitio (Caso Pascal Allende y Nelson Gutiérrez). Diciembre 1975: Abandonó Chile con un salvoconducto de cortesía. No bien llegó a Gran Bretaña hizo toda clase de sórdidas declaraciones sobre torturas que le habrían practicado durante su detención. Proyecta convertirse en monja.

CASTILLO VELASCO, Fernando   Arquitecto. Nació en Santiago (Chile) en 1918. Titulado en 1946 en la Universidad Católica. Alcalde de La Reina (Santiago). Militante del Partido Demócrata Cristiano. 1967-1973: Pro-Rector y Rector de la Universidad Católica de Chile.

CASTILLO VELASCO, Jaime   Abogado. Estudió Leyes y Filosofía en la Universidad de Chile. Presidente de la Falange Nacional. Considerado como ideólogo de la Democracia Cristiana. Autor de »En defensa de Maritain« y otros libros. Presidente del Partido Demócrata Cristiano. 1965: Ministro de Tierras y Colonización.

CASTRO RUZ, Fidel   Nació en Cuba en 1925. Alumno de los jesuitas. Abogado en 1950. En 1953 se levantó contra Fulgencio Batista. Confinado a la Isla de Los Pinos. Indultado. 1956: Comienza su guerra de guerrillas en la Sierra Maestra. 1959: Entró triunfalmente en La Habana como libertador de Cuba frente a la tiranía de Batista. Mundialmente reconocida su revolución como libertaria y cristiana. 1962: Se declaró marxista-leninista, jurando que lo sería hasta la muerte. Primer Ministro cubano, desde hace 17 años.

COMBLIN, Joseph   Sacerdote belga. Nació en 1923. Profesor de la Facultad de Teología de la Universidad Católica de Chile. Conocido por sus ideas promarxistas. 1968: Nombrado Profesor del Instituto Teológico de Recife por Monseñor Helder Camara.

CONCHA SCS, Sergio   Sacerdote de la Santa Cruz (Holy Cross). 1971: Viajó a Cuba invitado por Fidel Castro. En La Habana firmó un Mensaje (promarxista) a los Cristianos de América Latina. 1975 (Guía Eclesiástica): Pertenece a la Zona Oriente del Arzobispado de Santiago.

CONTRERAS NAVIA, Sergio   Obispo. Nació en Valparaíso (Chile) en 1925. Fue ordenado sacerdote en 1957. Asesor de la Asociación de Universitarios Católicos (AUC) de Valparaíso. Consagración episcopal: 1966. Obispo de Ancud. Obispo Auxiliar de Concepción.

CORVALÁN LEPE, Luis   Profesor. Nació en Puerto Montt (Chile) en 1916. Titulado en la Escuela Normal de Chillán en 1934 (Profesor Primario). 1945-1948: Director del diario comunista »El Siglo«. 1957-1973: Secretario General de Partido Comunista de Chile. 1961-1969: Senador por Ñuble, Concepción y Arauco. 1969-1973: Senador por Valparaíso y Aconcagua.

CRUZAT PAUL, Gastón   Abogado. Nació en Santiago (Chile) en 1921. Titulado en 1947 en la Universidad Católica. Profesor de la Universidad Católica. Militante del Partido Demócrata Cristiano. 1961-1962: Director de »La Voz«, semanario del Arzobispado de Santiago. Director del Banco Hipotecario.

CHONCHOL CHAIT, Jacques   Ingeniero agrónomo. Nació en 1926. Estudió en la Universidad Católica de Chile. Coautor de la Reforma Agraria de Fidel Castro, como asesor de las Naciones Unidas al Instituto de Reforma Agraria de Cuba. Militante del Partido Demócrata Cristiano. 1964-1968: Vicepresidente del Instituto de Desarrollo Agropecuario (INDAP). 1968-1970: Director del Centro de Estudios de la Realidad Nacional (CEREN) de la Universidad Católica. 1969: Militante del MAPU. Secretario General de su colectividad política. 1969: Precandidato a la Presidencia de la República por la Unidad Popular. 1970-1972: Ministro de Agricultura del Gobierno de Salvador Allende. 1971: Militante de la Izquierda Cristiana. 1973: Candidato a Senador (derrotado).

DEVLIN CSC, John Phillip   Sacerdote de la Santa Cruz (Holy Cross). Nació en Estados Unidos en 1930. Ordenado en 1956. Profesor del Colegio Saint George y promotor de ideas de la Unidad Popular en ese plantel de estudios. Trabajó en la Parroquia Santa Rosa de Lo Barnechea (Santiago). Noviembre 1975: Reclamado por los Servicios de Seguridad bajo el cargo de haber auxiliado y encubierto la acción de terroristas (caso Pascal Allende y Nelson Gutiérrez), se refugió en la casa de un funcionario diplomático norteamericano. Abandonó Chile con un salvoconducto de cortesía del Gobierno chileno, a pedido de la Embajada de Estados Unidos. Llegado a su país declaró contra la Junta de Gobierno de Chile ante una Comisión del Senado norteamericano.

DONOSO ESPIC CSC, Fermín   Sacerdote chileno de la Santa Cruz (Holy Cross). Ordenado en 1967. Párroco de Santa Rosa de Lo Barnechea (Santiago). Noviembre 1975: Detenido por el delito de »albergar, ocultar o facilitar la fuga a una persona a sabiendas que elude la acción de la justicia o de la autoridad, cuando ella se basa en la Seguridad del Estado« (Caso Pascal Allende y Nelson Gutiérrez). Diciembre 1975: Puesto en libertad por deseo expreso del Presidente de la República, como un indulto de Navidad y Año Nuevo.

DUBOIS, Pedro   Sacerdote. Ordenado en 1955. Asesor del MOAC. Como tal, en 1971, participó en reuniones periódicas sobre un temario marxista. Párroco de la Parroquia Santa Madre de Dios, Población Clara Estrella (Santiago).

ENRÍQUEZ ESPINOZA, Miguel   Mirista. Hijo del ex Rector de la Universidad de Concepción y, luego, Ministro de Educación de Salvador Allende, Edgardo Enríquez Froeden. Estudiante de Medicina en la Universidad de Concepción. 1966: Detenido por participar en huelgas y desórdenes. Desde 1967: Secretario General del Movimiento de Izquierda Revolucionaria (MIR). Junio de 1968: pasó a la clandestinidad. 1969: Buscado por la policía por infracción a la Ley de Seguridad Interior del Estado. Febrero 1970: Declarado reo en rebeldía por su implicancia en nueve asaltos bancarios en el lapso de un año. Marzo 1970: Declarado reo en rebeldía por secuestro de un carabinero perpetrado en 1967. Enero 1971: Indultado por el Presidente Salvador Allende con otros 42 extremistas de izquierda. A partir de ese momento, públicamente encabezó la estrategia desquiciadora del MIR, especialmente contra las Fuerzas Armadas. 1973: En unión con Carlos Altamirano (PS) y Oscar Garretón (MAPU) fue sindicado como autor intelectual de un complot de vasto alcance contra la Armada Nacional. A partir del 11 de septiembre de 1973 volvió a la clandestinidad. Junio 1974: Escribió al Cardenal Raúl Silva Henríquez para revelarle que había clérigos miristas. Octubre 1974: Murió en un enfrentamiento a tiros con los Servicios de Seguridad.

ERRÁZURIZ GANDARILLAS, Ismael   Obispo. Nació en Santiago (Chile) en 1916. Ordenación sacerdotal: 1941. Consagración episcopal: 1969. Asesor de la Asociación de Universitarios Católicos (AUC). Vice-Rector del Seminario Pontificio. Vicario Episcopal de la Zona Oriente del Arzobispado de Santiago. Murió en 1973.

FERRARIS DEL CONTE SDB., Gustavo (Monseñor). Sacerdote Salesiano. Nació en Italia en 1920. Ordenado en 1947. Vicario Episcopal de la Zona Sur del Arzobispado de Santiago.

FONTAINE ALDUNATE SS.CC., Pablo. Sacerdote de los Sagrados Corazones. Nació en Chile en 1925. Ordenado en 1950. 1962-1963: Trabajó en el Noviciado SS.CC. »Los Perales«. Desde 1970: Asesor Nacional de la Asociación de Universitarios Católicos (AUC). 1970: Miembro del »Centro Medellín«, destinado a dar apoyo y directivas a los católicos »que están por la opción revolucionaria«. 1971: Miembro de los »Ochenta« y uno de los más importantes ideólogos de la jornada sobre »La Colaboración de los Cristianos en la Construcción del Socialismo«. 1975: Vicario Ecónomo de la Parroquia San Gregorio (Santiago). 1975: Asesor Nacional de la AUC.

FRANCOU SJ., François   Sacerdote jesuita francés. Nació en 1921. Entró a la Compañía de Jesús en 1940. Fue ordenado sacerdote en 1952. Formuló el Cuarto Voto (de Obediencia al Papa) en 1958. Llegó a Chile en 1965. Vicario Cooperador de la Parroquia Jesús de Nazareth (Población Alessandri-Maipú). Decano del Decanato de Maipú.

FREI MONTALVA, Eduardo Abogado. Nació en Santiago (Chile) en 1911. Titulado en la Universidad Católica en 1933. Profesor de la Universidad Católica. Presidente de la Juventud Conservadora. Presidente de la Falange Nacional. Miembro fundador del Partido Demócrata Cristiano. Autor de: »Chile desconocido«, »Aún es tiempo«, »La verdad tiene su hora« y otros libros. Ministro de Obras Públicas y Vías de Comunicación. 1949: Elegido Senador por Atacama y Coquimbo. 1957: Elegido Senador por Santiago. 1958: Candidato a la Presidencia de la República. 1964-1970: Presidente de la República. 1973: Senador por Santiago.

FRENZ THIEL, Helmut Obispo Luterano. Nació en Allenstein, Prusia Oriental, en 1933. Estudios de Filosofía y Teología en las Universidades de Bonn, Gottingen y Kiel. Titulado en 1957. Memoria de título: »La problemática de los profetas como historiadores«. Llegó a Chile en 1964. 1974: nombrado Obispo. 1975: Expulsado de Chile »por realizar actividades antinacionales y comprometer gravemente la seguridad pública« (Decreto del Ministerio del Interior).

FRESNO LARRAÍN, Juan Francisco Obispo. Nació en 1914. Ordenación sacerdotal: 1937. Consagración episcopal: 1958. Obispo de Copiapó. Desde 1967: Arzobispo de La Serena. Desde 1975: Presidente de la Conferencia Episcopal de Chile.

FUENZALIDA FUENZALIDA, Orozimbo Obispo. Nació en Chile en 1925. Ordenación sacerdotal: 1951. Párroco de la Inmaculada Concepción (Pichilemu). Párroco en Los Angeles. Consagración episcopal: 1958. Obispo de Los Angeles.

GAETE URZÚA SJ., Arturo Sacerdote jesuita. Nacio en Chile en 1924. Entró a la Compañía de Jesús en 1942. Fue ordenado sacerdote en 1953. Formuló el Cuarto Voto (de Obediencia al Papa) en 1959. 1962-1963: Vice-Rector de la Universidad Católica de Valparaíso. Subdirector de la revista »Mensaje«. 1971: Profesor de Filosofía en la Universidad Católica de Santiago. 1975: Profesor de la Universidad de Chile, Sede Norte. 1975: Miembro del Comité de Redacción de la revista »Teoría«, publicación del Departamento de Filosofía de la Sede Norte de la Universidad de Chile. Miembro del Centro Belarmino.

GAJARDO INFANTE, Patricio Sacerdote chileno. Ordenado en 1963. Párroco de Santo Toribio (Las Condes-Santiago). Capellán de la Cárcel Correccional de Mujeres. Noviembre 1975: Detenido por actividades subversivas en relación con el Comité de Cooperación para la Paz en Chile. 1976: Fuera de Chile. En Copenhagen dicta charlas contra la Junta de Gobierno.

GÁRATE CSC, Martín Sacerdote de la Santa Cruz (Holy Cross). Profesor de Ciencias Sociales del Colegio Saint George. 1971: Miembro del Comité Organizador de la jornada sobre »La Colaboración de los Cristianos en la Construcción del Socialismo«. 1971: Responsable del Secretariado Sacerdotal de los »Cristianos por el Socialismo«. 1971: Participante de las reuniones periódicas de sacerdotes-asesores del MOAC sobre un temario marxista. 1971: Miembro del Comité Coordinador del diálogo Fidel (Castro) - »Ochenta« (sacerdotes). 1972: Presidió la delegación de doce sacerdotes chilenos que viajaron a Cuba invitados por Fidel Castro. En La Habana firmó un Mensaje a los Cristianos de América Latina, recomendando el régimen castrista. 1972: Hizo de anfitrión de la Asamblea Anual de los »Cristianos por el Socialismo«. Febrero 1973: Principal orador en el acto de homenaje a Camilo Torres organizado por los »Cristianos por el Socialismo« y la Unidad Popular. 1973: Expulsado de Chile por ser activista del MIR (militaba en la célula Población Nueva Palena).

GARCÍA, Paulino Sacerdote español enviado a Chile por la OCSHA. Ordenado en 1961. Párroco de Las Barrancas. 1968: Participó en la »toma« de la Catedral de Santiago. Devuelto a España. Reducido al estado laical.

GARRETÓN MERINO, Manuel Antonio Sociólogo. Nació en Santiago (Chile) en 1943. Presidente de la Federación de Estudiantes de la Universidad Católica: 1963-1964. Licenciado en Sociología en la Universidad Católica: 1967. Tesis: »Burocracia y desarrollo«, 1965-1967: Profesor de Sociología en la UC. 1967-1970: Estudios para Doctorado en L'Ecole Pratique des Hautes Etudes de la Universidad de París. Militante del MAPU. Miembro del Consejo Superior de la UC. Desde 1970: Director del Centro de Estudios de la Realidad Nacional (CEREN).

GIAVIO CAMPOS, Renato Sacerdote. Nació en Santiago (Chile) en 1938. Ordenado en 1964. 1971: Miembro de los »Ochenta«. Miembro del Comité Organizador de la jornada sobre »La Colaboración de los Cristianos en la Construcción del Socialismo«. 1974: Párroco de Nuestra Señora de la Victoria (Población La Victoria-Santiago). Diciembre 1974: Detenido por ocultar armas en el Sagrario de su Parroquia.

GISLAIN GILLE, Víctor Sacerdote belga. Ordenado en 1951. Vicario Ecónomo y luego Párroco de San Gerardo (Santiago). Noviembre 1975: Implicado en la fuga de los miristas Andrés Pascal y Nelson Gutiérrez.

GÓMEZ UGARTE, Jorge Sacerdote (Monseñor). Nació en Santiago (Chile) en 1905. Estudió Derecho en la Universidad Católica. Ordenado en 1932. Rector del Instituto de Humanidades. Vicario General del Arzobispado de Santiago. Murió en 1972.

GONZÁLEZ CRUCHAGA, Carlos Obispo. Nació en Santiago (Chile) en 1921. Ordenación sacerdotal: 1944. 1962-1963: Rector del Seminario Pontificio. Consagración episcopal: 1967. Obispo de Talca.

GUEVARA, Ernesto »CHE« Médico. Nació en la Argentina en 1928. Médico-cirujano en 1953. Apenas recibido comenzó su carrera de guerrillero. Luchó con Fidel Castro en la Sierra Maestra. Considerado eminencia gris del régimen castrista hasta su desaparición de Cuba en 1965. Murió en octubre de 1967 en la guerrilla boliviana.

GUMUCIO VIVES SS.CC., Esteban Sacerdote de los Sagrados Corazones. Nació en Santiago (Chile) en 1914. Ordenado en 1938. Rector del Colegio de los Sagrados Corazones. Maestro de novicios. Superior (Provincial) de la Orden. Desde 1963 hasta hoy: Vicario Cooperador de la Parroquia San Pedro y San Pablo (Población Joao Goulart-Santiago). 1971: Miembro de los »Ochenta«. Miembro del Comité Organizador de la jornada sobre »La Colaboración de los Cristianos en la Construcción del Socialismo«.

GUMUCIO VIVES, Rafael Agustín Abogado. Nació en Santiago (Chile). Estudió Leyes en la Universidad Católica. 1927: Estudios especiales de Derecho en la Universidad de Lovaina. Presidente de la Falange Nacional. Miembro del Consejo Nacional del Partido Demócrata Cristiano. 1957: Elegido Diputado DC por Santiago. 1961-1965: Reelegido. 1967: Presidente del PDC. 1969: Militante de la Izquierda Cristiana.

GUTIÉRREZ, GUSTAVO Sacerdote peruano. Conspicuo representante de la »Teología de la Liberación«. 1971: Autor del libro titulado »Teología de la Liberación-Perspectivas«. 1971: En Chile tuvo a su cargo uno de los temas (»Iglesia, sacerdotes y política«) de la jornada sobre »La Colaboración de los Cristianos en la Construcción del Socialismo«.

GUTIÉRREZ, Nelson Mirista. 1968: Uno de los líderes del movimiento de rebeldía pro »reforma« de la Universidad de Concepción. 1969: Presidente de la Federación de Estudiantes de la Universidad de Concepción. 1969: Reo por secuestro de un periodista de Talcahuano. 1974: Segundo en la línea de mando del Movimiento de Izquierda Revolucionaria (MIR), a raíz de la muerte de Miguel Enríquez. Octubre 1975: Repelió a tiros a los Servicios de Seguridad en una parcela de Malloco (Santiago). Huyó en compañía de Andrés Pascal Allende. Robaron un auto, amenazando a sus dueños a punta de metralletas. Protegidos en la fuga por varios sacerdotes, Nelson Gutiérrez y su conviviente María Elena Bachman lograron asilarse en la Nunciatura Apostólica. Febrero 1976: Viajó a Suecia con salvoconducto del Gobierno chileno. Procesado por maltrato a carabineros, robo y otros. La Corte Suprema pidió para él la extradición.

GUZMÁN PORTALES, Francisco Sacerdote chileno. Nació en 1939. Ordenado en 1966. 1968: Participó en la »toma« de la Catedral de Santiago. 1970: Reducido al estado laical.

HANSEN, Theo Sacerdote holandés. 1971: Subdirector de la Escuela de Teología de la Universidad Católica de Chile. Como tal firmó la carta de apoyo de doce profesores de teología a los »Ochenta«, a raíz de la jornada sobre »Los Cristianos en la Construcción del Socialismo«. 1973: trabajaba en Calama. 1973: Después del pronunciamiento militar salió de Chile.

HARNECKER CERDA, Marta Psicóloga. Nació en Santiago (Chile). Titulada en la Universidad Católica en 1963. Tesis: »Fenomenología del acto libre«. 1963-1964: Becada para Doctorado en Psicología Social en La Sorbona, donde realizó estudios con el filósofo marxista Luis Althusser. Profesora de Psicología en la Universidad Católica. 1968: Profesora de Marxismo en la Universidad de Chile. Militante del Partido Socialista. 1973: Se asiló a raíz del pronunciamiento militar.

HIGHBERGER SCS., George Sacerdote de la Santa Cruz (Holy Cross). Nació en Estados Unidos en 1932. Ordenado en 1961. 1969: Rector del Colegio Saint George; no vio la infiltración marxista en ese plantel.

HOURTON POISSON, Jorge   Obispo. Nació en Saubusse les Bains (Francia) en 1926. Ordenación sacerdotal: 1949. Consagración episcopal: 1969. Obispo Auxiliar de Puerto Montt. 1962-1963: Prefecto de estudios del Seminario Pontificio. 1969: Párroco de Jesús Crucificado (Santiago). Actualmente: Obispo Auxiliar de la Arquidiócesis de Santiago.

ILLANES SS.CC., Mario   Sacerdote de los Sagrados Corazones. Nació en Chile en 1928. Ordenado en 1957. 1971: Provincial de los Sagrados Corazones. Como tal propició la entrega de los tres colegios SS.CC. al Estado. 1975: Continúa como Superior o responsable de la Congregación (Guía Eclesiástica de Santiago).

INSUNZA BECKER, Jorge   Ingeniero civil. Nació en Villarrica (Chile) en 1936. Titulado en la Universidad de Chile en 1962. Desde 1965: Director del diario »El Siglo«. Miembro del Comité Central y de la Comisión Política del Partido Comunista. 1969: Elegido Diputado por O'Higgins. 1973: Diputado por Santiago (tercer distrito).

INSUNZA BECKER, Sergio   Abogado. Nació en Villarrica en 1940. Estudió en la Universidad de Chile. Desde 1965: Militante del Partido Comunista. 1972: Secretario General de LAN-Chile.

IRARRÁZAVAL COVARRUBIAS CSC., Diego   Diácono chileno de la Santa Cruz (Holy Cross). 1970: Promotor de ideas marxistas en el Colegio Saint George. 1971: Profesor de la Facultad de Teología de la Universidad Católica. Como tal firmó una carta de apoyo de doce profesores de teología a los »Ochenta«, a raíz de la jornada sobre »La Colaboración de los Cristianos en la Construcción del Socialismo«. 1971: Participaba en reuniones periódicas de los sacerdotes-asesores del MOAC sobre un temario marxista. 1971: Miembro del Comité Coordinador del diálogo Fidel (Castro) - »Ochenta« (sacerdotes). 1972: Relator de la Asamblea Nacional Anual de los »Cristianos por el Socialismo«. 1974: Trabajó en el Comité de Cooperación para la Paz en Chile. 1974: Perteneciente a la célula del MIR »Población Nueva Palena«. 1975: Enviado fuera de Chile.

JEFFS, Leonardo   1969: Principal dirigente de la »Iglesia Joven«. 1973: Candidato a Diputado por la Izquierda Cristiana en Antofagasta (derrotado).

KINNEN, Eduardo   Sacerdote luxemburgués. Nació en 1918. Ordenado en 1943. Profesor de Filosofía Social en la Universidad Católica de Chile, desde 1959. Murió en 1975.

KUHL MERGEN, José   Sacerdote de la Fraternidad de Shoenstatt (Monseñor). Nació en Alemania en 1911. Ordenado en 1938. Nacionalizado chileno. Actualmente: Secretario Ejecutivo de la Mutual Pax (previsión del clero), Secretario Ejecutivo de CALI (Contribución a la Iglesia), Canónigo honorario de la Catedral Metropolitana de Santiago.

LABORDE CSC., Mauricio   Sacerdote chileno de la Santa Cruz (Holy Cross) 1972: Viajó a Cuba invitado por Fidel Castro. En La Habana firmó, junto a otros sacerdotes chilenos, un Mensaje a los Cristianos de América Latina, recomendando el régimen castrista. 1973-1974: Militante de la célula mirista (de extrema izquierda) »Población Nueva Palena«.

LANGE SS.CC., Carlos   Sacerdote de los Sagrados Corazones. 1963: Trabaja en la Arquidiócesis de Concepción. 1968: Participó en la »toma« de la Catedral de Santiago. Párroco de San Pedro y San Pablo (Población Joao Goulart-Santiago) en 1968-1969. Reducido al estado laical.

LARRAÍN ACUÑA SJ., Hernán   Sacerdote jesuita. Nació en Chile en 1921. Entró a la Compañía de Jesús en 1939. Estudió en las universidades de Lovaina, Innsbruck y Munich. Fue ordenado sacerdote en 1952. Formuló el Cuarto Voto (de Obediencia al Papa) en 1957. Rector de la Universidad Católica de Valparaíso. Director de la Escuela de Psicología de la Universidad Católica (Santiago). 1966: Elegido coordinador de todo el apostolado social de los jesuitas en América Latina. Director del Centro Belarmino. Director de la revista »Mensaje« durante 15 años. Murió en 1974.

LARRAÍN ERRÁZURIZ, Manuel   Obispo. Nació en 1900. Ordenación sacerdotal: 1927. Consagración episcopal: 1938. Obispo de Talca desde 1939. Murió en 1966.

LEBRET, Guido   Sacerdote francés, nacionalizado chileno en 1972. Llegó a Chile en 1952. Ordenado en 1955. Director del Hogar de Rehabilitación de Prostitutas »El Despertar« (Talca). Párroco de Nuestra Señora de la Asunción (Putú-Diócesis de Talca). Miembro de la Confederación Unica de Trabajadores (CUT). 1973: Candidato a Diputado por el MAPU. Reducido al estado laical.

Leighton Guzmán, Bernardo Abogado. Nació en Nacimiento (Chile) en 1909. Titulado en la Universidad Católica en 1935. Presidente de la Juventud Conservadora. Fundador y Presidente de la Falange Nacional. Militante del Partido Demócrata Cristiano. 1937: Ministro del Trabajo. 1945: Diputado por Antofagasta. 1950-1952: Ministro de Educación. 1958: Generalísimo de la campaña presidencial de Eduardo Frei. 1964: Ministro del Interior. 1965 y 1967: Vicepresidente de la República. 1969-1973: Diputado por Santiago.

Leenrijsse csj., Hernán Sacerdote holandés del Sagrado Corazón de Jesús. Trabajó en San Bernardo. 1971: Miembro del Comité Organizador de la jornada sobre »La Colaboración de los Cristianos en la Construcción del Socialismo«. 1973: Salió del país.

Letelier Moreira, Oscar Sacerdote. Nació en San Fernando (Chile) en 1939. Ordenado en Talca en 1969. 1972: Viajó a Cuba invitado por Fidel Castro. En La Habana firmó un Mensaje a los Cristianos de América Latina, recomendando el régimen marxista. Reducido al estado laical.

Marcotti, Darío Sacerdote. Nació en 1933. Ordenado en 1961. Párroco de Nuestra Señora de Puerto Claro (Cerro Toro-Valparaíso). 1968: Fundador de la »Iglesia Joven« o »Iglesia del Pueblo« de Valparaíso. 1970: Ferviente partidario de Salvador Allende quien, durante su campaña presidencial, lo llamaba públicamente »camarada sacerdote«. Reducido al estado laical.

Maritain, Jacques Filósofo y escritor francés. Nació en París en 1882. Protestante, convertido al catolicismo en 1906. Seguidor de Bergson. Campeón del neotomismo. Inspirador de la Democracia Cristiana. Algunas obras: »Humanismo integral«, »Cristianismo y democracia«, »Principios de una política humanista«, »El campesino del Garona«. Murió en 1973.

Maroto Pérez, Rafael Sacerdote. Nacido en Chile en 1913. Ordenado en 1943. Párroco de San Cayetano. Profesor del Seminario Pontificio. 1962-1963: Director de Cáritas Diocesana. Vicario General del Arzobispado de Santiago. Administrador de los bienes del Arzobispado. 1975: Vicario Cooperador de la Parroquia San José (Santiago). Desempeña su ministerio en la Población El Montijo. Noviembre 1975: Detenido, procesado y declarado reo por el delito de »albergar, ocultar o facilitar la fuga a una persona a sabiendas que elude la acción de la justicia o de la autoridad, cuando ella se basa en la Seguridad del Estado« (Caso Pascal Allende y Nelson Gutiérrez). Maroto confiesa que, desde hace seis años, es simpatizante del MIR y que ha servido de enlace de dicho movimiento en varias ocasiones. Diciembre 1975: Puesto en libertad por deseo expreso del Presidente de la República, como un indulto de Navidad y Año Nuevo.

Méndez Arceo, Sergio Obispo de Cuernavaca (México). Famoso por sus ideas de izquierda, que le han merecido el título de »Obispo Revolucionario«. 1972: Participó (en Chile) del »Primer Encuentro Latinoamericano de Cristianos por el Socialismo«.

Millas Correa, Orlando Periodista. Nació en Santiago (Chile) en 1918. Estudió Leyes en la Universidad de Chile. Secretario General de las Juventudes Socialistas. Miembro del Partido Comunista. 1952: Director del diario »El Siglo«. 1961: Elegido Diputado por Santiago. Ministro de Hacienda y de Economía del Gobierno de Allende.

Mondelaers Dillen sj., Antonio Sacerdote jesuita belga, nacionalizado chileno. Nació en 1929. Entró a la Compañía de Jesús en 1948. Fue ordenado en 1962. Formuló el Cuarto Voto (de Obediencia al Papa) en 1966. 1964-1966: Asesor de la AUC. 1971: Miembro del Comité Coordinador del diálogo Fidel (Castro) - »Ochenta« (sacerdotes).

Montes Matte sj., Fernando Sacerdote jesuita. Nació en Chile en 1938. Entró a la Compañía de Jesús en 1954. Fue ordenado en 1967. 1975: Director de la revista »Mensaje«.

Muñoz ss.cc., Ronaldo Sacerdote de los Sagrados Corazones. 1972: Miembro de los »Doscientos«. Relator de la jornada sobre »Lucha de Clases y Evangelio de Jesucristo«. 1973: Profesor de la Facultad de Teología de la UC. 1975: Vicario Cooperador de la Parroquia San Pedro y San Pablo (Población Joao Goulart-Santiago). 1974-1976: Colaborador de la revista »Mensaje«.

Murinedou Rozzu, Giuseppe Sacerdote italiano. Nació en 1940. Trabajó en la Parroquia San José Obrero (Población Las Canteras-Copiapó). Formador del Centro de Juventudes Cristianas de Copiapó. Noviembre 1975: Detenido por formar parte de una célula mirista en plena actividad. Noviembre 1975: Devuelto a Italia con salvoconducto de cortesía otorgado por el Gobierno de Chile.

OCHAGAVÍA LARRAÍN SJ., Juan   Sacerdote jesuita. Nació en Chile en 1928. Fue ordenado en 1957. 1970: Decano de la Facultad de Teología de la Universidad Católica. Actualmente: Provincial de la Compañía de Jesús.

OPAZO BERNALES SS.CC., Andrés   Sacerdote de los Sagrados Corazones. Nació en Chile en 1937. Ordenado en 1962. 1968: Participó en la »toma« de la Catedral de Santiago. Reducido al estado laical.

OSSA BEZANILLA, SJ. Manuel   Sacerdote jesuita. Nació en 1931. Entró a la Compañía de Jesús en 1946. Fue ordenado en 1959. Formuló el Cuarto Voto (de Obediencia al Papa) en 1965. Profesor de la Facultad de Teología de la Universidad Católica. Reducido al estado laical.

OVIEDO CAVADA, Carlos   Obispo. Nació en Chile en 1927. Mercedario. Fue ordenado en 1949. Obispo Auxiliar de Concepción. Secretario General de la Conferencia Episcopal, hasta 1974. Arzobispo de Antofagasta.

PACHECO GÓMEZ, Máximo   Abogado. Nació en Santiago (Chile) en 1924. Titulado en la Universidad Católica en 1947. Desde 1949: Militante del PDC. Profesor de la Universidad de Chile. 1965-1968: Embajador chileno ante la Unión Soviética. 1968-1970: Ministro de Educación.

PALMA RODRÍGUEZ, Diego   Sacerdote. Nació en Chile en 1934. 1967: Asesor de la Asociación de Universitarios Católicos (AUC). 1968: Participó en la »toma« de la Catedral de Santiago. Reducido al estado laical.

PASCAL ALLENDE, Andrés   Mirista. Hasta 1961: Alumno del Colegio Saint George. Militante de las Juventudes Socialistas. Miembro del MIR. 1968: Colaboró con Fernando Castillo Velasco en la formación del Centro de Estudios de la Realidad Nacional (CEREN) en la Universidad Católica. 1969: Buscado por la policía por infracción a la Ley de Seguridad Interior del Estado. Pasó a la clandestinidad. Enero 1971: Indultado por el Presidente Allende con otros 42 extremistas de izquierda. Octubre 1971: El Presidente Allende se querelló contra Andrés Pascal, director de la publicación mirista »El Rebelde«; desde sus páginas se realizaba tarea subversiva dedicada a las Fuerzas Armadas. 1972: Candidato a Rector de la Universidad de Chile. 1972: Declarado reo en rebeldía por infracción a la Ley de Seguridad Interior del Estado. 1974: Sindicado como segundo jefe del MIR. Luego, al morir Miguel Enríquez, asumió la jefatura absoluta. Octubre 1975: Repelió a tiros a los Servicios de Seguridad en una parcela de Malloco (Santiago). Huyó en compañía de Nelson Gutiérrez. Robaron un auto, amenazando a sus dueños a punta de metralletas. Protegidos en la fuga por varios sacerdotes, Andrés Pascal y su conviviente, Mary Ann Beausire, se asilaron en la Embajada de Costa Rica. Enero 1976: Viajó a Costa Rica con salvoconducto de Gobierno chileno. Encargado reo por maltrato de obra a carabineros de servicio, causándoles lesiones graves, robo frustrado con violencia e intimidación, robo consumado con violencia e intimidación, porte y tenencia ilegal de armas prohibidas. La Corte Suprema pidió para él la extradición.

PIÑERA CARVALLO, Bernardino   Obispo. Nació en Chile en 1915. Ordenación sacerdotal: 1947. Consagración episcopal: 1958. Obispo de Temuco.

PLASKER CSC., Robert   Sacerdote de la Santa Cruz (Holy Cross). Nació en Estados Unidos en 1930. Profesor izquierdizante del Colegio Saint George. Ordenado en 1957. 1974: Expulsado de Chile por ser activista de izquierda.

PORADOWSKI, Miguel   Sacerdote. Nació en Polonia en 1913. Ordenado en 1936. Llegó a Chile en 1949. Autor de los siguientes libros: »El marxismo invade la Iglesia«, »Sobre la teología de la liberación«, etc.

POSTIGO, Antonio   Sacerdote español. Nació en Castilla La Vieja (España). Llegó a Chile en 1962. Vicario Ecónomo de la Parroquia de la Medalla Milagrosa (Santiago). 1968: Colaboró en la »toma« de la Catedral de Santiago.

PRECHT BAÑADOS, Cristián   Sacerdote. Nació en Chile en 1940. Ordenado en 1967. Vicario Cooperador de la Parroquia María Magdalena (Puente Alto). Profesor de Liturgia de la Universidad Católica. 1975: Secretario Ejecutivo del Comité de Cooperación para la Paz en Chile. 1975: Profesor del Seminario Mayor (Sección Experimental); trabaja con seminaristas en la Parroquia San Gabriel (Campamento Los Copihues-Santiago). 1976: Vicario Episcopal de la Vicaría de la Solidaridad, del Arzobispado de Santiago.

Puga Concha, Mariano   Sacerdote chileno. Ordenado en 1959. Director espiritual del Seminario Pontificio. Asesor de la Asociación de Universitarios Católicos (AUC). 1971: Miembro del Comité Coordinador del diálogo Fidel (Castro) - »Ochenta« (sacerdotes). 1971: Dirigente de los »Doscientos«. Miembro el Comité Central de la Izquierda Cristiana. Actualmente: Ejerce su ministerio en la Comunidad Villa Francia (Santiago).

Pujadas Domingo, Ignacio   Sacerdote. Ordenado en 1961. 1971: Vicario Cooperador de Nuestra Señora de Fátima (Viña del Mar). 1971: Miembro del Comité Coordinador del diálogo Fidel (Castro)- »Ochenta« (sacerdotes). 1972: Viajó a Cuba invitado por Fidel Castro. En La Habana firmó un Mensaje a los Cristianos de América Latina, recomendando el régimen marxista.

Quevillon H. omi, Roberto   Sacerdote. Oblato de María Inmaculada. Nació en el Canadá en 1927. Ordenado en 1953. 1971: Participa en reuniones periódicas de sacerdotes asesores del MOAC, sobre un temario marxista. 1971: Miembro del Comité Coordinador del diálogo Fidel (Castro)- »Ochenta« (sacerdotes). Perteneció a la Diócesis de Iquique. 1973: Expulsado del país.

Redington csc., Guillermo   Sacerdote de la Santa Cruz (Holy Cross). Nació en Estados Unidos en 1934. Ordenado en 1961. Párroco de Santa Rosa de Lo Barnechea (Santiago). 1971: A cargo del Secretariado Sacerdotal de los »Cristianos por el Socialismo«. 1971: Miembro del Comité Coordinador del diálogo Fidel (Castro)- »Ochenta« (sacerdotes). 1972: Viajó a Cuba invitado por Fidel Castro. En La Habana firmó un Mensaje a los Cristianos de América Latina, recomendando el régimen marxista.

Richard Guzmán, Pablo   Sacerdote chileno. Ordenado en 1967. 1971: Profesor de la Facultad de Teología de la Universidad Católica de Chile. 1970-1973: Escritor y periodista de la Unidad Popular. Redactor de la publicación del Partido Socialista »Punto Final«. 1971: Miembro de los »Ochenta«. 1971: Miembro del Comité Coordinador del diálogo Fidel (Castro)- »Ochenta« (sacerdotes). Expulsado de la Facultad de Teología UC. 1972: Viajó a Cuba invitado por Fidel Castro. En La Habana firmó un Mensaje a los Cristianos de América Latina, recomendando el régimen marxista. 1972: Moderador de la Asamblea Anual de los »Cristianos por el Socliialismo«. 1973: Expulsado del país por ser activista del MIR. Reducido al estado laical.

Ruiz-guiñazú Erramoupse, José   Sacerdote argentino. Nació en Buenos Aires en 1933. Ordenado en 1964. Miembro del Consejo de Redacción de la revista chilena »Pastoral Popular«, de tendencia revolucionaria. Profesor del Seminario Pontificio de Santiago. 1969: A pedido de la »Iglesia Joven«, celebró una misa por los extremistas del MIR prófugos de la justicia o detenidos. Reducido al estado laical.

Rozzu Canu, Salvatore Angelo   Sacerdote italiano. Nació en 1942. Especializado en la creación de comunidades cristianas. Trabajó en la Parroquia San José Obrero (Población Las Canteras-Copiapó). Noviembre 1975: Detenido por formar parte de una célula mirista en plena actividad.

Salas Cruchaga sj., Fernando   Sacerdote jesuita. Ordenado en 1971. 1973-1974: Secretario Ejecutivo del Comité de Cooperación para la Paz en Chile. Noviembre 1975: Detenido, procesado y declarado reo por el delito de »albergar, ocultar o facilitar la fuga a una persona a sabiendas que elude la acción de la justicia o de la autoridad, cuando ella se basa en la Seguridad del Estado« (caso Pascal Allende y Nelson Gutiérrez). Diciembre 1975: Puesto en libertad por deseo expreso del Presidente de la República, como un indulto de Navidad y Año Nuevo.

Salinas Fuenzalida, Augusto   Obispo. Nació en 1899. Ordenación sacerdotal: 1928. Consagración episcopal: 1939. Obispo de Linares.

Sánchez Beguiristain, Manuel   Obispo. Nació en Irún (España) en 1907. Ordenación sacerdotal: 1929. 1954: Vicario General de la Arquidiócesis de Concepción. Consagración episcopal: 1960. Desde 1963: Arzobispo de Concepción.

Santos Ascarza, José Manuel   Obispo. Nació en 1916. Ordenación sacerdotal: 1938. Consagración episcopal: 1955. Ex Presidente de la Conferencia Episcopal de Chile. Obispo de Valdivia.

Segura Morales sj., Manuel   Sacerdote jesuita. Desde 1969: Prepósito Provincial de Chile de la Compañía de Jesús. Propició la entrega de los colegios de su Congregación al Estado durante el Gobierno de Salvador Allende. »El Padre Segura ha sido removido (por su Congregación) del escenario chileno, inclusive latinoamericano« (Tierra Nueva, octubre de 1973).

SILVA HENRÍQUEZ, Raúl Obispo. Nació en Talca (Chile) en 1907. Ordenado sacerdote salesiano en 1938. 1959: Obispo de Valparaíso. Presidente de Cáritas-Chile. Desde 1961: Arzobispo de Santiago. Desde 1962: Cardenal. Ex Presidente de la Conferencia Episcopal de Chile.

SILVA SANTIAGO, Alfredo Obispo. Nació en 1894. Ordenación sacerdotal: 1917. Consagración episcopal: 1935. Obispo de Temuco. Arzobispo de Concepción. Gran Canciller y Rector de la Pontificia Universidad Católica de Chile hasta 1967. Murió en 1974.

SILVA SOLAR, Julio Abogado. Nació en Viña del Mar en 1926. Estudió en la Universidad Católica. Militante del Partido Demócrata Cristiano. Libros: »A través del marxismo«, »Hacia un mundo comunitario«. 1965-1969: Diputado por Santiago. 1969: Militante del MAPU. 1971: Militante de la Izquierda Cristiana. 1969-1973: Diputado.

SOLAR, Miguel Angel Médico. Militante de la Democracia Cristiana. 1967: Presidente de la Federación de Estudiantes de la Universidad Católica; como tal encabezó el movimiento de politización de ese plantel, so pretexto de »reforma«. 1968: Participó en la »toma« de la Catedral de Santiago. 1969: Expulsado de la Democracia Cristiana. 1974: Detenido y enviado fuera del país.

TAGLE COVARRUBIAS, Emilio Obispo. Nació en Santiago (Chile) en 1907. Ordenación sacerdotal: 1930. Consagración episcopal: 1958. Administrador Apostólico de Santiago: 1959. Arzobispo-Obispo de Valparaíso.

TEITELBOIM VOLOSKY, Volodia Valentín Abogado y escritor. Nació en Chillán (Chile) en 1916. Estudió en la Universidad de Chile. Ingresó a las Juventudes Comunistas en 1932. Miembro del Comité Central y de la Comisión Política del PC desde 1946. 1961: Elegido Diputado por Valparaíso. 1965: Elegido Senador por Santiago. 1973: Reelegido Senador por Santiago.

THIJSSEN SCJ., Santiago Sacerdote del Sagrado Corazón de Jesús. Nacido en Holanda en 1926. Ordenado en 1952. Nacionalizado chileno. Vicario Cooperador de la Parroquia de San Antonio (Chépica-Diócesis de Talca). Desde 1969: Párroco de Nuestra Señora de la Victoria (Población La Victoria - Santiago). 1971: Miembro de los »Ochenta«. Miembro del Comité Organizador de la jornada sobre »La Colaboración de los Cristianos en la Construcción del Socialismo«. 1971: Miembro del Comité Coordinador del diálogo Fidel (Castro) - »Ochenta« (sacerdotes). 1973: Se asiló después del pronunciamiento militar. Salió del país.

TORRES RESTREPO, Camilo Sacerdote colombiano. 1965: Publicó en Medellín su »Plataforma para un movimiento de Unidad Popular«, dirigida »a todos los inconformes«. Sus puntos básicos: reforma agraria, urbana y de la empresa, reforma universitaria, ampliación de la política de nacionalizaciones, reducción de las Fuerzas Armadas, etc. Denunció a las minorías que, dentro de la Iglesia y del Ejército, impiden las necesarias transformaciones. Comenzó a publicar el periódico »Frente Unido«, para unir a todos los grupos de oposición al Gobierno de Guillermo León Valencia. Pasó al estado laical. 1966: Comenzó a militar en las guerrillas del Ejército de Liberación Nacional, lanzando proclamas que, entre otras cosas, decían: »Las vías legales están agotadas y no queda sino la vía armada«... »La revolución no solamente es permitida, sino obligatoria para los cristianos que vean en ella la única manera eficaz y amplia de realizar el amor para todos«. 1966: murió en acción guerrillera, en Colombia.

TORRES G., Sergio Sacerdote. Nació en Chile en 1929. Ordenado en Talca en 1955. 1969: Consultor diocesano (Talca). 1971: Dirigente de los »Doscientos«. 1971: Miembro del Comité Coordinador del diálogo Fidel (Castro) - »Ochenta« (sacerdotes). 1973: Detenido y dejado en libertad. Reducido al estado laical.

UGARTE LARRAÍN SS.CC., Fernando Sacerdote de los Sagrados Corazones. Nació en Chile en 1933. Fue ordenado en 1960. Intérprete de la canción marxista de protesta durante la Unidad Popular. Reducido al estado laical.

VALDÉS SUBERCASEAUX, Gabriel Abogado. Nació en Santiago en 1919. Titulado en la Universidad Católica en 1945. Memoria de título: »Concepción cristiana del origen del poder«. Militante del Partido Demócrata Cristiano. Profesor de la Universidad Católica. 1964-1970: Ministro de Relaciones Exteriores del Gobierno de Eduardo Frei. Desde 1971: Director Regional del Programa de las Naciones Unidas para el Desarrollo en la Región de América Latina.

VALECH ALDUNATE, Sergio   Obispo. Nació en Chile en 1927. Ordenación sacerdotal: 1953. Consagración episcopal: 1973. Obispo Auxiliar de Santiago.

VALENZUELA RÍOS, Francisco de Borja   Arzobispo. Nació en 1917. Ordenación sacerdotal: 1943. Consagración episcopal: 1956. Obispo de Copiapó. Desde 1957: Obispo de Antofagasta. Desde 1974: Obispo de San Felipe.

VAN ZEELAND, CSJ., Guillermo   Sacerdote holandés, 1971: Asistió a reuniones periódicas de sacerdotes asesores del MOAC, sobre un temario marxista. 1973: Salió del país.

VEKEMANS SJ., Roger   Sacerdote jesuita. Nació en Bélgica en 1921. Fue ordenado en 1949. Fundador (en Chile) del Centro Belarmino. Director de la Escuela de Sociología de la Universidad Católica. Fundador (en Chile) del Centro para el Desarrollo Social de América Latina (DESAL). Abandonó Chile repentinamente, el 18 de octubre de 1970, casi inmediatamente después de la elección de Salvador Allende para Presidente de la República. Actualmente: Fundador (en Colombia) del Centro de Estudios para el Desarrollo e Integración de América Latina (CEDIAL).

VICUÑA ARÁNGUIZ, Eladio   Obispo. Nació en Santiago (Chile) en 1911. Ordenación sacerdotal: 1934. Consagración episcopal: 1955. Obispo de Chillán. Desde 1975: Arzobispo de Puerto Montt.

VIERA-GALLO, José Antonio   Militante de la Juventud Conservadora. Militante del Partido Demócrata Cristiano. Militante del MAPU. Subsecretario de Justicia del Gobierno de Salvador Allende. Como tal, patrocinó la creación de tribunales populares a la usanza cubana y soviética. 1973: Asilado en la Nunciatura Apostólica. Salió del país.

VIGANO, EDIGIO   Sacerdote salesiano. Nació en Italia en 1920. Ordenado en 1946. 1967: Candidato a Pro-Rector de la Universidad Católica de Chile.

WELSCH CSC., Carlos   Sacerdote de la Santa Cruz (Holy Cross). Nació en Estados Unidos. 1971: Profesor de la Facultad de Teología de la Universidad Católica de Chile. Como tal, suscribió la carta de apoyo de 12 profesores de teología a los »Ochenta«, por su jornada sobre »La Colaboración de los Cristianos en la Construcción del Socialismo«. Trabajó en la Población La Bandera (Santiago). 1973: Expulsado del país.

WHELAN CSC., Gerardo   Sacerdote de la Santa Cruz (Holy Cross). Nació en Estados Unidos en 1927. Ordenado en 1955. Llegó a Chile en 1960. Nacionalizado chileno en 1972. Rector del Colegio Saint George. 1969: Convocó a una Semana de Educación de corte marxista en el Saint George. Bajo su rectoría, el Saint George fue el primer establecimiento educacional particular que apoyó el propósito del Gobierno de Allende de implantar la Escuela Nacional Unificada (ENU), para concientizar al ciudadano, desde la cuna hasta la ancianidad. 1975: Vicario Cooperador de Santa Rosa de Lo Barnechea (Santiago). Noviembre 1975: Detenido, procesado y declarado reo por el delito de »albergar, ocultar o facilitar la fuga a una persona, a sabiendas que elude la acción de la justicia o de la autoridad, cuando ella se basa en la Seguridad del Estado« (Caso Pascal Allende y Nelson Gutiérrez). Diciembre 1975: Puesto en libertad por deseo expreso del Presidente de la República, como un indulto de Navidad y Año Nuevo.

ZAÑARTU UNDURRAGA, SJ., Sergio   Sacerdote jesuita. Nació en Chile en 1932. Ordenado en 1960. 1975-1976: Director de la revista »Mensaje«.

BIBLIOGRAFIA

ANÓNIMO. *Los Cristianos y la Revolución - Un debate abierto en América Latina.* Editora Nacional Quimantú, 1972. 396 pp.

ARROYO, Gonzalo. *Coup d'Etat au Chili.* Les Editions du Cerf. Paris, 1974. 102 pp.

ARZOBISPADO DE SANTIAGO. *Guía Eclesiástica de Santiago 1975.* Editora Nacional Gabriela Mistral. 409 pp.

BARRÍA, Jorge. *Historia de la* CUT. Ediciones Prensa Latinoamericana-Chile. 1971. 157 pp.

BASTIEN, Ovide. *Chili, le coup divin.* Les Editions du Jour. Montreal (Canadá), 1974. 254 pp.

BLANQUART OP., Paul. *Los Cristianos y el Socialismo.* Universidad Católica de Chile, Vicerrectoría de Comunicaciones. Diálogos Universitarios. 1971. 15 pp.

CARDENAL, Ernesto. *En Cuba.* Ediciones Carlos Lohlé. Buenos Aires, 1972. 370 pp.

CENTRO DE INVESTIGACIONES SOCIO-RELIGIOSAS. *Anuario de la Iglesia en Chile 1962-1963. Año del Concilio Vaticano* II. Santiago, 1962, 316 pp.

COLECTIVO. *Conversaciones de Toledo - Teología de la Liberación* (Junio 1973). Ediciones Aldecoa. Burgos (España), 1974. 469 pp.

COLECTIVO. *Desde Chile.* Ediciones Sígueme. Salamanca (España), 1974. 146 pp.

COMITÉ PERMANENTE DEL EPISCOPADO DE CHILE. *Evangelio y Paz.* Santiago, 5 de septiembre de 1975. Ediciones Mundo. 35 pp.

CONDAMINES, SANTELICES, TORRES. *Los cristianos frente al socialismo.* Antecedentes históricos. Fundación Obispo Manuel Larraín. Talca, julio de 1971. 36 pp.

CONFERENCIA EPISCOPAL DE CHILE. *Cristianismo y política.* Editora Nacional Gabriela Mistral, 1973. 62 pp.

CONFERENCIA EPISCOPAL DE CHILE. *Evangelio, política y socialismos.* Ediciones Paulinas, mayo de 1971. 91 pp.

CORTÉS, LÍA. FUENTES, Jordi. *Diccionario político de Chile (1810-1966).* Editorial Orbe. Santiago, 1967. 532 pp.

DOMIC, Juraj. *La vía no capitalista de desarrollo.* Colección Ciencia Política. Editorial Vaitea. 1975, 32 pp.

FEDERACIÓN DE ESTUDIANTES DE LA UNIVERSIDAD CATÓLICA DE CHILE. *Nuevos hombres para la nueva Universidad.* Santiago, junio de 1967. 16 pp.

Fuenzalida Morandé, Joaquín. *Guía Parroquial y Guía Eclesiástica de Chile*. Santiago, 1969. 189 pp.

González C., Monseñor Carlos. *Reflexionando sobre Iglesia, política y socialismos, a los cinco años de la muerte de don Manuel Larraín*. Fundación »Manuel Larraín E.«, Talca, julio de 1971. 14 pp.

Harnecker, Marta; Uribe, Gabriela. *Explotados y explotadores*. Colección Cuadernos de Educación Popular. Editora Nacional Quimantú, 1971. 61 pp.

Labarca, Eduardo. *Corvalán 27 horas*. Editora Nacional Quimantú, 1972. 238 pp.

Li-Wei-Han. *La Iglesia Católica y Cuba - Programa de acción*. Ediciones en lenguas extranjeras. Pekín, 1959.

Maritain, Jacques. *Le paysan de la Garonne*. Desclée de Brouwer. Paris, 1967. 406 pp.

Nacar, Eloino; Colunga, Alberto. *Sagrada Biblia* (Versión directa de las lenguas originales). Biblioteca de Autores Cristianos. Madrid, 1968. 1.430 pp.

Oviedo Cavada, Monseñor Carlos. *Documentos del Episcopado. Chile 1970-1973*. Ediciones Mundo. Santiago, 1974. 239 pp.

Pinto, Silvia. *Los días del arcoiris*. Editorial del Pacífico. Santiago, 1972. 266 pp.

Poradowski, Miguel. *El marxismo invade la Iglesia*. Ediciones Universitarias de Valparaíso, 1974. 99 pp.

Poradowski, Miguel. *¿Por qué el marxismo combate al tomismo?* Speiro, 1974. 12 pp.

Poradowski, Miguel. *Sobre la teología de la liberación*. Editora Nacional Gabriela Mistral, 1975, 46 pp.

Sanders, Thomas G. *The Chilean Episcopate, an Institution in Transition*. American Universities Field Staff. August 1968. 30 pp.

PUBLICACIONES PERIODICAS UTILIZADAS

ARIETE (Santiago). Publicación de la Federación de Estudiantes de la Universidad Católica de Chile (FEUC), de inspiración democratacristiana. Sólo publicó tres números, en 1967.

BOLETIN INFORMATIVO OFICIAL. Arzobispado de Santiago.

CAHIERS DE L'ACTUALITÉ RELIGIEUSE ET SOCIALE (París).

CENCOSEP (Santiago). Boletín quincenal del Centro Nacional de Comunicaciones del Episcopado.

CER (Santiago). Boletín mensual del Centro de Estudios de la Revolución. Resúmenes de los acontecimientos chilenos entre 1971 y 1973.

CLARIN (Santiago). Diario izquierdista. Alto exponente de la prensa amarilla.

CRONICA (Concepción). Diario independiente.

CUADERNOS DE LA REALIDAD NACIONAL (Santiago). Publicación del Centro de Estudios de la Realidad Nacional (CEREN) de la Universidad Católica, organismo de inspiración marxista. Fueron publicados 16 números entre septiembre de 1969 y abril de 1973, en forma esporádica.

CUADERNOS UNIVERSITARIOS (Santiago). Publicación comunista estudiantil. Mensual.

EL CATOLICISMO (México).

EL DIARIO ILUSTRADO (Santiago). Diario conservador.

EL MERCURIO (Santiago). Diario independiente.

EL SIGLO (Santiago). Diario. Organo oficial del Partido Comunista de Chile.

EL SUR (Concepción). Diario independiente.

EL TIEMPO (Bogotá). Diario.

ESPRIT (Paris).

ESTE Y OESTE (París - Caracas). Publicación mensual anticomunista.

LA CROIX (París). Publicación católica.

LA ESTRELLA (Valparaíso). Diario independiente.

LA NACION (Santiago). Diario. Organo oficial del Gobierno de Chile.

LA NACION DOMINICAL (Santiago). Suplemento dominical de »La Nación«.

LA RELIGION (Caracas).

LA SEGUNDA (Santiago). Diario vespertino independiente.

LA STAMPA (Torino).

LA TERCERA DE LA HORA (Santiago). Diario independiente.

LA PRENSA (Santiago). Diario democratacristiano.

LAS NOTICIAS DE ULTIMA HORA (Santiago). Diario vespertino del Partido Socialista de Chile.

MENSAJE (Santiago). Publicación mensual jesuita, del Centro Belarmino.

MUNDO 71 (Santiago). Revista mensual.

PEC (Santiago). Semanario anticomunista.

PRESENTE (Santiago). Semanario democratacristiano.

PRINCIPIOS (Santiago). »Revista teórica y política del Comité Central del Partido Comunista de Chile«. Bimensual.

PUNTO FINAL (Santiago). Publicación quincenal del Partido Socialista de Chile.

QUE PASA (Santiago). Semanario independiente.

THE NEW YORK TIMES (Nueva York). Diario.

THE TABLE (Londres).

TIERRA NUEVA (Bogotá). Revista trimestral de estudios socioteológicos, de inspiración jesuítica.

VISPERA (Montevideo). Publicación bimestral marxista.

INDICE DE SIGLAS

ANEF. *Agrupación Nacional de Empleados Fiscales*. Organismo formado en 1943 con el fin de agrupar mayoritariamente a los »empleados civiles de la administración central« (del Estado). En 1950 lo presidía Clotario Blest.

API. *Acción Popular Independiente*. Organismo de fachada de un grupo »independiente, con filosofía de izquierda democrática, nacionalista y no marxista«, formado por el senador Rafael Tarud al aproximarse la elección presidencial de 1970 en la que fue precandidato por la Unidad Popular. Pese a su postura »no marxista«, el API se avino a gobernar con Allende. Su proceso de desintegración comenzó en ese mismo Gobierno.

AUC. *Asociación de Universitarios Católicos o Acción Universitaria Católica*. Organismo confesional que agrupa estudiantes de todas las universidades del país. Fue mayoritariamente democratacristiano hasta 1965; a partir de ese momento sufrió un viraje hacia la izquierda, especialmente hacia el MAPU. De sus filas salieron líderes tales como Miguel Angel Solar y Rodrigo Ambrosio. Sus integrantes se reunían en actos litúrgicos en la Parroquia Universitaria, cuya sede (Villavicencio 337, Santiago) aparece en 1970 como central de distribución para Chile de la revista marxista uruguaya »Víspera«. La AUC es: »Heredera de la antigua Acción Católica Universitaria y expresión oficial del apostolado laico estudiantil en las universidades chilenas« (Estatutos aprobados en septiembre de 1975). Actual asesor nacional de la AUC: Pablo Fontaine, SS.CC.

CALI. *Contribución a la Iglesia*. Organismo de la Iglesia Católica que recauda el llamado Dinero del Culto, correspondiente al uno por ciento de sus rentas que cada católico debe entregar anualmente a la Iglesia.

CEDIAL. *Centro de Estudios para el Desarrollo e Integración de América Latina*. Organismo creado en Colombia por el jesuita Roger Vekemans. Edita la revista de estudios socioteológicos titulada »Tierra Nueva«.

CELAM. *Consejo Episcopal Latinoamericano*. Agrupa a todas las Conferencias Episcopales de América Latina. Se reúne anualmente y emite directivas para la Iglesia Católica en todos los países de la región. Su Secretariado General tiene sede en Bogotá (Colombia).

CENCOSEP. *Centro Nacional de Comunicaciones del Episcopado o Central Medios Comunicación Social del Episcopado*. Prepara un Boletín quincenal con noticias sobre la Iglesia Católica chilena.

CEREN. *Centro de Estudios de la Realidad Nacional*. Organismo de inspiración marxista creado en 1968 dentro de la Universidad Católica de Chile, con atribuciones para imponer planes y programas a las Facultades universitarias de ese centro de estudios, »con el objeto de ayudar a la formación de una teoría de la construcción socialista en Chile«. Su primer director fue Jacques Chonchol.

CIA. *Central Intelligence Agency. (Oficina Central de Inteligencia en Estados Unidos).* Fundada en 1947, bajo control del Consejo Nacional de Seguridad. Atribuido por los comunistas como pivote central de todo cuanto contribuyera a clarificar el papel del Comunismo Internacional en Chile.

CIDE. *Centro de Investigación y Desarrollo de la Educación.* Organismo chileno de la Compañía de Jesús.

CSC. *Congregación de la Santa Cruz (Holy Cross).* Orden religiosa fundada en 1837. Su fin es la santificación de las almas, por el ministerio eclesiástico, la conversión de los infieles, instrucción y educación de la juventud. Tenía 3.127 miembros en 1962. Llegaron a Chile en 1942. Regentaron el Colegio Saint George.

CUT. *Central Unica de Trabajadores.* »La Central Unica de Trabajadores tiene como finalidad primordial la organización de todos los trabajadores de la ciudad y del campo... para la lucha contra la explotación del hombre por el hombre, hasta llegar al socialismo integral« (Declaración de Principios de la CUT). Fue fundada en 1953, en Santiago. Se convirtió en un »instrumento del Comunismo Internacional«.

DC. *Democracia Cristiana.* Corriente política que forma el Partido Demócrata Cristiano.

DESAL. *Centro para el Desarrollo Social de la América Latina.* Organismo creado en Chile por el jesuita Roger Vekemans. Su propio fundador lo deshizo en 1970, tras conocer el triunfo presidencial de Salvador Allende. Sus estudios sociológicos, concretados en cursos, edición de folletos y libros, fueron de tendencia democratacristiana.

ENU. *Escuela Nacional Unificada.* Proyecto gubernamental educativo de Salvador Allende para concientizar el ciudadano desde la cuna hasta la ancianidad y transformarlo en un sujeto a la medida de la sociedad socialista (marxista).

FAP. *Frente Académico Progresista.* Grupo de la Unidad Popular formado dentro de la Universidad Católica de Chile durante el gobierno de Allende. Presidido por Manuel Antonio Garretón.

FEUC. *Federación de Estudiantes de la Universidad Católica.* Organismo que agrupa al estudiantado de este centro universitario. En 1967, al mando de Miguel Angel Solar (democratacristiano), protagonizó la violenta »reforma« que transformó a la Universidad en un reducto del PDC abriendo a la vez, las puertas al Partido Comunista y a sus satélites mancomunados en la Unidad Popular.

FF. AA. *Fuerzas Armadas de Chile.* Ejército, Armada y Aviación. A partir del pronunciamiento militar de 1973 también se incorporó al concepto de Fuerzas Armadas el Cuerpo de Carabineros, cuyo General Director es miembro de la Junta de Gobierno.

IC. *Izquierda Cristiana.* Movimiento político izquierdista nacido en la Democracia Cristiana en 1971. Formó parte del gobierno de la Unidad Popular.

ICAP. *Instituto Cubano de Amistad con los Pueblos.*

INDAP. *Instituto de Desarrollo Agropecuario.* Organismo dependiente del Ministerio de Agricultura.

JJ. CC. *Juventudes Comunistas de Chile.* »Constituyen la organización de jóvenes comunistas, autónoma en cuanto a su organización y a las resoluciones que adopten en su trabajo juvenil. Su labor se realiza en las más vastas capas juveniles del país... Su organismo máximo es el Comité Central de las Juventudes Comunistas de Chile« (Estatutos del Partido Comunista de Chile. Artículo 44°).

MAPU. *Movimiento de Acción Popular Unitaria.* Movimiento político pro marxista, nacido de la Democracia Cristiana chilena el 18 de mayo de 1969. Formó parte del gobierno de la Unidad Popular.

MIR. *Movimiento de Izquierda Revolucionaria*. Organización extremista de izquierda y de inspiración castrista, fundada en 1965, en la Universidad de Concepción. Durante sus diez años de vida, el MIR ha logrado acumular un prontuario nutrido de asaltos a mano armada, asesinatos, homicidios frustrados, intentos de infiltración de las Fuerzas Armadas, etc. Después del pronunciamiento militar de 1973, desde la clandestinidad, prosiguió su obra. Líderes máximos: Luciano Cruz, Miguel Enríquez, Andrés Pascal, Edgardo Enríquez, Humberto Sotomayor, Nelson Gutiérrez, etc. En 1970 el MIR contaba con 4.000 simpatizantes, repartidos en 7 universidades chilenas, y un creciente número de adeptos obreros y campesinos.

MOAC. *Movimiento Obrero de Acción Católica*. La infiltración marxista en sus filas se evidenció cuando este movimiento aplaudió el triunfo presidencial de Salvador Allende rechazando »los dilemas marxismo o democracia, cristianismo o marxismo, en la actual situación chilena«, puesto que »con ello sólo se pretende aumentar el confusionismo y mantener actuales estructuras injustas« (Revista »Víspera«, octubre-diciembre de 1970).

MUC. *Movimiento Universitario Católico*. Filial de la Asociación Universitaria Católica (AUC) en diversas provincias chilenas.

OCHSA. *Obras de Cooperación Sacerdotal Hispanoamericana*. Institución fundada en 1949 por la Conferencia Metropolitana de España, y erigida en Comisión Episcopal en 1953 con el propósito de ayudar a los Obispos de América Latina ante el problema de la falta de sacerdotes. Muchos de los sacerdotes españoles que trabajaron y trabajan en Chile fueron enviados por esta institución.

OMI. *Oblatos de María Inmaculada*. Congregación Religiosa fundada en 1816 por el padre Marenod, para las misiones parroquiales y dirección de seminarios. Eran 7.300 sus miembros en 1962-1963, en todo el mundo. Llegaron a Chile en 1948.

OP. *Orden de los Frailes Predicadores o Dominicos*. Congregación religiosa fundada por Santo Domingo de Guzmán en 1216, para la propagación y defensa de la fe entre los fieles e infieles, mediante predicación y enseñanza doctrinal. En los años 1962-1963 contaba con 10.500 miembros en todo el mundo. Llegaron a Chile en 1552.

PC. *Partido Comunista de Chile*. Nacido en 1922 y adherido a la Tercera Internacional. »Es el partido de la clase obrera, constituido por la unión consciente y voluntaria de los que aspiran al comunismo... Se guía en su acción por los principios del socialismo científico, el marxismo-leninismo« (Estatutos del Partido Comunista de Chile). Tiene una organización interna basada en la »célula«, formada por un máximo de diez personas. Las autoridades máximas del PC para todo el país son el Comité Central, personalizado en el Secretario General, la Conferencia Nacional y el Congreso Nacional. El PC ha seguido siempre la línea comunista ortodoxa de Moscú. El iniciador del Movimiento Comunista en Chile fue Luis Emilio Recabarren.

PCC. *Partido Comunista de Cuba*.

PDC. *Partido Demócrata Cristiano*. Formado en 1957 por la fusión de la facción Social Cristiana del Partido Conservador y por la Falange Nacional. Entre sus fundadores destacan Eduardo Frei y Rafael Agustín Gumucio. »Su orientación es cristiana pero no confesional, en el sentido en que Jacques Maritain (su principal maestro) define estas expresiones, principalmente en obras como »Cristianización y Democracia«. Es decir, su fundamento está en el cristianismo entendido no como religión, fe o vida sobrenatural, sino como filosofía, como conjunto de valores culturales (intelectuales y morales) y como energía histórica actuando en el mundo«. (Diccionario Político de Chile 1810-1966). Principales ideólogos: Jaime Castillo Velasco, Carlos Naudon, Jacques Chonchol.

PS. *Partido Socialista*. Formado en 1933. En 1948 comenzó a llamarse Partido Socialista de Chile para distinguirlo del Partido Socialista Revolucionario. En un comienzo esta colectividad política tuvo tendencia democrática pero, posteriormente y en un proceso radicalizado por la Revolución Cubana, viró su línea hacia el extremismo. En 1940 hubo una ruptura entre el PC y PS, con duras críticas del PS hacia la línea soviética. Carlos Altamirano, último Secretario General del Partido Socialista, fue sindicado, pocos días antes del pronunciamiento militar de 1973, como uno de los »autores intelectuales del plan subversivo que consideraba la muerte de oficiales y de la guardia que no obedeciera a la rendición, así como el control de unidades de guerra de la Armada«, evidenciándose así un complot de vastas proporciones contra las Fuerzas Armadas de Chile.

SCJ *Sagrado Corazón de Jesús*. Congregación religiosa fundada en Francia, en 1878, por el Canónigo Dehon. Sus fines son una especial devoción al Sagrado Corazón de Jesús en espíritu de amor y reparación, y el apostolado misionero y social. En 1962-1963 contaba con 3.955 miembros en todo el mundo. Llegaron a Chile en 1951.

SDB. *Sociedad Salesiana de San Juan Bosco (Salesianos)*. Congregación religiosa fundada en 1859 para construcción y educación de la juventud. En 1962-1963 contaba con 20.545 miembros en todo el mundo. Llegaron a Chile en 1887.

SJ. *Compañía de Jesús (Jesuitas)*. Orden religiosa fundada por San Ignacio de Loyola en 1540. Junto a la santificación de cada miembro, el fin principal de la Orden consiste en la propagación de la fe y de la moral cristiana. Sus militantes hacen un Cuarto Voto (fuera de los tradicionales de la vida religiosa que son pobreza, castidad y obediencia). Este Cuarto Voto es de Obediencia al Papa. La Compañía de Jesús tenía 34.687 miembros en 1961. Llegaron a Chile en 1593 y, luego de ser expulsados en 1767, regresaron en 1843.

SS. CC. *Sagrados Corazones*. Congregación religiosa fundada por María José Coudrin en 1800. Su fin es la propagación de la devoción de los Sagrados Corazones de Jesús y María, mediante vida contemplativa-activa, adoración de Santísimo, enseñanza y misiones. Llegaron a Chile en 1832, dedicándose siempre a educar a la juventud aristocrática del país. Esta influencia de la Orden sobre la clase alta permitió que, cuando comenzaron los cambios políticos y sociales, los educadores infiltraran a sus educandos con las nuevas ideas en boga.

UC. *Universidad Católica de Chile*. Centro de estudios superiores dependiente de la Iglesia Católica, por lo cual se le denomina »Universidad Pontificia«. Su quiebra, en 1967, significó el comienzo del resquebrajamiento de la Iglesia Católica chilena.

UCV. *Universidad Católica de Valparaíso*.

UFUCH. *Unión de Federaciones Universitarias de Chile*. Organismo que reúne a todas las agrupaciones de estudiantes de las universidades del país.